ΕΛΛΗΝΙΚΟΙ ΙΔΙΩΜΑΤΙΣΜΟΙ
ΕΙΣ ΤΑ ΑΓΓΛΙΚΑ

GREEK IDIOMS

by
Dr Dr Athanasios J. Delicostopoulos
Formerly Professor at the University of Athens

ATHENS

EFSTATHIADIS ⓖⓇⓄⓊⓅ **S.A.**
14, Valtetsiou Str.
106 80 Athens
Tel: (01) 5154650, 6450113
Fax: (01) 5154657
GREECE

ISBN 960 226 091 2

© Efstathiadis Group S.A. 2001

Cover desigh by :
Mike Cornford

Printed and bound in Greece

This book is dedicated
TO MY WIFE
a highly qualified specialist
in both languages, Greek and English,
for her invaluable assistance, ideas,
advice and critical appreciations

The author

PREFACE

This book will help you learn effective and accurate Greek. You never know a language unless you know the precise meaning of each idiom.

Greeks have not only a word for everything but also usually a phrase, an idiom.

No matter how advanced you are in your Greek, this book will help you go further. As a matter of fact you may start learning Greek by committing idioms to memory. It is a very easy task and a highly rewarding experience. Your friends will be very impressed. You will be happier with your progress and achievements.

In addition, you will be able, with the least effort, to understand Greeks better and get into direct contact with the Greek spirit. Use the book. You will be amazed with your language capability.

This book will help even Greeks improve their English. The two thousand two hundred Greek idioms in this volume are presented with their equivalent English and American idiomatic expressions.

GREEK IDIOMS was written according to the newest laboratory findings in language teaching. It is an instrument of learning in the hands of both foreigners and Greeks. It will help all those who study Greek of any period at any level, since idiomatic language is an eternal testimony to the vital continuity of the Greek language through the centuries.

Dr Dr Athan. J. Delicostopoulos
Formerly Professor at the University of Athens

ΠΡΟΛΟΓΟΣ

Ὀρθότατα ἐλέχθη[1] ὅτι ἡ ἰδιοφυΐα, ἡ ἐξυπνάδα καὶ τὸ πνεῦμα ἑνὸς ἔθνους ἐκδηλοῦνται εἰς τὴν γλωσσικὴν ἔκφρασιν αὐτοῦ καὶ ἰδίᾳ εἰς τοὺς ἰδιωματισμούς. Οἱ ἰδιωματισμοὶ εἰς τὴν ἐποχήν μας κατέστησαν ἀντικείμενον εἰδικῆς ἐπιστημονικῆς ἐρεύνης ὑπὸ τῶν φιλολόγων καὶ γλωσσολόγων.[2] Τὸ παρὸν βιβλίον περιέχει πέραν τῶν δύο χιλιάδων διακοσίων ἰδιωματισμῶν τῆς Ἑλληνικῆς Γλώσσης. Ἡ ἀπόδοσίς των εἰς τὴν Ἀγγλικὴν γίνεται κυρίως διὰ τῆς παραθέσεως τῶν ἀντιστοίχων Ἀγγλικῶν ἢ Ἀμερικανικῶν ἰδιωματισμῶν. Κατ' αὐτὸν τὸν τρόπον οἱ Ἕλληνες σπουδασταὶ τῆς Ἀγγλικῆς ἔχουν πρὸ ὀφθαλμῶν τοὺς ἀγγλικοὺς ἰδιωματισμούς, οἱ δὲ ξένοι σπουδασταὶ τῆς Ἑλληνικῆς τοὺς ἀντιστοίχους ἑλληνικούς. Τὰ παραδείγματα χρήσεως καλύπτουν ἀμφοτέρας τὰς γλώσσας.

Διὰ τοὺς Ἕλληνας σπουδαστὰς τῆς Ἀγγλικῆς τὸ βιβλίον ἔχει ἰδιάζουσαν σημασίαν, διότι ἀνὰ πᾶσαν στιγμὴν δύνανται οὗτοι νὰ ἀνεύρουν τὴν μετάφρασιν ἑνὸς ἑλληνικοῦ ἰδιωματισμοῦ εἰς τὴν Ἀγγλικήν, πρᾶγμα τὸ ὁποῖον τοὺς διευκολύνει πολὺ εἰς τὴν αὔξησιν τῆς μεταφραστικῆς των ἱκανότητος διὰ παντὸς εἴδους ἐξετάσεις ὅλων τῶν ἐπιπέδων.

Διὰ τὸν λόγον αὐτὸν τὸ παρὸν βιβλίον δύναται νὰ χρησιμοποιηθῇ καὶ ὡς διδακτικὸν ἐγχειρίδιον εἰς τὸ μάθημα τῆς μεταφράσεως εἰς ὅλας τὰς τάξεις, ὑφ' ὅλων τῶν σπουδαστῶν. Ἐναπόκειται εἰς τοὺς διδάσκοντας νὰ καθοδηγήσουν τοὺς σπουδαστὰς εἰς τὴν ἐκμετάλλευσιν τοῦ γλωσσικοῦ ἰδιωματικοῦ πλούτου τοῦ παρόντος βιβλίου. Οἱ σπουδασταὶ δύνανται καὶ μόνοι νὰ χρησιμοποιήσουν τὸ βιβλίον αἰσθανόμενοι τὴν ἱκανοποίησιν τῆς ἐπαφῆς μὲ τὸ ἄγνωστον, τὸ ὁποῖον παύει νὰ εἶναι ἄγνωστον ἀφ' ὅτου κατακτηθῇ.

ΑΘΑΝΑΣΙΟΣ Ι. ΔΕΛΗΚΩΣΤΟΠΟΥΛΟΣ

---

(1) Ὑπὸ τοῦ Francis Bacon (1561-1626).
(2) Πρβλ. Wolf Friederich, Was sind «idiomatische Redewendungen»; ἐν τῷ εἰδικῷ περιοδικῷ ἰδιωματισμῶν «Idioma», International Modern Language Review (English, Français, Deutsch, Italiano, Español), München 2/1965, σελ. 61 ἑξῆς.

ἀβλεψία, ἡ

ἐξ ἀβλεψίας=inadvertently.

Τὸ ἔγραψε ἔτσι ἐξ ἀβλεψίας.
He wrote it that way inadvertently.

ἀγάλια

ἀγάλια-ἀγάλια=little by little, slowly, in steps.

Μὴν βιάζεσαι. Ἄς περπατήσωμε ἀγάλια-ἀγάλια.
Don't make haste. Let's walk slowly.

Τὰ σταφύλια ὡριμάζουν ἀγάλια-ἀγάλια.
Grapes get ripe little by little.

ἀγαπῶ

ὅπως ἀγαπᾶτε=do as you like.

Ὅπως ἀγαπᾶτε. Μὴν ἔλθετε ἐὰν δὲν θέλετε.
Do as you like. Don't come if you do not want to.

Τὶ ἀγαπᾶτε; =What do you want? What can I do for you?

Τὶ ἀγαπᾶτε; Καφὲ ἤ κάτι ἄλλο;
What do you want? Coffee or something else?

ἀγγέλλω

ἀγγέλλεται ὅτι...=it is announced that...

Ἀγγέλλεται, ὅτι ἡ παρέλασις θὰ ἀρχίση στὶς δέκα τὸ πρωΐ.
It is announced that the parade will start at ten o'clock in the morning.

ἀγιάζω

ὁ σκοπὸς ἀγιάζει τὰ μέσα=the end justifies the means.

Ὁ Μακιαβέλλι ἐπίστευε, ὅτι ὁ σκοπὸς ἀγιάζει τὰ μέσα.
Machiavelli believed that the end justified the means.

ἅγιος, ὁ

κάνει τὸν ἅγιο=he plays the saint.

Κάνει τὸν ἅγιο, ἀλλὰ ἐγὼ ξέρω τί εἴδους πρόσωπο πράγματι εἶναι.
He plays the saint but I know what kind of a person he really is.

ἀγκαζὲ

ἀγκαζὲ=arm in arm (with).

Οἱ φίλοι περπατοῦν συχνὰ ἀγκαζέ.
Friends often walk arm in arm.

ἀγκαζὲ (καρέκλα, θέσις)=taken, reserved.

θέσις σὲ πλοῖο ἤ ἀεροπλάνο=booked up.
ὄχημα ὁλόκληρο=chartered.

ἀγκαζάρω θέσιν=I make a reservation.

Ἀγκαζάρησε ὁλόκληρο ἀεροπλάνο.
He chartered the whole airplane.

Αὐτὴ ἡ θέσις εἶναι ἀγκαζέ.
This place (seat) is taken.

ἄγκυρα, ἡ

ρίχνω ἄγκυρα=I cast anchor.
σηκώνω ἄγκυρα=I weigh anchor.

Ἔρριξαν τὴν ἄγκυρα, γιατὶ ὁ καιρὸς ἦταν ἄσχημος.
They cast anchor because the weather was bad.

Τὸ πλοῖο θὰ σηκώσῃ τὴν ἄγκυρα τὸ πρωί.
The ship will weigh anchor in the morning.

ἄγνοια, ἡ

ἐν ἀγνοίᾳ κάποιου=without his knowledge, behind his back.

Τὸ ἔγραψε ἐν ἀγνοίᾳ τῆς συζύγου του.
He wrote it without his wife's knowledge.

ἐξ ἀγνοίας=through ignorance.

Εἶπε ὅτι τὸ ἔκανε ἐξ ἀγνοίας.
He said that he did it through ignorance.

ἀγοράζω

ἀγοράζω ἐπὶ πιστώσει=I buy on credit.
ἀγοράζω τοῖς μετρητοῖς=I buy cash down.

Ὅταν δὲν ἔχω καθόλου χρήματα ἀγοράζω ἐπὶ πιστώσει.
When I don't have any money I buy on credit.

Ὅταν ἔχω χρήματα ἀγοράζω τοῖς μετρητοῖς.
When I have money I buy cash down.

ἀγύριστος, ὁ

νὰ πάῃ στὸν ἀγύριστο=let him go to hell.

Νὰ πάῃ στὸν ἀγύριστο. Δὲν θέλω νὰ τὸν ξαναδῶ.
Let him go to hell. I don't want to see him again.

ἄγω

ἄγω καὶ φέρω κάποιον=I lead him by the nose.

Τὸν ἄγει καὶ τὸν φέρει ἡ γυναίκα του.
His wife leads him by the nose.

ἄδεια, ἡ

ζητῶ ἄδεια=I ask permission.

Ζητῶ ἄδεια νὰ φύγω.
I ask permission to go.

κατόπιν ἀδείας (ἢ τῇ ἀδείᾳ κάποιου)=by special permission of.

Αὐτὸ μπορεῖ νὰ γίνῃ μόνον κατόπιν εἰδικῆς ἀδείας τῆς Κυβερνήσεως.
This can be done only by special permission of the Government.

μὲ τὴν ἄδειά σας=with your permission.

Μὲ τὴν ἄδειά σας, θὰ φύγω.
With your permission, I will go.

χορηγῶ ἄδεια ἢ δίδω ἄδεια=I grant or give permission.

Τοῦ δίδει ἄδεια νὰ τὸ κάνῃ.
He gives him permission to do it.

ἀδειάζω

ἄδειασέ μου τὴ γωνιά=Be off! Go away!

Δὲν ἔχεις καμμιὰ δουλειὰ ἐδῶ. Ἄδειασέ μου τὴ γωνιά.
You have no business here. Go away!

δὲν ἀδειάζω=I have no time.

Ἐργάζεται σκληρά, δὲν ἀδειάζει γιὰ ἕνα ταξίδι.
He is working hard, he has no time for a trip.

ἀδιάφορον

μοῦ εἶναι ἀδιάφορο=it is all the same to me.

Ἐὰν εἶναι πλούσιος ἢ πτωχὸς μοῦ εἶναι ἀδιάφορο.
If he is rich or poor, it's all the same to me.

ἀδιάφορος, ὁ

κάνω τὸν ἀδιάφορο=I play the innocent.

Κάνε τὸν ἀδιάφορο. Κάνε πὼς δὲν ξέρεις τίποτε γι' αὐτό.
You play the innocent.You pretend that you don' t know anything about it.

ἄδικο, τό

ἔχω ἄδικο=I am wrong, I am not right.

Ἔχετε ἄδικο ἂν νομίζετε ὅτι δὲν ἐπλήρωσα.
You are wrong if you think that I have not paid.

ἀέρας, ὁ

ἀέρας κοπανιστὸς=hot air, stuff and nonsense.

Ὅ,τι εἶπε εἶναι ἀέρας κοπανιστός.
What he said is hot air.

ἔχει ἀέρα (φυσάει)=it is windy.

Δὲν πηγαίνω κολύμπι ὅταν φυσάῃ.
I do not go swimming when it is windy.

παίρνω τὸν ἀέρα κάποιου=I become familiar with him.

Τοῦ νέου διευθυντοῦ δὲν μπορεῖ νὰ τοῦ πάρῃ κανεὶς τὸν ἀέρα.
No body can become familiar with the new director.

αἷμα, τό

ἄναψαν τὰ αἵματά μου=my blood was up.

Ἄναψαν τὰ αἵματά μου καὶ τὸν χαστούκισα.
My blood was up and I slapped him.

βάζω στὰ αἵματα=I incite, I put one up to.

Μὴν προσπαθῆς νὰ μὲ βάλῃς στὰ αἵματα. Δὲν πρόκειται νὰ τὸ κάμω.
Don't try to incite me. I will not do it.

βράζει τὸ αἷμα του=His blood is up.

Συγχώρεσέ τον. Εἶναι νέος καὶ βράζει τὸ αἷμα του.
Pardon him, he is young and his blood is up.

μοῦ ἀνέβηκε τὸ αἷμα στὸ κεφάλι=the blood rushed into my face, the blood rushed to my head.

Τοῦ ἀνέβηκε τὸ αἷμα στὸ κεφάλι καὶ δὲν ἤξερε τὶ ἔκανε.
The blood rushed to his head and he did not know what he was doing.

Τὸ αἷμα μου πάγωσε=my blood ran cold.

Μόλις εἶδα τὸ ἀτύχημα, τὸ αἷμα μου πάγωσε.
When I saw the accident my blood ran cold.

τὸ αἷμα νερὸ δὲν γίνεται=blood is thicker than water.

Εἶναι ἀδέλφια. Θὰ συμφωνήσουν. Τὸ αἷμα νερὸ δὲν γίνεται.
They are brothers. They will agree. Blood is thicker than water.

αἰσχρόν, τὸ

αἰσχρὸν ἐστὶ καὶ λέγειν=it is disgraceful even to mention it.

Μὴν τὸ συζητᾶς, «αἰσχρὸν ἐστὶ καὶ λέγειν».
Don't talk about it, it is disgraceful even to mention it.

αἰτία, ἡ

ἐξ αἰτίας=owing to or on account of.

Ἐξ αἰτίας τῆς βροχῆς ἔχασα τὸ ἀεροπλάνο.
Owing to the rain I missed the plane.

ἀκολουθία ἡ

κατ' ἀκολουθίαν=consequently, in consequence.

Κατ' ἀκολουθίαν, ἐσύ δὲν θὰ πρέπει νὰ πᾶς.
Consequently, you should not go.

ἀκολουθῶ

ἀκολουθεῖ=to be continued.

Εἰς τὸ κάτω μέρος τῆς σελίδος γράφει «ἀκολουθεῖ».
At the bottom of the page is written «to be continued».

ἀκοή, ἡ

ἐξ ἀκοῆς=by name.

Τὸν γνωρίζω μόνον ἐξ ἀκοῆς.
I know him only by name.

ἀκόμη

ἀκόμη ἕνα=one more.

Παρακαλῶ ἀκόμη ἕνα παγωτό.
One more ice cream, please.

ἀκόμη μιὰ φορὰ=once more.

Παῖξτε τὸ δίσκο ἀκόμη μιὰ φορὰ παρακαλῶ.
Play the record once more, please.

ἀκόμη μιὰ ὥρα=an hour longer, another hour.

Πρέπει νὰ περιμένουμε μιὰ ὥρα ἀκόμη;
Do we have to wait another hour?

ὄχι ἀκόμη=not yet.

Ἦλθε; Ὄχι ἀκόμη.
Has he come? Not yet.

ἀκουμπῶ

ἀκουμπῶ εἰς=I lean on.

Τρώγει χωρὶς νὰ ἀκουμπᾶ στὸ τραπέζι.
He eats without leaning on the table.

ἀκούω

ἄκου λέει=certainly.

Ἄκου λέει. Ἔρχομαι μαζί σας εὐχαρίστως.
Certainly. I am coming with you with pleasure.

ἀκούω γιὰ κάτι=I hear about.

Δὲν τὸ ἔχεις ἀκούσει ἀκόμη;
Have you not yet heard about it?

Ἔχεις ἀκούσει τίποτε γι' αὐτήν;
Have you ever heard anything about her?

ἀκούω μὲ προσοχὴ=I listen to.

Κατὰ τὴν διάρκειαν τοῦ μαθήματος ἀκούω τὸν καθηγητὴ μὲ προσοχή.
During the lesson I listen to the teacher.

ἄκρη, ἡ

δὲν βγάζω ἄκρη=it does not make sense, I can not make head or tail of it.

Διάβασα τὸ γράμμα, ἀλλὰ δὲν βγάζω ἄκρη.
I read the letter but it does not make sense.

ἀκριβές, τὸ

ἀκριβὲς ἀντίγραφον=true copy.

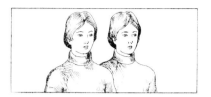

Χρειάζομαι ἕνα ἀκριβὲς ἀντίγραφον τῆς προσφορᾶς.
I need a true copy of the offer.

ἀκριβός, ὁ

ἀκριβὸς στὰ πίτουρα καὶ φτηνὸς στ' ἀλεύρι=penny wise, pound foolish.

*Θέλει νὰ κάνῃ οἰκονομία, ἀλλὰ εἶναι ἀκριβὸς στὰ πίτουρα καὶ φτηνὸς στ' ἀλεύ-
ρι.*
He wants to economize but he is penny wise, pound foolish.

ἄκρον, τὸ

ἀπ' ἄκρου εἰς ἄκρον=from one end to the other.

Τὰ νέα διεδόθησαν ἀπ' ἄκρου εἰς ἄκρον τῆς πόλεως σὲ λίγα λεπτά.
The news spread from one end of the city to the other in a few minutes.

φθάνω στὰ ἄκρα=I go to extremes.

Δὲν εἶναι καλὸ πρᾶγμα νὰ φθάνῃ κανεὶς στὰ ἄκρα.
It is not a good thing for one to go to extremes.

ἀλλάζω

ἀλλάζω γνώμη (ἤ ἀλλάζω ἰδέα)=I change my mind.

Ἀλλάζει γνώμη εὔκολα.
He changes his mind easily.

ἄλλαξε ὁ Μανωλιὸς κι' ἔβαλε τὰ ροῦχα του ἀλλοιῶς=the leopard cannot
change its spots.

*Ὁ ἄνδρας της ὑπεσχέθη νὰ σταματήσῃ νὰ πίνῃ, ἀλλὰ τελικὰ δὲν σταμάτησε.
Ἄλλαξε ὁ Μανωλιὸς κι' ἔβαλε τὰ ροῦχα του ἀλλοιῶς.*
*Her husband promised to stop drinking, but finally he did not. The leopard
cannot change its spots.*

ἁλάτι, τὸ

κάνω κάποιον τοῦ ἀλατιοῦ=I beat the life out of him, I beat him unmercifully

Ἐὰν τὸν συναντήσω θὰ τὸν κάνω τοῦ ἀλατιοῦ.
If I meet him I will beat the life out of him.

ἀλήθεια, ἡ

ἀποκρύπτω τὴν ἀλήθεια=I hold the truth back.

Κατεδικάσθη σὲ τρεῖς μῆνες φυλακὴ δι' ἀπόκρυψιν ἀληθείας περὶ τῶν εἰσοδημάτων του.
He was sentenced to three months imprisonment for having held back the truth about his income.

γυμνὴ ἀλήθεια=the naked truth, the plain truth.

Θέλουν νὰ μάθουν τὴν γυμνὴ ἀλήθεια καὶ τίποτε ἄλλο.
They want to find out the plain truth and nothing else.

εἶναι ἀλήθεια=it is true.

Εἶναι ἀλήθεια ὅτι τὴν ἀγαπᾶ;
Is it true that he loves her?

ἡ ἀλήθεια εἶναι...=the truth is...

Ἡ ἀλήθεια εἶναι ὅτι εἶναι ἔξυπνος.
The truth is that he is clever.

Εἶναι αὐτὴ ἡ ἀλήθεια; Γιατὶ δὲν τὸ λές;
Is that the truth? Why don't you say so?

λέγω τὴν ἀλήθεια=I tell the truth.

Λέγει πάντοτε τὴν ἀλήθεια.
He always tells the truth.

ἀλλὰ

ἀλλ' ὄχι=but not, but no.

Ἔχω μελάνι ἀλλ' ὄχι πέννα.
I have ink but no pen.

ἄλλα, τὰ

λέγω ἄλλα ἀντ' ἄλλων=I talk nonsense, I mix things up.

Ποτὲ δὲν μιλάει σοβαρά. Πάντοτε λέγει ἄλλα ἀντ' ἄλλων.
He never speaks seriously. He always talks nonsense.

ἄλλο

ἐξ ἄλλου=on the other hand, besides.

Ἐξ ἄλλου εἶναι ἐξάδελφός μου.
Besides he is my cousin.

ἄλλος, ὁ

ἔγινε ἄλλος ἄνθρωπος=he has changed completely.

Μετὰ τὸ γάμο του ἔγινε ἄλλος ἄνθρωπος.
After his marriage he changed completely.

κάποιος ἄλλος=someone else.

Ποῖος τὸ ἔκανε; Ὄχι ἐγώ, κάποιος ἄλλος.
Who did it? Not I, somebody else (did it).

Βρὲς κάποιον ἄλλον, ὄχι τὸν Γιώργη.
Find someone else, not George.

ἄλογο, τὸ

ἀνεβαίνω στὸ ἄλογο=I get on a horse, I mount.
κατεβαίνω ἀπὸ τὸ ἄλογο=I get off a horse, I get down from, I dismount from a horse.

Ἀνέβηκε στὸ ἄλογο καὶ ἔφυγε.
He got on the horse and rode away.

ἅμα

ἅμ' ἔπος, ἅμ' ἔργον=no sooner said than done.

Ἅμ' ἔπος, ἅμ' ἔργον. Θὰ τοῦ τηλεφωνήσω ἀμέσως.
I will call him at once. No sooner said than done.

ἅμα θέλης=if you wish.

Ἅμα θέλης, μπορεῖς νὰ ἔλθης καὶ σύ.
If you wish, you may come too.

ἅμα τῇ λήψει=On receipt of.

Σᾶς παρακαλῶ ἀπαντήσατε τηλεγραφικῶς, ἅμα τῇ λήψει τῆς ἐπιστολῆς.
Please answer by cable on receipt of the letter.

ἁμαρτάνω

ἥμαρτον=God have mercy upon me!

ἁμαρτία, ἡ

ἁμαρτίαι γονέων παιδεύουσι τέκνα=the sins of the fathers are visited upon their children.

Δὲν φταίει αὐτός. Ἁμαρτίαι γονέων παιδεύουσι τέκνα.
He is not responsible. The sins of the fathers are visited upon their children.

εἶναι ἁμαρτία =it is a sin, it is a pity.

Μὴν κτυπᾶς τὸ γέρο ἄνθρωπο, εἶναι ἁμαρτία.
Don't beat the old man. It is a sin.

κάνω ἁμαρτία=I commit a sin.

Κανένας ἄνθρωπος στὴ γῆ δὲν μπορεῖ νὰ πῆ ὅτι δὲν ἔκανε ἁμαρτίες.
No man on this earth can say that he has committed no sin at all.

ἀμέσως

ἀμέσως (εὐθὺς)=right away, at once.

Κάντο ἀμέσως τώρα.
Do it right away.

Ταχυδρόμησέ το ἀμέσως.
Mail it at once.

ἀμηχανία, ἡ

βάζω εἰς ἀμηχανίαν κάποιον=I embarrass someone.

Τὰ νέα τὸν ἔβαλαν εἰς ἀμηχανίαν.
The news embarrassed him.

βγάζω ἀπὸ ἀμηχανίαν=I save someone from embarrassment.

Τὸ τηλεφώνημα τὸν ἔβγαλε ἀπὸ ἀμηχανία.
The telephone call saved him from embarrassment.

ἐν ἀμηχανίᾳ=at a loss.

Εὑρίσκεται ἐν ἀμηχανίᾳ. Δὲν γνωρίζει τί νὰ κάνῃ.
He is at a loss. He doesn't know what to do.

ἀμνημόνευτος, ὁ

ἐξ ἀμνημονεύτων χρόνων=from time immemorial.

Αὐτὸ εἶναι γνωστὸ ἐξ ἀμνημονεύτων χρόνων.
This has been known from time immemorial.

ἄμοιρος, ὁ

ἄμοιρος παιδείας=deprived of education.

Καίτοι εἶναι ἄμοιρος παιδείας, γράφει καλά.
Although he has been deprived of education, he writes well.

ἀμπέλι, τὸ

ἐπῆγε σὰν τὸ σκυλὶ στ' ἀμπέλι=He died a dog's death, he died like a dog.

Ἄν καὶ ἔζησε καλὰ ὅλη του τὴ ζωή, ἐπῆγε σὰν τὸ σκυλὶ στὸ ἀμπέλι.
Although he lived well all his life long, he died a dog's death.

ἄμπωτις, ἡ

ἄμπωτις καὶ παλίρροια=ebb and (flood) tide, ebb and flow, high tide and low tide.

Ἔτσι εἶναι ἡ ζωή, ἄμπωτις καὶ παλίρροια.
So is life, ebb and flow.

ἀμφιβολία, ἡ

δὲν ὑπάρχει ἀμφιβολία=there is no doubt.

Δὲν ὑπάρχει ἀμφιβολία περὶ τούτου.
There is no doubt about it.

ἐκτὸς ἀμφιβολίας=beyond doubt.

Ἡ τιμιότης του εἶναι ἐκτὸς (ὑπεράνω) ἀμφιβολίας.
His honesty is beyond doubt.

οὐδεμία ἀμφιβολία=no doubt.

Δὲν ὑπάρχει ἀμφιβολία περὶ τούτου.
There is no doubt about it.

χωρὶς ἀμφιβολία =undoubtedly.

Χωρὶς ἀμφιβολία, αὐτὸς εἶναι ὁ ἄνθρωπος ποὺ ζητᾶμε.
Undoubtedly, he is the man we are looking for.

ἄν

ἀκόμη καὶ ἄν=even if.

Ἀκόμη καὶ ἂν μὲ καλέσῃ ὁ ἴδιος δὲν θὰ πάω.
Even if he himself invites me, I will not go.

ἂν ἤμουν πλούσιος=If I were rich.

Ἂν ἤμουν πλούσιος, θὰ ἀγόραζα ἕνα μεγάλο σπίτι στὴν ἐξοχή.
If I were rich I would buy a big house in the country.

ἂν τὸ ἤξερα=if I knew it.

Ἂν τὸ ἤξερα θὰ ἐρχόμουνα.
If I had known it I should have come.

ἐκτὸς ἄν=unless.

Ἐκτὸς ἂν δὲν ἔλθῃ.
Unless he doesn't come.

ὅποιος καὶ ἂν εἶναι=whoever he may be.

Ὅποιος καὶ ἂν εἶναι δὲν μπορῶ νὰ τὸν δῶ.
I can not see him, whoever he may be.

ἀναβαλλόμενος, ὁ

ψέλνω τὸν ἀναβαλλόμενον=I hauled over the coals.

Μὴν πᾶς στὸ γραφεῖο τοῦ διευθυντοῦ, ψέλνει τὸν ἀναβαλλόμενο σὲ κάποιον.
Don't go into the director's office. He is hauling someone over the coals.

ἀναβάλλω

μὴν ἀναβάλλῃς γιὰ αὔριο ὅ,τι μπορεῖς νὰ κάνῃς σήμερα=there is no time like the present, never postpone till tomorrow what you can do today.

Κάνε το ἀμέσως τώρα. Μὴν ἀναβάλλῃς γιὰ αὔριο ὅ,τι μπορεῖς νὰ κάνῃς σήμε-
ρα.
Do it right now. Never postpone till tomorrow what you can do today.

ἀνάβω

ἀνάβω (κερὶ ἢ λάμπα)=I light a candle or lamp.

Εἶναι σκοτάδι ἐδῶ μέσα, ἄναψε ἕνα κερί.
It is dark in here, light a candle.

ἀνάβω σπίρτο=I strike a match.

Μὴν ἀνάβῃς σπίρτο. Εἶναι ἐπικίνδυνο.
Don't strike a match. It is dangerous.

ἀνάβω (φῶς ἠλεκτρικὸ)=I turn the light on.

Ἄναψα τὸ φῶς γιὰ νὰ βρῶ τὸ βιβλίο μου.
I turned the light on so that I can find my book.

κάθομαι σὲ ἀναμμένα κάρβουνα=I am on pins and needles.

Περιμένει τὰ ἀποτελέσματα τῶν ἐξετάσεων. Κάθεται σὲ ἀναμμένα κάρβουνα.
He is waiting for the results of the examinations. He is on pins and needles.

ἀνάγκη, ἡ

δὲν εἶναι ἀνάγκη νὰ=there is no need to.

Δὲν εἶναι ἀνάγκη νὰ τὸ κάνετε. Ἔχει γίνει ἤδη.
There is no need to do it. It has been done already.

ἐν ἀνάγκῃ=in case of need.

Ἐν ἀνάγκῃ μπορεῖς νὰ μοῦ τηλεφωνήσῃς τὴ νύκτα.
In case of need you can call me during the night.

εἰς περίπτωσιν ἐκτάκτου ἀνάγκης=in case of emergency.

Δὲν ὑπάρχει γιατρὸς στὸ χωριὸ νὰ καλέσῃ κανεὶς εἰς περίπτωσιν ἐκτάκτου
ἀνάγκης.
There is no doctor in the village to call in case of emergency.

ἔχω ἀπόλυτον ἀνάγκην + γενική=I have urgent need of.

Ἔχω ἀπόλυτον ἀνάγκην χρημάτων.
I have urgent need of money.

I need money badly.

ὁ φίλος στὴν ἀνάγκη φαίνεται=a friend in need is a friend indeed.

Ἐγὼ πιστεύω ὅτι ὁ φίλος στὴν ἀνάγκη φαίνεται.
I believe that a friend in need is a friend indeed.

ἀνάθεμα, τό

ἀνάθεμα τὴν ὥρα...=curse the moment (when) that...

Ἀνάθεμα τὴν ὥρα ποὺ τὴν συνήντησα.
Curse the moment that I met her.

ἀνάθεμά τον=curse (on) him.

Ἀνάθεμά τον. Δὲν τὸν ἐμπιστεύομαι.
Curse on him. I don't trust him.

ἀναιρῶ

ἀναιρῶ τὸν λόγο μου=I revoke my word, I go back on my word.

Τὸν ἐμπιστεύομαι διότι δὲν ἀναιρεῖ τὸν λόγον του.
I trust him because he never goes back on his word.

ἀνακαλύπτω

ἀνακαλύπτω=I find out.

Πρέπει νὰ ἀνακαλύψωμε τὴν ἡλικία της.
We must find out her age.

ἀνακατεύομαι

Μὴν ἀνακατεύεσαι=Don't meddle, mind your own business.

ἀνακατεύομαι=I feel sick.

Σταμάτα τὸ αὐτοκίνητο παρακαλῶ, ἀνακατεύομαι.
Stop the car, please, I feel sick.

ἀνακατεύω

ἀνακατεύω τὰ χαρτιά=I shuffle the cards.

Ποιὸς ἀνακατεύει τὰ χαρτιά αὐτὴ τὴν φοράν;
Who is shuffling the cards this time?

ἀνακατεύω τὴ φωτιά=I poke the fire.

Τὴν ἐνθυμήθηκα ἀνακατεύοντας τὴν φωτιά.
I thought of her while I was poking the fire.

ἀνάλυσις, ἡ

ἐν τελευταία ἀναλύσει=in the last analysis, after full consideration.

Ἐν τελευταία ἀναλύσει τίποτε δὲν γίνεται χωρὶς χρήματα.
In the last analysis, nothing can be done without money.

ἀναπαύομαι

ἀναπαύεται εἰς τὰς δάφνας του=he rests on his laurels.

Ἀναπαύονται ἐπὶ τῶν δαφνῶν των.
They are resting on their laurels.

ἀναπνοή, ἡ

κρατῶ τὴν ἀναπνοή μου=I hold my breath.

Κρατῆστε τὴν ἀναπνοή σας. Πρόκειται νὰ δῆτε κάτι τὸ τρομερό.
Hold your breath. You are about to see something terrible.

μοῦ πιάστηκε ἡ ἀναπνοή μου=I am short of breath.

Ἔτρεξα γρήγορα καὶ μοῦ πιάστηκε ἡ ἀναπνοή.
I ran fast and I am short of breath.

ἀνάποδα

παίρνω κάτι ἀνάποδα=I take something amiss, in the wrong way.

Τῆς εἶπα κάτι καὶ αὐτὴ τὸ πῆρε ἀνάποδα.
I told her something and she took it in the wrong way.

τὰ πράγματα μοῦ ἔρχονται ἀνάποδα=things are going wrong for me.

*Ἄν καὶ τὰ πράγματα ἔρχονται τώρα ἀνάποδα γι' αὐτόν, ἡ ζωή του θὰ καλλιτε-
ρεύσῃ γρήγορα.*
Although things are going wrong for him now his life will become better soon.

ἀνασκιρτῶ

ἀνασκιρτῶ ἀπὸ χαρὰ=I throb with joy.

Μόλις τοὺς εἶπα τὰ νέα ἀνεσκίρτησαν ὅλοι ἀπό χαρά.
As I told them the news, they all throbbed with joy.

ἀνατέλλω

ἡ ἡμέρα ἀνατέλλει=it dawns.
(Πρβλ. ὁ ἥλιος ἀνατέλλει=the sun rises).

Ξυπνῶ μόλις ἀνατέλλει ἡ ἡμέρα.
I wake up when it dawns.

ἡ σελήνη ἀνατέλλει=the moon is up.

Ἡ σελήνη ἀνέτειλε ἤδη.
The moon is already up.

ὁ ἥλιος ἀνατέλλει=the sun rises.

Ὁ ἥλιος ἀνατέλλει στὶς πέντε καὶ τέταρτο.
The sun rises at five fifteen.

ἀνατολικὰ

ἀνατολικὰ ἀπὸ=east of.
πρὸς τὰ ἀνατολικὰ=to the east of.
(Πρβλ. west of, north of, south of).
Ἡ ἐκκλησία εἶναι ἀνατολικὰ τοῦ σπιτιοῦ.
The church is east of the house.

ἀνατροφή, ἡ

ἄνθρωπος καλῆς ἀνατροφῆς=a well-bred person.

Ὅλοι τὸν σέβονται. Εἶναι ἄνθρωπος καλῆς ἀνατροφῆς.
They all respect him. He is a well-bred person.

ἄνθρωπος χωρὶς ἀνατροφὴ=an ill-bred person.

Ὅλοι τὸν ἀποφεύγουν. Εἶναι ἄνθρωπος χωρὶς ἀνατροφή.
They all try to. avoid him. He is an ill-bred person.

δὲν ἔχει ἀνατροφή, τρόπους (ἢ στερεῖται ἀνατροφῆς)=he has no manners.

Ἂν καὶ προέρχεται ἀπὸ πλουσίαν οἰκογένεια στερεῖται ἀνατροφῆς.
Although he comes from a rich family, he has no manners.

ἄναυδος, ὁ

μένω ἄναυδος ἀπὸ=I am speechless with.

Ἔμεινε ἄναυδος ἀπὸ τὸ φόβο.
She was speechless with fear.

ἀναχωρῶ

ἀναχωρῶ ἀπὸ κάπου γιὰ....=I depart from....for....

Ἀνεχώρησαν ἀπὸ τὴν Ἀθήνα γιὰ τὸ Λονδῖνο πρὶν δύο μέρες.
They departed from Athens for London two days ago.

ἀνεβαίνω

ἀνεβαίνω (σὲ ὄχημα)=I get on.

Τὸ λεωφορεῖο σταμάτησε καὶ ἀνεβήκαμε.
The bus stopped and we got on.

ἀνεμομαζώματα, τὰ

ἀνεμομαζώματα διαβολοσκορπίσματα=easy come easy go.

Ἐκέρδισε καὶ ἔχασε μιὰ ὁλόκληρη περιουσία παίζοντας χαρτιά.
He won and lost a fortune by gambling.

ἄνεμος, ὁ

ὁμιλῶ περὶ ἀνέμων καὶ ὑδάτων=I talk about irrelevant things.

Κάθε φορὰ ποὺ συναντῶνται ὁμιλοῦν περὶ ἀνέμων καὶ ὑδάτων.
Each time they meet they talk about irrelevant things.

ἀνεξάρτητον, τὸ

ἀνεξάρτητον ἀπὸ τὴν θέλησίν μου=beyond my control.

Ὅ,τι ζητᾶς νὰ κάνω εἶναι ἀνεξάρτητο ἀπὸ τὴν θέλησίν μου.
What you are asking me to do is beyond my control.

ἄνευ

ἐκ τῶν ὧν οὐκ ἄνευ=sine qua non, an indispensable condition.

Θεωρῶ τὸν ὅρο αὐτὸν ἐκ τῶν ὧν οὐκ ἄνευ.
I consider this condition as a sine qua non.

ἀνέχομαι κάτι

δὲν ἀνέχομαι κάτι=I cannot stand it.

Αὐτὸ εἶναι πιὸ πολὺ ἀπ' ὅ,τι μπορῶ νὰ ἀνεχθῶ.
This is more than I can stand.

ἀνησυχῶ

μὴν ἀνησυχεῖτε=don't worry.

Μὴν ἀνησυχεῖτε, θὰ γυρίσῃ.
Don't worry. He will come back.

ἀνθίζω

ἀνθίζω=I am in flower.

Οἱ ἀμυγδαλιὲς ἀνθίζουν ἐνωρὶς τὴν ἄνοιξι.
The almond trees are in flower early in the spring.

ἄνθρωποι, οἱ

ἄνθρωποι=people.

Πολλοὶ ἄνθρωποι δὲν ξέρουν τὶ ζητᾶνε.
Many people do not know what they are looking for.

ἄνθρωπος, ὁ

ἄλλαι μὲν βουλαὶ ἀνθρώπων, ἄλλα δὲ Θεὸς κελεύει=man proposes, God disposes.

Ἐσκόπευε νὰ κάνῃ ἕνα ταξίδι ἀλλὰ ἀπέθανε. ῍Αλλαι μὲν βουλαὶ ἀνθρώπων, ἄλλα δὲ θεὸς κελεύει.
He intended to go on a trip but he died. Man proposes, God disposes.

ἀνοίγω

ἀνοίγω τὸ βῆμα μου=I hurry up.

Ἀρχίζει νὰ βρέχῃ. ῎Ανοιξε τὸ βῆμα σου.
It is beginning to rain. Hurry up.

ἄνοιξε ἡ γῆ καὶ τὸν κατάπιε=he disappeared.

Τὸν χάσαμε. ῎Ανοιξε ἡ γῆ καὶ τὸν κατάπιε.
We lost sight of him. He disappeared.

ἄνοιξε ἡ μύτη του=his nose is bleeding.

Τὸ καλοκαίρι ἀνοίγει ἡ μύτη του συχνά.
His nose bleeds often in the summer.

κάτι ἀνοίγει τὴν ὄρεξί μου=it sharpens my appetite.

῎Ενα ποτὸ θὰ μοῦ ἀνοίξῃ τὴν ὄρεξί μου.
A drink will sharpen my appetite.

ὁ καιρὸς ἀνοίγει=the weather clears up.

῍Ας φύγουμε τώρα καθὼς ὁ καιρὸς ἀνοίγει.
Let's leave now as the weather is clearing up.

ἀνοικτό, τὸ

ἀνοικτὸ χρῶμα=light or bright color.

Προτιμῶ τὸ ἀνοικτὸ τὸ χρῶμα, ὄχι τὸ σκοῦρο.
I prefer the light color and not the dark one.

ἔμεινε μὲ ἀνοικτὸ τὸ στόμα=he became stupefied (open-mouthed).

Μόλις ἄκουσε τὰ νέα ἔμεινε μὲ τὸ στόμα ἀνοικτό.
Upon hearing the news he became stupefied.

ἀνταποδίδω

ἀνταποδίδω καλὸν ἀντὶ κακοῦ=I render good for evil.

Εἶναι θαυμάσιος ἄνθρωπος. Ἀνταποδίδει πάντοτε καλὸν ἀντὶ κακοῦ.
He is a fine man. He always renders good for evil.

ἀνταποδίδω τὰ ἴσα=I give tit for tat.

Μὴν τὸν κτυπᾶς ἐπειδὴ σὲ ἐκτύπησε. Μὴν ἀνταποδίδῃς τὰ ἴσα.
Don't hit him because he hit you. Don't give tit for tat.

ἀντέχω

δὲν ἀντέχω κάτι=I can not endure it.

Οἱ ἄνθρωποι ποὺ ζοῦνε στὴν Ἑλλάδα δὲν ἀντέχουν τὸ κρύο τῶν ῍Αλπεων.
People who live in Greece can not endure the cold of the Alps.

ἀντί

ἀντὶ νὰ (+ρῆμα)=instead of (+ .. ing).

Ἦλθε ἐδῶ ἀντὶ νὰ πάη ἐκεῖ.
He came here instead of going there.

ἀντὶ τοῦ=instead of, in place of.

Ἀντὶ τοῦ ἀδελφοῦ, ἦλθε ἡ ἀδελφή;
Did the sister come instead of the brother?

Δὲν τρώει τὸ κέϊκ ἀντὶ τοῦ φρούτου.
He does not eat cake in place of fruit.

ἀντιγράφω

ἀντιγράφω (στὶς ἐξετάσεις)=I cheat.

*Ὑπάρχουν σπουδασταὶ οἱ ὁποῖοι ἀντιγράφουν εἰς τὰς ἐξετάσεις γιατὶ δὲν ἔχουν
διαβάσει.*
*There are students who cheat at the examinations because they have not
studied.*

ἀντίθεσις, ἡ

ἐν ἀντιθέσει πρὸς=contrary to.

Ἐν ἀντιθέσει πρὸς τὴν γνώμην σας αὐτὸς εἶναι καλὸς παρὰ κακός.
Contrary to your opinion he is good rather than bad.

ἀντίκειται

ἀντίκειται πρὸς=it is contrary to.

Αὐτὸ ἀντίκειται πρὸς τὸν νόμον.
This is contrary to the law.
It is against the law.

ἀντίο

ἀντίο (γειά σου)=so long.

Μοῦ εἶπε ἀντίο καὶ ἔφυγε.
He said to me «so long» and left.

ἀντίρρησις, ἡ

φέρω ἀντίρρησιν=I raise an objection.

Κανεὶς δὲν ἔφερε ἀντίρρησιν. Ὅλοι τὸ ὑπογράψαμε ἀμέσως.
No one raised an objection. We all signed it at once.

ἀντίφασις, ἡ

περιπίπτω εἰς ἀντιφάσεις=I contradict myself.

Ἕνας μάρτυρας ὁ ὁποῖος περιπίπτει εἰς ἀντιφάσεις εἶναι βέβαιον ὅτι θὰ ἐγείρη ὑποψίας ἐναντίον του.
A witness who contradicts himself is certain to arouse suspicions against him.

ἄνω

ἄνω κάτω=upside-down.

Τὸ κάθε τι εἰς τὸ δωμάτιον ἦτο ἄνω κάτω.
Everything in the room was upside-down.

αὐτὸ εἶναι ἄνω ποταμῶν=it is preposterous.
αὐτὸς εἶναι ἄνω ποταμῶν=he is mad.

Αὐτὸ ποὺ λὲς εἶναι ἄνω ποταμῶν.
What you say is preposterous.

Μὴν τὸν προσέχης. Αὐτὸς εἶναι ἄνω ποταμῶν.
Don't pay attention to him. He is mad.

κάμνω κάποιον ἄνω-κάτω=I upset someone.

Κάθε φορὰ ποὺ μᾶς ἐπισκέπτεται μᾶς κάνει ἄνω-κάτω.
Every time he visits us he upsets us.

κάνω τὸ πᾶν ἄνω-κάτω=I leave no stone unturned.

Ἔκανε τὸ πᾶν ἄνω κάτω ψάχνοντας γιὰ τὴν ἀλήθεια.
He left no stone unturned searching for the truth.

ἀξίζω

ἀξίζει μιὰ περιουσία=it is worth a fortune.

Αὐτὸ τὸ δακτυλίδι ἀξίζει μιὰ περιουσία.
This ring is worth a fortune.

ἀξίζω=I am worth.

Πόσο νομίζεις ὅτι ἀξίζει;
How much do you think it's worth?

δὲν ἀξίζει=not worth +...ing.

Δὲν ἀξίζει νὰ στενοχωρῆται κανεὶς γιὰ ἕνα τόσο μικρὸ πρᾶγμα.
It is not worth worrying about such a small thing.

δὲν ἀξίζει πεντάρα=not worth a dime, it is not worth a penny.

Αὐτὸς ὁ πίνακας δὲν ἀξίζει πεντάρα.
This painting is not worth a penny.

δὲν ἀξίζει τὸν κόπον=it is not worth-while.

Μὴν τὸ ἀναφέρετε. Δὲν ἀξίζει τὸν κόπο.
Don't mention it. It is not worth-while.

κάτι ἀξίζει πραγματικὰ=something is worth-while.

Ἀξίζει πραγματικὰ νὰ μάθη κανεὶς Ἑλληνικά;
Is it worth-while learning Greek?

ἄξιος, ὁ

ἄξιος ὁ μισθός σου=May God reward you, may God bless you, you are worth your money.

ἄξιος τῆς τύχης του=it serves him right, he deserves his fate.

Μὴν λυπῆσθε γι' αὐτόν. Εἶναι ἄξιος τῆς τύχης του.
Don't be sorry for him. He deserves his fate.

ἀόριστον

ἀναβάλλω κάτι ἐπ' ἀόριστον=I postpone it indefinitely.
(Πρβλ. sine die=Without a day being set for meeting again).

Ἡ ἐπίσημος συνάντησις ἀνεβλήθη ἐπ' ἀόριστον.
The official meeting was postponed indefinitely.

ἀπαγορεύω

ἀπαγορεύεται ἡ εἴσοδος=no admittance.

Ποῦ πᾶτε; Ἀπαγορεύεται ἡ εἴσοδος.
Where are you going? You can not go there.
No admittance. Entrance is forbidden.

ἀπαγορεύεται ἡ τοιχοκόλλησις=no bill posting, stick no bills.
ἀπαγορεύεται τὸ κάπνισμα=no smoking, smoking forbidden.

Ἡ πινακὶς λέγει: «Ἀπαγορεύεται τὸ κάπνισμα».
The sign says: "No smoking."

ἀπαλὸς, ὁ

ἐξ ἀπαλῶν ὀνύχων=since early childhood.

Τὸν γνωρίζω ἐξ ἀπαλῶν ὀνύχων.
I have known him since (early) childhood.

ἅπαξ

ἅπαξ διὰ παντὸς=once (and) for all.

Σοῦ τὸ εἶπα ἅπαξ διὰ παντὸς νὰ τὸ σταματήσῃς.
I told you once and for all to stop it.

ἀπαραίτητον, τὸ

κάτι μοῦ εἶναι ἀπαραίτητον=I cannot do without it.

Τὸ κάπνισμα τοῦ εἶναι ἀπαραίτητον.
He cannot do without smoking.

ἀπαράλλακτος, ὁ

εἶναι ἴδιος καὶ ἀπαράλλακτος ὁ πατέρας του. =he is the very image of his father.

Κύτταξέ τον. Εἶναι ἴδιος καὶ ἀπαράλλακτος ὁ πατέρας του.
Look at him. He is the very image of his father.

ἄπας

ἐξ ἅπαντος=without fail, by all means.

Θὰ σοῦ τὰ φέρω ἐξ ἅπαντος ἀπόψε.
I will bring them to you without fail to-night.

ἀπατῶ

ἂν δὲν ἀπατῶμαι=if I am not mistaken.

Ἄν δὲν ἀπατῶμαι σᾶς γνωρίζω.
If I am not mistaken, I know you.

ἂν δὲν μὲ ἀπατᾶ ἡ μνήμη μου=if my memory serves me right.

Ἄν δὲν μὲ ἀπατᾶ ἡ μνήμη μου ἔχομε συναντηθῆ κάπου.
If my memory serves me right, we have met somewhere before.

ἀπατᾶσθε ἂν νομίζετε…=you are mistaken if you think…

Ἀπατᾶσθε ἂν νομίζετε ὅτι εἶμαι τόσο ἀφελής.
You are mistaken if you think that I am so naive.

ἀπαυδῶ

δὲν μπορῶ πιά, ἀπηύδησα=I can do no more, I have had enough.

Δὲν μπορῶ πιὰ ἀπηύδησα, θὰ τὸν χωρίσω.
I have had enough, I will divorce him.

ἄπειρον, τὸ

ἐπ' ἄπειρον=infinity, ad infinitum.

Αὐτὸ συνεχίζεται ἐπ' ἄπειρον.
That goes on ad infinitum.

ἀπεκδύομαι

ἀπεκδύομαι πάσης εὐθύνης=I divest myself of all responsibility.

Ἐὰν τὸ κάνης, ἀπεκδύομαι πάσης εὐθύνης.
If you do it, I shall divest myself of all responsibility.

ἀπέχω

ἀπέχω (ὑπολείπομαι)=I am far from.

Αὐτὴ ἡ γυναίκα ἀπέχει ἀπὸ τοῦ νὰ εἶναι ὡραία.
This woman is far from being beautiful.
Αὐτὸ ποὺ μᾶς λὲς ἀπέχει ἀπὸ τὴν ἀλήθεια.
What you are telling us is far from the truth.

ἀπησχολημένος, ὁ

εἶμαι ἀπησχολημένος=I am busy.

Δὲν μπορεῖτε νὰ τὸν δῆτε τώρα, εἶναι ἀπησχολημένος.
You can not see him now, he is busy.

ἄπιστος, ὁ

ὁ ἄπιστος Θωμᾶς=doubting Thomas.

Δὲν πρέπει νὰ εἶσαι ὁ ἄπιστος Θωμᾶς. Θὰ πρέπει νὰ μὲ πιστέψῃς.
You should not be a doubting Thomas. You should believe me.

ἁπλός, ὁ

ἁπλὸς ἄνθρωπος=a plain man.
ἁπλοὶ τρόποι=unaffected manners.

Εἶναι ἕνας ἁπλὸς ἄνθρωπος μὲ ἁπλοῦς τρόπους.
He is a plain man with unaffected manners.

ἀπό

ἀπ' ἐδῶ καὶ μπρός=from now on.

Ἀπ' ἐδῶ καὶ μπρὸς θὰ ἀπαντᾶτε σεῖς εἰς τὸ τηλέφωνο.
From now on you will answer the phone.

ἀπ' ἐναντίας=on the contrary.

Ἀπ' ἐναντίας, δὲν εἶπε τίποτε.
On the contrary, he said nothing.

ἀπὸ καιροῦ εἰς καιρὸν=from time to time.

Μᾶς ἐπισκέπτονται ἀπὸ καιροῦ εἰς καιρόν.
They visit us from time to time.

ἀπὸ μνήμης=by heart.

Μαθαίνει τὰ μαθήματά του ἀπὸ μνήμης.
He learns his lessons by heart.

ἀπὸ περιέργεια=out of curiosity.

Ἐρώτησα ἀπὸ περιέργεια.
I asked out of curiosity.

ἀπὸ τὴν 'Αθήνα=from Athens.

Εἶμαι ἀπὸ τὴν 'Αθήνα.=I am from Athens.
Εἶναι ἀπὸ τὴν Πάτρα.=He is from Patras.

Εἶναι ἀπό τήν Ν. Ὑόρκη.=He is from New York.
Ἀπό ποῦ εἶσθε;=Where are you from?
Εἶμαι ἀπό τό Ἀγρίνιο=I am from Agrinion.
ἀπό τότε=since that time, since then.
Ἀπό τότε δέν ξαναῆλθε.
He hasn't been here since then.
ἀπό τοῦδε=henceforth, from now on.
Ἀπό τοῦδε καί στό ἑξῆς θά ἔρχεσθε μία ὥρα ἐνωρίτερα.
From now on you will come an hour earlier.

ἀποβράσματα, τά

τά ἀποβράσματα τῆς κοινωνίας=the dregs of society.

ἀπόγευμα, τό

τό ἀπόγευμα=in the afternoon.

Δέν ἔχομε σχολεῖο τό ἀπόγευμα.
We have no school in the afternoon.

ἀπογίνομαι

τά γενόμενα οὐκ ἀπογίνονται=what has been done can not be undone.

Δέν ὑπάρχει λόγος νά στενοχωρῆσαι. Τά γενόμενα οὐκ ἀπογίνονται.
There is no point worrying about it. What has been done can not be undone.

ἀποδημῶ

ἀπεδήμησεν εἰς Κύριον=he departed this life.

Ἦταν πρίν τρία χρόνια πού ὁ πατέρας του ἀπεδήμησεν εἰς Κύριον.
It was three years ago that his father departed this life.

ἀποθνήσκω

ἀποθνήσκω τῆς πείνης (πεθαίνω ἀπό τήν πεῖνα)=I am dying of hunger..

I am dying of starvation, I am very hungry.
Ὑπάρχει κάτι νά φάω; Πεθαίνω ἀπό τήν πεῖνα.
Is there anything to eat? I am dying of hunger.

ἀποκλείεται

ἀποκλείεται=it is impossible.

Αὐτό πού λές ἀποκλείεται νά γίνη.
It is impossible to do what you say.

ἀποκλείεται νά τό ἔχη κάνει αὐτός=he can not possibly have done it.

ἀποκλείεται νὰ τὴν εἴδατε=you can not possibly have seen her.

Ἀποκλείεται νὰ τὸ ἔχη κάνει αὐτὸς μὲ τὰ ἴδια του τὰ χέρια.
He can not possibly have done it with his own hands.

ἀπόκληρος, ὁ

ἀπόκληροι τῆς ζωῆς=the outcasts.

Εἶναι ἕνας ἀπὸ τοὺς ἱερεῖς ποὺ κάνανε πολλὰ γιὰ τοὺς ἀποκλήρους τῆς ζωῆς.
He is one of the priests who have done many things for the outcasts.

ἀποκύημα, τὸ

ἀποκύημα τῆς φαντασίας=a mere fancy, a complete fabrication (of his imagination).

Ἡ κατάθεσίς του εἶναι ἀποκύημα τῆς φαντασίας του.
His testimony is a complete fabrication.

ἀπολλύω

ἀπώλεσα τὴν θέσιν μου=I have lost my position.

Ἀπώλεσε τὴν θέσιν του λόγῳ ἀμελείας.
He lost his position due to negligence.

πᾶσα ἐλπίς ἀπώλετο=all hope is lost.

Δὲν πιστεύω ὅτι πᾶσα ἐλπὶς ἀπώλετο.
I don't believe that all hope is lost.

ἀπορία, ἡ

ἀπορίας ἄξιον=strange.

Εἶναι ἀπορίας ἄξιον τὸ ὅτι ἡ Μαρία ἔκανε τέτοιο πρᾶγμα.
It is strange that Mary did such a thing.

εὑρίσκομαι εἰς ἀπορίαν=I am in doubt, I wonder, I am perplexed.

Εὑρίσκομαι εἰς ἀπορίαν. Δὲν ξέρω τὶ νὰ κάνω.
I am perplexed. I don't know what to do.

ἀπόστασις, ἡ

σὲ ἀπόστασι=at a distance.

Τὸ αὐτοκίνητο σταμάτησε σὲ ἀπόστασι δέκα μέτρων.
The car stopped at a distance of ten meters.

ἀποστέλλω

τὸν ἀπέστειλε στὸν ἄλλο κόσμο=it killed him.

Ή ἀποτυχία τοῦ γιοῦ του στὴ ζωὴ τὸν ἀπέστειλε στὸν ἄλλο κόσμο.
His son's failure in life killed him.

ἀποτελειώνω

ἀποτελειώνω κάτι=I finish it up.

Περίμενα μέχρι νὰ ἀποτελειώσῃ τὸ πρόγευμά του.
I waited till he had finished up his breakfast.

ἀποτελοῦμαι

ἀποτελεῖται ἀπό=it consists of.

Τὸ βιβλίο ἀποτελεῖται ἀπὸ 100 σελίδες.
The book consists of 100 pages.

ἀπουσία, ἡ

παίρνω ἀπουσίες=I call the roll.
βάζω ἀπουσίες=I mark someone absent.

Παίρνει ἀπουσίες κάθε μέρα.
He calls the roll every day.

Τοῦ ἔβαλε ἀπουσία χθές.
He marked him absent yesterday.

ἀπουσιάζω

ἀπουσιάζω ἀπό=I am absent from.

Ἀπουσιάζει ἀπὸ τὸ Ἑλληνικὸ του μάθημα (τάξι) σήμερα.
He is absent from his Greek class today.

ἀπόφασις, ἡ

παίρνω μία ἀπόφασι=I make a decision.

Ἐπῆρε τὴν πιὸ μεγάλη ἀπόφασι τῆς ζωῆς του.
He made the greatest decision of his life.

ἀποχαιρετῶ

ἀποχαιρετῶ=I say goodbye.

Ἦλθε νὰ μᾶς ἀποχαιρετήσῃ προτοῦ νὰ φύγῃ γιὰ τὴν Ἑλλάδα.
He came to say goodbye to us before leaving for Greece.

ἀποχαιρετῶ (κατευοδώνω κάποιον)=I see someone off.

Δὲν τὸν ἀποχαιρέτησα στὸ ἀεροδρόμιο, γιατὶ τὸ εἶχα ξεχάσει.
I didn't see him off at the airport because I had forgotten all about it.

ἀπόψε

τηλεφώνησέ μου ἀπόψε=call me tonight.

φεύγω ἀπόψε=I am leaving tonight.

φθάνει ἀπόψε=He is arriving this evening.

ἀπταίστως

ὁμιλῶ (μιὰ γλῶσσα) ἀπταίστως (ἄπταιστα)=I speak a language perfectly, I am proficient in speaking it.

Ὁμιλεῖ Ἑλληνικὰ ἀπταίστως.
He speaks Greek perfectly.

ἅπτω

στὸ ἄψε σβῆσε=in a flash, in a twinkle, in the twinkling of an eye.

Τὸ ἔκανε στὸ ἄψε σβῆσε. Εἶναι πολὺ γρήγορος εἰς τὸ νὰ κάνη πράγματα.
He did it in a flash. He is very quick in doing things.

ἀπύλωτο, τὸ

ἀπύλωτο στόμα=chatter-box, indiscreet mouth, talkative person.

Ἡ γυναίκα του εἶναι ἀπύλωτο στόμα.
His wife is a chatter-box.

ἀργὰ

ἀργὰ ἢ γρήγορα=sooner or later.

Θὰ παντρευθῆ ἀργὰ ἢ γρήγορα.
He will get married sooner or later.

κάλλιο ἀργὰ παρὰ ποτὲ=better late than never.

Παντρεύεται σὲ τέτοια ἡλικία;
Κάλλιο ἀργὰ παρὰ ποτὲ.
Is he getting married at sugh an (old) age?
Better late than never.

ἀργῶ

ἀργῶ=I am late.

Λυποῦμαι, δὲν μπορῶ νὰ σᾶς μιλήσω τώρα, ἄργησα γιὰ τὴν δουλειά μου.
Sorry, I can not talk to you now, I am late for work.

Ἄργησα γιὰ τὸ σχολεῖο.
I am late for school.

ἀρέσει

μοῦ ἀρέσει=I like something.

Μοῦ ἀρέσει τὸ γάλα.
I like milk.

Μοῦ ἀρέσει αὐτὸ τὸ βιβλίο.
I like this book.

δὲν μοῦ ἀρέσει=I do not like something.

Δὲν μοῦ ἀρέσει τὸ γάλα.
I do not like milk.

Δὲν μοῦ ἀρέσει αὐτὸς ὁ ἄνθρωπος.
I do not like this man.

Σᾶς ἀρέσει τὸ κολύμπι;
Do you like swimming?

Σᾶς ἀρέσει ὁ καφές;
Do you like coffee?

Μοῦ ἀρέσει νὰ κάνω κάτι.
I like to do something.

Σᾶς ἀρέσει νὰ διαβάζετε Ἑλληνικά;
Do you like to study Greek?

Ναί, μοῦ ἀρέσει.
Yes, I like to.

ἀρέσει στὸν κόσμον=people like.

Ἀρέσει στὸν κόσμον νὰ ἔχη χρήματα.
People like to have money.

μ' ἀρέσει πιὸ πολὺ (καλλίτερα)=I like....better.

Δὲν σᾶς ἀρέσει τὸ καλοκαίρι πιὸ πολὺ ἀπὸ τὸν χειμῶνα;
Don't you like summer better than winter?

ἀρέσω σὲ κάποιον=he likes me.

Ἀρέσω εἰς τὴν Μαρίαν.
Mary likes me.

Ἡ Μαρία μοῦ ἀρέσει.
I like Mary.

ἀριθμὸς, ὁ

ἔνας μεγάλος ἀριθμὸς=a great number of.

Ἕνας μεγάλος ἀριθμὸς φοιτητῶν ἀποτυγχάνει εἰς τὰς ἐξετάσεις.
A great number of students fail in their examinations.

ἀριστερὰ

πρὸς τὰ ἀριστερὰ=to the left, on the left hand.

Δὲν γύρισε πρὸς τὰ ἀριστερά.
He did not turn to the left.

ἀρκεῖ

ἀρκεῖ=that's enough, that will do.

Ἀρκεῖ. Μὴν συνεχίζης.
That's enough. Don't go on.
Νομίζω ὅτι αὐτὸ ἀρκεῖ.
I think that it will do.

ἀρκετή, ἡ

ἀρκετὴ ὥρα=plenty of time.

Ἔχω ἀρκετὴ ὥρα μέχρι νὰ ἔλθη.
I have plenty of time till he comes.

ἀρνοῦμαι

ἀρνοῦμαι κάτι διαρρήδην=I flatly deny something.

Τὸν κατηγόρησαν διὰ φόνον, ἀλλὰ αὐτὸς τὸ ἠρνήθη διαρρήδην.
They accused him of murder, but he flatly denied it.

ἁρπάζομαι

ἁρπάζομαι εὔκολα=I flare up easily.

Τὸ ἀφεντικό του ἁρπάζεται εὔκολα.
His boss flares up easily.

ἁρπάζω

ἁρπάζω μίαν εὐκαιρίαν=I avail myself of an opportunity.

Ἅρπαξε τὴν εὐκαιρίαν καὶ ἔγινε πλούσιος.
He availed himself of the opportunity and became rich.

ἁρπαχτήκαμε=we came to blows.

Δὲν προλάβανε νὰ συναντηθοῦν καὶ ἀρπαχθήκανε.
No sooner had they met than they came to blows.

ἄρρωστος, ὁ

αἰσθάνομαι ἄρρωστος=I feel sick.

Αἰσθάνομαι ἄρρωστος, μπορῶ νὰ πάω στὸ σπίτι παρακαλῶ;
I feel sick, may I go home please?

Εἶμαι ἄρρωστος ἀπὸ (μὲ)=I am ill with.

Ὁ πατέρας μου εἶναι ἄρρωστος ἀπὸ (μὲ) ἐλονοσία.
My father is ill with malaria.

ἀρχή, ἡ

ἡ ἀρχὴ εἶναι τὸ ἥμισυ τοῦ παντὸς=well begun is half done.

Ὁ πατέρας μου πάντοτε μοῦ ἔλεγε ὅτι ἡ ἀρχὴ εἶναι τὸ ἥμισυ τοῦ παντός.
My father always told me that well begun is half done.

κατ᾽ ἀρχὴν (γενικῶς)=in principle.

Ὅ,τι εἶπες εἶναι ἀποδεκτὸν κατ᾽ ἀρχήν, ἀλλὰ θὰ πρέπει νὰ τὸ κουβεντιάσωμε
ἄλλη μιὰ φορά.
What you have said is acceptable in principle, but we shall have to talk about
it once more.

ἃς

ἃς ἀρχίσωμε=let us begin.

Παρακαλῶ ἃς ἀρχίσωμε.
Please, let's begin.

ἃς τον νὰ χαθῆ=let him get lost.

Μὴν τὸν προσέχης. Ἄς τον νὰ χαθῆ.
Don't pay attention to him. Let him get lost.

ἃς ὑποθέσωμε ὅτι=let's suppose that.

Ἄς ὑποθέσωμε ὅτι ἔχετε δίκαιο.
Let us suppose that you are right.

ἀρχίζω

ἀρχίζω κάτι (μὲ τὸ νά, λέγοντας)=I begin something by..

Ἄρχισε τὴν ὁμιλία του λέγοντας «Κυρίες καὶ Κύριοι».
He began his lecture by saying: "Ladies and Gentlemen!"

ἄσκησις, ἡ

κάνω μία ἄσκησι=I do an exercise.

Κάνω τὶς ἑλληνικὲς ἀσκήσεις κάθε μέρα.
I do the Greek exercises every day.

Μὴν κάνης αὐτὴ τὴν ἄσκησι.
Do not do that exercise.

ἀσπροπρόσωπος, ὁ

βγάζω κάποιον ἀσπροπρόσωπον=I am a credit to someone.

Ἔβγαλε τοὺς γονεῖς της ἀσπροπροσώπους. Εἶναι πρώτη εἰς τὴν τάξιν.
She is a credit to her parents. She is first in the class.

ἀστεῖον, τὸ

λέω ἕνα ἀστεῖο=I tell a joke.
πάντα λέει ἀστεῖα=He always tells jokes.

Εἶπα κανένα ἀστεῖο καὶ ὅλοι γελάσατε;
Did I tell a joke and you all laughed?

Τὸ ἀστεῖο εἶναι ὅτι..=the funny thing is that...

Τὸ ἀστεῖο εἶναι ὅτι δὲν θὰ πάω οὔτε καὶ ἐγώ.
The funny thing is that I will not go either.

ἀστεῖα, τὰ

ἄσε τ' ἀστεῖα=stop joking, quit joking.

Μοῦ εἶπε: «ἄσε τ' ἀστεῖα καὶ σοβαρέψου».
He said to me: "Quit joking and be serious."

δὲν σηκώνει ἀστεῖα=he cannot stand a joke.

Τὸ ξέρεις ὅτι ὁ πατέρας δὲν σηκώνει ἀστεῖα.
You know that father cannot stand a joke.

λέγω κάτι στ' ἀστεῖα=I say something in fun, in play.

Δὲν τὸ εἶπε στ' ἀστεῖα. Ἔτσι ἔγινε. Ὅ,τι εἶπε εἶναι ἀλήθεια.
He did not say it in fun. It happened that way. What he said is true.

τὸ ρίχνω στ' ἀστεῖα=I laugh the matter away.

Ἡ ὑπόθεσις εἶναι σοβαρά. Μὴν τὸ ρίχνης στ' ἀστεῖα.
It is a serious matter. Don't laugh it away.

ἀστειεύομαι

ἀστειεύεσθε;=Are you joking? Are you kidding?

Ἀστειεύεσθε; Δὲν εἶναι δυνατόν.
Are you kidding? It is impossible.

δὲν ἀστειεύεται=he is not to be trifled with.

Δὲν ἀστειεύεται. Θὰ σὲ τιμωρήση.
He is not to be trifled with. He will punish you.

ἀστυφύλαξ, ὁ

ἀστυφύλαξ=police officer.
Κύριε ἀστυφύλαξ=officer.

Κύριε ἀστυφύλαξ, μπορεῖτε νὰ μοῦ πῆτε παρακαλῶ ποῦ εἶναι αὐτὸς ὁ δρόμος;
Officer, can you tell me, please, where this street is?

ἀσφαλής, ἡ

ἐξ ἀσφαλοῦς πηγῆς=from a reliable source.

Τὸ ἔμαθα ἐξ ἀσφαλοῦς πηγῆς.
I learned it from a reliable source.

ἀσχέτως

ἀσχέτως πρὸς (ἂν)=regardless of.

Τὸ ἀεροπλάνο πέταξε ἀσχέτως πρὸς τὸν κακό καιρό.
The airplane flew regardless of the bad weather.

ἄσχημα

εἶναι πολὺ ἄσχημα=he is dangerously ill.

Εἶναι πολὺ ἄσχημα, ἀλλὰ δὲν τὸ ξέρει.
He is dangerously ill but he doesn't know it.

Ἔκανε ἄσχημα=it was wrong of him.

Ἔκανε ἄσχημα νὰ γράψη ἕνα τέτοιο γράμμα.
It was wrong of him to write such a letter.

Τὴν ἔχει ἄσχημα=things have turned bad for him.

Τὴν ἔχει ἄσχημα. Τίποτε δὲν τὸν σώζει.
Things have turned bad for him. Nothing can save him.

αὐγά, τὰ

αὐγὰ μάτια=fried eggs.
αὐγὰ βραστὰ πηκτὰ=hard boiled eggs.

αὐγὰ βραστὰ μελάτα=soft boiled eggs.
αὐγὰ ὀμελέττα=omelet.

αὐγὰ ποσὲ=poached eggs.

Δὲν τρώγει ποτὲ αὐγὰ βραστὰ πηκτά, τὰ θέλει μελάτα.
He never eats hard boiled eggs, he wants them soft boiled.

βάζω ὅλα τὰ αὐγὰ σὲ ἕνα καλάθι=I put all my eggs in one basket, I risk every-thing that I have.

Δὲν εἶναι σοφὸ νὰ βάζης ὅλα τὰ αὐγὰ σὲ ἕνα καλάθι.
It is not wise to put all your eggs in one basket.

χάνω τὰ αὐγὰ καὶ τὰ καλάθια=I don't know which way to turn, I lose everything.

Εἶναι κρῖμα, ἔχασε τὰ αὐγὰ καὶ τὰ καλάθια.
it is a pity, he has lost everything.

αὐξάνω

αὐξάνεσθε καὶ πληθύνεσθε=increase and multiply.

αὔριο, τὸ

αὔριο τὸ πρωΐ=tomorrow morning.

Θὰ ἔλθω αὔριο τὸ πρωΐ=I will come tomorrow morning.

αὐτί, τὸ

ἀπὸ τὸ ἕνα αὐτὶ μπαίνει καὶ ἀπὸ τὸ ἄλλο βγαίνει=in at one ear and out at the other.

Μὴν κουράζεσθε νὰ τὸν πληροφορήσετε. Ἀπὸ τὸ ἕνα αὐτὶ μπαίνει καὶ ἀπὸ τὸ ἄλλο βγαίνει.
Don't take the trouble to inform him. In at one ear and out at the other.

Δὲν ἱδρώνει τ' αὐτὶ του=he does not turn a hair, he attaches no importance to it, it causes him no anxiety.

Ὅ,τι καὶ νὰ τοῦ πῆς δὲν ἱδρώνει τ' αὐτί του.
Whatever you say to him, he does not turn a hair.

εἶμαι ὅλος αὐτιὰ=I am all ears.

Εἶμαι ὅλος αὐτιά. Πές μου τὰ ὅλα.
I am all ears. Tell me everything.

καὶ οἱ τοῖχοι ἔχουν αὐτιὰ=walls have ears.

Ὁμιλοῦσαν σιγὰ γιατὶ καὶ οἱ τοῖχοι ἔχουν αὐτιά.
They were talking quietly since even the walls have ears.

μοῦ μπῆκαν ψύλλοι στ' αὐτιὰ=I got wind of something.

Τῆς μπῆκαν ψύλλοι στ' αὐτιὰ καὶ ἄρχισε νὰ ρωτάη.
She got wind of something and she started asking questions.

μοῦ 'φαγε τ' αὐτιὰ=I talk a person's ears off.

Μοῦ ἔφαγε τὰ αὐτιὰ νὰ τοῦ ἀγοράσω ποδήλατο.
He talked my ears off so that I would buy him a bicycle.

αὐτὸ

αὐτὸ καθ' ἑαυτὸ =the thing by itself, in the abstract.

Τὸ πρᾶγμα αὐτὸ καθ' ἑαυτὸ δὲν ἔχει σημασία.
The thing by itself is of no importance.

γι' αὐτὸ=that is why.

Ἦταν ἄρρωστη, γι' αὐτὸ δὲν ἦλθε.
She was sick, that is why she did not come.

αὐτοκίνητο, τὸ

μὲ τὸ αὐτοκίνητο=in an automobile, by car.

Ἦλθε ἡ Μαρία μὲ τὸ αὐτοκίνητο;
Did Mary come by car?

ἀφ' ἑνὸς

ἀφ' ἑνὸς......ἀφ' ἑτέρου=on the one hand......on the other (hand)...

Ἀφ' ἑνὸς αὐτὴ εἶναι καλὴ ὁδηγὸς διὰ τὴν ἐκδρομή, ἀλλ' ἀφ' ἑτέρου δὲν τῆς ἀ-
ρέσει νὰ ἔλθη.
On the one hand she is a good guide for our outing, but on the other she does
not like to come.

ἀφήνω

ἂς τ' ἀφήσουμε αὐτὰ=let's leave these (things) aside.

Ἂς τ' ἀφήσωμε αὐτά. Ἂς μιλήσωμε γι' ἄλλα πράγματα.
Let's leave these aside. Let's talk about other things.

ἀφήνω κάποιον στὰ κρύα τοῦ λουτροῦ=I leave someone in the lurch.

Τελικὰ δὲν ἦλθαν. Τὸν ἄφησαν στὰ κρύα τοῦ λουτροῦ.
Finally they did not come. They left him in the lurch.

ἄφησέ με ἥσυχο=leave me alone.

Δὲν βλέπεις ὅτι ἐργάζομαι. Ἄφησέ με ἥσυχο.
Don't you see that I am working. Leave me alone.

ἄφησε τ' ἀστεῖα=stop joking.

Ἄφησε τ' ἀστεῖα. Πές μας τὶ συνέβη.
Stop joking. Tell us what has happened.

τὸν ἄφησε στὸν τόπο=he killed him on the spot.

Τὸ κτύπημα ἦταν τόσο δυνατὸ ὥστε τὸν ἄφησε στὸν τόπο.
The blow was so strong that it killed him on the spot.

ἀφορᾷ

ἀφορᾷ=it concerns.

Δὲν σᾶς ἀφορᾷ.
It does not concern you.

κάτι μὲ ἀφορᾷ=it is my concern.

Βεβαίως μὲ ἀφορᾷ.
Certainly, it is my concern.

ἄχθος, τὸ

ἄχθος ἀρούρης=burden of the earth, good for nothing, a dead weight on earth.

Ποτὲ δὲν ἐργάσθηκε. Εἶναι ἄχθος ἀρούρης.
He has never worked. He is good for nothing.

ἄχτι, τὸ

βγάζω τὸ ἄχτι μου σὲ κάποιον=I vent my anger on someone.

Ἔβγαλε τὸ ἄχτι του στὸ Γιῶργο.
He vented his anger on George.

τὸ ἔχω ἄχτι νά..=I long to.., I yearn to..

Τὸ ἔχω ἄχτι νὰ κερδίσω τὸ λαχεῖο.
I long to win the lottery.

τὸν ἔχω ἄχτι=I have a grudge against him.

Τὴν ἔχει ἄχτι. Ἄν συναντηθοῦν θὰ μαλλώσουν (θὰ τσακωθοῦν).
He has a grudge against her. If they meet they will quarrel.

B

βάζω

βάζω αὐτὶ=I glue my ear to the keyhole, I listen attentively, I listen to.

Βάλε αὐτὶ ν' ἀκούσῃς τὶ λένε.
Glue your ear to the keyhole and listen to what they are saying.

βάζω βαθμὸ=I give a mark.

Οἱ μαθηταὶ λένε ὅτι εἶναι πολὺ καλὸς δάσκαλος γιατὶ τοὺς βάζει καλοὺς βαθμούς.
The students say that he is a very good teacher because he gives them good marks.

βάζω βάσι σὲ=I rely upon him.

Μὴν βάζῃς βάσι στὶς ὑποσχέσεις του.
Don't rely upon his promises.

βάζω γνῶσι=I become wise.

Μετὰ ἀπ' ὅ,τι συνέβη ἔβαλε γνῶσι.
After what has happened he has become wise.

βάζω ἐμπρὸς (βάζω σὲ κίνησι)=I set in motion.

Δὲν μπορῶ νὰ βάλω τὸ μοτὲρ ἐμπρὸς γιατὶ εἶναι πολὺ κρύο.
I cannot set the motor in motion because it is very cold.

βάζω ἐμπρὸς μιὰ δουλειὰ=I start a job.

Θὰ βάλουν ἐμπρὸς τὴν δουλειὰ μαζί.
They will start the job together.

βάζω ἐνέχυρον=I pawn something.

Ἔβαλε ἐνέχυρο τὸ δακτυλίδι της.
She pawned her ring.

βάζω κάποιον νὰ κάνῃ κάτι=I put someone up to something.

Ὁ Γιώργης μὲ ἔβαλε νὰ τὸ κάνω.
It was George who put me up to it.

βάζω λόγια=I intrigue, I plot.

Μὴν βάζῃς λόγια. Δὲν εἶναι ἔντιμο.
Don't intrigue. It is not honest.

βάζω πόστα κάποιον=I give him a dressing-down, I reprove, I scold.

Ἔκανε κάτι κακὸ καὶ ἡ μητέρα του τὸν ἔβαλε πόστα.
He did something bad and his mother gave him a dressing-down.

βάζω (ροῦχα ἤ παπούτσια)=I put on.

Βάλε τὸ παλτὸ σου καὶ πᾶμε.
Put on your coat and let's go.

βάζω σὲ δύσκολη θέσι=I put someone in a difficult position.

Ἡ ἐρώτησίς του μὲ ἔβαλε σὲ δύσκολη θέσι.
His question put me in a difficult position.

βάζω σὲ ἔγνοια=I cause anxiety.

Τὰ νέα τὸν ἔβαλαν σὲ ἔγνοια.
The news caused him anxiety.

βάζω σὲ τάξι=I set in order, I arrange.

Ποτὲ δὲν βάζει σὲ τάξι τὰ βιβλία του.
He never sets his books in order.

βάζω στὰ αἵματα=I incite someone, I rouse.

Μὴν τὸν βάζῃς στὰ αἵματα νὰ τὸ κάμῃ.
Don't incite him to do it.

βάζω στὸ χέρι=I take possession of.

Ἔβαλε στὸ χέρι τὴν περιουσία τῆς γυναίκας του.
He took possession of his wife's property.

βάζω στοίχημα=I make a bet.

Βάζομε στοίχημα;
Do you want to make a bet?

βάζω τὰ δυνατά μου=I do my best.

Θὰ βάλω τὰ δυνατά μου νὰ περάσω τὶς ἐξετάσεις.
I will do my best so that I can pass the examinations.

βάζω τέλος σὲ κάτι=I put an end to it.

Ὁ θάνατος ἔβαλε τέλος στὴν ἀγωνία του.
Death put an end to his anxiety.

βάζω τὶς φωνὲς=I cry out.

Ἡσύχασε, μὴν βάζῃς τὶς φωνές.
Be quiet, don't cry out.

βάζω τὸ κεφάλι μου στὸν ντορβᾶ=I risk my neck.

Ἔβαλα τὸ κεφάλι μου στὸ ντορβᾶ γιὰ σένα.
I risked my neck for you.

βάζω τὸ μαχαίρι στὸ λαιμὸ=I put a knife to someone's throat.

Μοῦ ἔβαλε τὸ μαχαίρι στὸ λαιμό. Δὲν μποροῦσα νὰ κάνω διαφορετικά.
He put a knife to my throat. I could not do otherwise.

βάζω τὸ χέρι στὸ Εὐαγγέλιο=I swear.

Βάζω τὸ χέρι στὸ Εὐαγγέλιο γιὰ τὴν τιμιότητά του.
I swear that he is honest.

βάζω τραπέζι=I set the table.

Εἶναι ἐνωρίς. Μὴν βάζης τραπέζι ἀκόμη.
It is early. Don't set the table yet.

βάζω φόρους=I impose taxes.

Ἡ Κυβέρνησις ἔβαλε νέους φόρους.
The Government imposed new taxes.

βάζω φωτιὰ σὲ κάτι=I set fire to something.

Ἔβαλε φωτιὰ στὸ δάσος.
He set fire to the forest.

βάλθηκε νὰ=he has set his mind to, he has set himself to.

Βάλθηκε νὰ γίνη πλούσιος.
He has set his mind to get rich.

βάλθηκε νὰ μὲ τρελλάνη=he was set on driving me mad.

Βάλθηκε νὰ τὴν τρελλάνη καὶ σχεδὸν τὸ πέτυχε.
He was set on driving her mad and he almost succeeded in doing so.

δὲν τὸ βάζω κάτω=I don't give up.

Ἂν καὶ ἀπέτυχε δύο φορὲς δὲν τὸ βάζει κάτω.
Although he has failed twice, he doesn't give up.

μὴν τὰ βάζης μαζί μου=don't blame me.

Μὴν τὰ βάζης μαζί μου. Εἶμαι ἀθῶος.
Don't blame me. I am innocent.

τὰ βάζω μὲ κάποιον=I quarrel with him.

Μὴν τὰ βάζης μὲ τὸ Γιῶργο. Δὲν φταίει αὐτός.
Don't quarrel with George. He is not to blame.

τὰ παπούτσια μου βάζουν νερὸ=my shoes leak.

Τὰ παπούτσια μου βάζουν νερό. Χρειάζομαι καινούργια.
My shoes leak. I need new ones.

τὸ βάζω στὰ πόδια=I take to my heels.

Μόλις ἄκουσε τὴν πιστολιὰ τὸ ἔβαλε στὰ πόδια.
As soon as he heard the pistol-shot he took to his heels.

τὸν βάλανε μέσα=they locked him up.

Ἡ ἀστυνομία τὸν βρῆκε μεθυσμένο στὸ δρόμο καὶ τὸν ἔβαλε μέσα.
The police found him drunk in the street and locked him up.

τοῦ ἔβαλε τὰ 'γυαλιὰ=he surpassed him.

Ὁ Γιάννης μᾶς ἔβαλε τὰ γυαλιὰ στῇ γεωμετρία.
John surpassed us in Geometry.

βάθος, τὸ

ἐκ βάθους καρδίας=from the bottom of one's heart.

Τοῦ εὐχήθηκα ἐπιτυχίαν ἐκ βάθους καρδίας.
I wished him success from the bottom of my heart.

ἐξετάζω κατὰ βάθος=I examine thoroughly.

Πρέπει νὰ ἐξετάσωμε τὴν προσφορὰ κατὰ βάθος.
We must examine the offer thoroughly.

βαθεῖα, ἡ

μέχρι βαθείας νυκτὸς=till late at night.

Ἐμείναμε ἐκεῖ μέχρι βαθείας νυκτός.
We stayed there till late at night.

βαθύ, τὸ

βαθὺ χρῶμα=dark color.

Δὲν μοῦ ἀρέσει αὐτὸ τὸ βαθὺ χρῶμα.
I don't like this dark color.

βαθύς, ὁ

ὄρθρου βαθέος=very early in the morning.

Τὶ ὥρα ἀρχίζει ἡ Ἐκκλησία;
Ὄρθρου βαθέος.

At what time does the church service start?
Very early in the morning.

βάλλω, ἰδὲ βάζω

βαράω

βαράω (ἐπὶ κυνηγῶν)=I shoot.

βάρεσε μία ἀγριόπαπια=he shot a wild duck.

Δέν βάρεσαν τίποτε, μόνον ἕνα λαγό.
They did not shoot anything, only a hare.

βαρέως

τὸ φέρω βαρέως=I resent it.

Τὸν κατηγόρησαν ἐκ λάθους καὶ τό φέρει βαρέως.
He was wrongly accused and he resents it.

βάρος, τὸ

γίνομαι βάρος=to be a burden to someone, to cause inconvenience.

Δὲν θέλω νὰ σᾶς γίνω βάρος.
I don't want to be a burden to you.

βαρύνω

βαρέθηκα κάποιον ἢ κάτι=I am tired of.

Βαρέθηκα αὐτὸ τὸ εἶδος τῆς ζωῆς.
I am tired of this kind of life.

βαστῶ

αὐτὸς βαστιέται καλὰ γιὰ τὴν ἡλικία του=he wears well, (inspite of) despite his old age he is in good health.

Εἶναι 80 ἐτῶν, ἀλλὰ βαστιέται καλὰ γιὰ τὴν ἡλικία του.
He is eighty years old, but he wears well.

βαστιέται καλὰ (ἔχει χρήματα, περιουσία)=he is well off.
δὲν βαστῶ χρήματα μαζί μου=I have no money on me.

Μπορεῖτε νὰ πληρώσετε ἐσεῖς; Δὲν βαστῶ χρήματα μαζί μου.
Can you pay? I have no money on me.

μόλις βαστιέμαι στὰ πόδια μου (εἶμαι ἕτοιμος νὰ καταπέσω)=I am ready to collapse.

Μόλις βαστιέται στὰ πόδια του. Πές του νὰ πάη νὰ ξαπλώση.
He is ready to collapse. Tell him to go and lie down.

βγάζω

βγάζω λεπτὰ (κερδίζω χρήματα)=I make money.

Βγάζει πολλὰ λεπτὰ κάθε μῆνα.
He makes a lot of money every month.

βγάζω λόγο=I make (or) I deliver a speech.

Πρὸ τῶν ἐκλογῶν ἔβγαζε λόγο κάθε βράδυ.
Before the elections he made a speech every night.

βγάζω ὄνομα (ἀποκτῶ κακὴν φήμην)=I get a bad reputation.

ἀποκτῶ κακὸ ὄνομα=I get a bad name.

ἀποκτῶ καλὸ ὄνομα=I make a name for myself.

Εἶναι εὔκολο νὰ βγάλη κανεὶς κακὸ ὄνομα.
It is easy for one to get a bad reputation.

Εἶναι δύσκολο νὰ ἀποκτήση κανεὶς καλὸ ὄνομα.
It is difficult for one to make a name for oneself.

βγάζω τὸ ὄνομα=I name someone.

Τὸν βγάλανε Γιάννη.
He was named John.

Πῶς τὴν βγάλανε;
What did they name her?

Μαρία.
Mary!

Πολὺ ὡραῖο ὄνομα.
A very nice name.

βγάζω στὴ φόρα τὰ ἄπλυτα=I let out, I air the dirty linen in public.

Δὲν μοῦ ἀρέσει διότι βγάζει στὴ φόρα τὰ ἄπλυτα τοῦ κόσμου.
I don't like him because he airs people's dirty linen in public.

βγάζω τὰ παπούτσια μου=I take my shoes off.

Βγάζομε τὰ παπούτσια μας προτοῦ μποῦμε σὲ ἕνα τζαμί.
We take off our shoes before entering a mosque.

βγάζω τὸ καπέλλο=I raise my hat (in order to salute), I take my hat off.

Μὲ χαιρέτησε βγάζοντας τὸ καπέλλο.
He saluted me by raising his hat.

Μπῆκε μέσα χωρὶς νὰ βγάλη τὸ καπέλλο του.
He came in without taking his hat off.

δὲν βγάζω (κάτι γραμμένο)=I cannot make out...

Δὲν βγάζω τὶ ἔχει γράψει.
I cannot make out what he has written.

βγαίνει

βγαίνει ἀληθινὸ=it comes true.

Τὸ ὄνειρό του βγῆκε ἀληθινό.
His dream came true.

βγαίνει (ἐκδίδεται περιοδικό, ἐφημερίς κλπ)=it comes out.

Τὸ περιοδικὸ ποὺ ζητᾶτε βγαίνει κάθε Δευτέρα.
The magazine you are asking for comes out every Monday.

αὐτὸ τὸ χρῶμα βγαίνει=this color fades.

Φοβοῦμαι ὅτι αὐτὸ τὸ χρῶμα βγαίνει.
I am afraid that this color fades.

τὶ βγαίνει μ' αὐτό; =what is the good of that? What is the use of this?

Ἔμαθες τὴν ἀλήθεια. Τὶ βγαίνει μ' αὐτό;
You have learned the truth. What is the use of it?

βγαίνω

βγαίνω ἔξω=I go out.

Βγαίνουν ἔξω μόνον κάθε Σάββατο βράδυ.
They go out only every Saturday night.

βγαίνω πρὸς στιγμὴν=I step out.

Θέλω νὰ ὁμιλήσω εἰς τὸν κ. Σμὶθ παρακαλῶ.
Λυποῦμαι, δὲν εἶναι ἐδῶ, μόλις βγῆκε.

I want to speak to Mr Smith please.
Sorry, he is not here, he has just stepped out.

βδέλλα, ἡ

κολλῶ σὰν βδέλλα=I stick like a leech.

Τὸν ἀποφεύγουν διότι κολλάει σὰν βδέλλα.
They avoid him because he sticks like a leech.

βέβαιος, ὁ

εἶμαι βέβαιος γιὰ κάτι=I am sure about something, I am certain about (or of)...

Ἐὰν δὲν εἶσαι βέβαιος γι' αὐτό, ρώτησε.
If you are not sure about it, ask.

Πίστεψέ με, εἶμαι βέβαιος γι' αὐτό.
Believe me, I am sure about it.

βεβαίως

βεβαίως=certainly.

Θὰ ἔλθης μαζί μας εἰς τὸν κινηματογράφο;
Βεβαίως.
Are you coming with us to the cinema?
Certainly, I am!

βέλος, τό

ἐξ οἰκείων τὰ βέλη=it is always our friends who betray us.

Σὲ κατηγόρησε ὁ Γιῶργος. Ἐξ οἰκείων τὰ βέλη.
You were accused by George. It is always our friends who betray us.

βῆμα, τό

ἀνεβαίνω στὸ βῆμα=I take the floor.

Ἀνέβηκε στὸ βῆμα καὶ μίλησε γιὰ δυὸ ὧρες.
He took the floor and spoke for two hours.

βῆμα πρὸς βῆμα=step by step.

Μαθαίνω Ἑλληνικὰ βῆμα πρὸς βῆμα ἀλλὰ πολὺ καλά.
I learn Greek step by step but very well.

βήχας, ὁ

κόβω τὸ βήχα κάποιου=I cut him short.

Ὁ διευθυντὴς τοῦ ἔκοψε τὸν βήχα.
The director cut him short.

βία, ἡ

δὲν ὑπάρχει βία=there is no hurry.

Μπορεῖς νὰ τὸ γράψης αὔριο, δὲν ὑπάρχει βία.
You can write it tomorrow, there is no hurry.

διὰ τῆς βίας=by force.

Τὸν ἐπῆραν διὰ τῆς βίας.
He was taken away by force.

κάνω κάτι ἐν βίᾳ (βιαστικὰ)=I do something in a hurry.

Πάντα τρώει ἐν βίᾳ (βιαστικά).
He always eats in a hurry.

μετὰ βίας=with difficulty.

Ἦταν πολὺ κουρασμένος καὶ περπατοῦσε μετὰ βίας.
He was very tired and was walking with difficulty.

μόλις καὶ μετὰ βίας=(only) with great difficulty.

Ἦταν τόσο γέρος ὥστε μόλις καὶ μετὰ βίας μποροῦσε νὰ περπατήση.
He was so old that he could walk only with great difficulty.

περίπτωσις ἀνωτέρας βίας=a case of vis major, "force majeure."

Δὲν ἦλθε ἂν καὶ ἔπρεπε. Ἦτο μιὰ περίπτωσις ἀνωτέρας βίας.
He did not come though he should have come. It was a case of vis major.

βιάζομαι

ὅποιος βιάζεται σκοντάφτει=more haste less speed.

Περίμενε τὴ σειρά σου. Μὴν τρέχης. Ὅποιος βιάζεται σκοντάφτει.
Wait for your turn. Don't hurry up. More haste less speed.

βίδα, ἡ

τοῦ λείπει μία βίδα=a nut is missing.

Εἶναι τρελλός, τοῦ λείπει μία βίδα.
He is crazy, a nut is missing.

τοῦ 'στριψε ἡ βίδα=he has a screw loose, he got mad, he lost his mind.

Τοῦ 'στριψε ἡ βίδα ἀπὸ τὶς μεγάλες στενοχώριες.
He lost his mind because of great worries.

βιολί, τό

ἀλλάζω βιολὶ=I change the tune.

Ὅ,τι καὶ νὰ τοῦ πῆς, αὐτὸς δὲν ἀλλάζει τὸ βιολί του.
Whatever you tell him, he will not change his tune.

τὸ βιολὶ (τὸ) βιολάκι μου=I harp on the same chord.

Τοῦ εἶπα νὰ ἀλλάξη τὴν συμπεριφορά του ἀλλὰ αὐτὸς τὸ βιολὶ (τὸ) βιολάκι του.
I told him to change his behaviour, but he harps on the same chord.

βίος, ὁ

βίος ἀβίωτος=a miserable life.

Πολλοὶ ἄνθρωποι ζοῦν ἕνα βίο ἀβίωτο.
Many people lead a miserable life.

διὰ βίου=for life.

Παντρεύτηκαν διὰ βίου.
They got married for life.

βιτρίνα, ἡ

πάω γιὰ χάζεμα στὶς βιτρίνες=I go window shopping.

Δὲν ὑπάρχει γυναίκα ποὺ νὰ μὴν τῆς ἀρέσει νὰ πηγαίνη γιὰ χάζεμα στὶς βιτρίνες.
There is no woman who does not like to go window shopping.

βλάπτω

κάτι βλάπτει=something is harmful to.
τὸ κάπνισμα βλάπτει στὴν ὑγεία=smoking impairs one's health.
αὐτὸ δὲν βλάπτει=this doesn't do any harm.
τί βλάπτει;=what harm is there in it?

βλέπω

ἀκόμη δὲν τὸν εἴδαμε Γιάννη τὸν φωνάξαμε=we count our chickens before they are hatched.

Ἀκόμη δὲν τὸν εἴδαμε Γιάννη τὸν φωνάξαμε. Δὲν πρέπει νὰ εἴμαστε τόσο αἰσιό-δοξοι.
We count our chickens before they are hatched. We must not be over optimistic.

βλέποντας καὶ κάνοντας=to act according to the circumstances.

Δὲν μπορῶ νὰ σᾶς ὑποσχεθῶ τίποτε. Βλέποντας καὶ κάνοντας.
I cannot promise you anything. We shall act according to the circumstances.

βλέπω μὲ καλὸ μάτι=I look upon favourably.

Ὁ νέος καθηγητὴς μὲ βλέπει μὲ καλὸ μάτι.
The new professor looks upon me favourably.

δὲν βλέπω γιατὶ ὄχι=I don't see why not.

Νὰ τὸ κάνωμε αὐτό;
Δὲν βλέπω γιατὶ ὄχι.
Shall we do that?
I don't see why not.

δὲν βλέπω τὴν ὥρα νά.. =I long for.., I can hardly wait for.

Δὲν βλέπει τὴν ὥρα νὰ ἐπιστρέψῃ εἰς τὴν Ἑλλάδα.
He can hardly wait for his return to Greece.

καθὼς βλέπω=as I see..., from what I see.

Καθὼς βλέπω δὲν ἔχετε πρόθεσι νὰ πᾶτε.
From what I see you do not intend to go.

ὅπως μὲ βλέπεις καὶ σὲ βλέπω=as sure as eggs are eggs.

Εἴμαι βέβαιος ὅτι ἔτσι ἔχουν τὰ πράγματα, ὅπως μὲ βλέπεις καὶ σὲ βλέπω.
I am as sure that things are so, as I am sure that eggs are eggs.

βοήθεια, ἡ

καλῶ εἰς βοήθειαν=I call for help.

Καλῶ εἰς βοήθειαν μόνον εἰς περίπτωσιν ἀνάγκης.
I call for help only in case of need.

μὲ τὴν βοήθεια τοῦ Θεοῦ=with the help of God.

Μὲ τὴν βοήθεια τοῦ Θεοῦ ὅλα θὰ πᾶνε καλά.
With the help of God everything will go well.

βοηθῶ

βοηθῶ σὲ κάτι=I help with something.

Μὲ βοηθεῖ στὰ προβλήματα τῆς ἀριθμητικῆς.
He helps me with the arithmetic problems.

βόλτα, ἡ

κόβω βόλτες =I stroll around.

Τὸν συνήντησα ἐνῶ ἔκοβε βόλτες στὴν πλατεῖα τοῦ χωριοῦ.
I met him while he was strolling around the village square.

βόμβα, ἡ

τὸ νέο ἔπεσε σὰν βόμβα=the news came like a bolt from the blue.

Τὸ νέο γιὰ τὸ γάμο της ἔπεσε σὰν βόμβα.
The news about her marriage came like a bolt from the blue.

βούλησις, ἡ

κατὰ βούλησιν=at will, at pleasure.

Οἱ διαταγὲς εἶναι νὰ πυροβολῆτε κατὰ βούλησιν.
The orders are to fire at will.

βουνό, τὸ

ἔχει τύχη βουνὸ=he has the luck of the devil.

Πέρασε στὶς ἐξετάσεις χωρὶς νὰ διαβάση πολύ. Ἔχει τύχη βουνό.
He passed the examinations without studying much. He has the luck of the devil.

παίρνω τὰ βουνὰ=I go nuts.

Ἀκούοντας τὰ νέα ἐπῆρε τὰ βουνά.
Having heard the news, he went nuts

βουτάω

βουτηγμένος στὰ χρέη=to be up to my neck in debt.

Δὲν μπορῶ νὰ σοῦ δανείσω χρήματα μιὰ καὶ εἶμαι βουτηγμένος στὰ χρέη.
I cannot lend you money since I am up to my neck in debt.

βράδυ, τὸ

τὸ βράδυ=in the evening.

Ἔρχεται στὶς 7 τὸ βράδυ.
He comes at seven in the evening.

Τὸ βράδυ πηγαίνομε στὸ σινεμά.
In the evening we go to the cinema.

βράζω

βράζει τὸ αἷμα του=he is hot-blooded.

Εἶναι νέος καὶ βράζει τὸ αἷμα του.
He is young and hot-blooded.

βράζομε ὅλοι σ' ἕνα καζάνι=we are all in the same boat.

Δὲν πρέπει νὰ παραπονιέσαι. Βράζομε ὅλοι σ' ἕνα καζάνι.
You should not complain. We are all in the same boat.

βράζω ἀπὸ τὸ θυμό μου=I am boiling with rage, I bubble with anger.

Μὴν πᾶς μέσα τώρα, ὁ διευθυντὴς βράζει ἀπὸ τὸ θυμό του.
Don't go in now, the director is boiling with rage.

ἔγινε μάλε-βράσε=there was a great commotion.

Ἔλειπε ὁ δάσκαλος καὶ στὴν τάξι ἔγινε μάλε-βράσε.
The teacher was absent and there was a great commotion in the classroom.

νὰ βράσω κάτι=hang it.

Μιὰ καὶ εἶναι τσιγγούνης, νὰ βράσω τὰ λεπτά του!
Since he is stingy, hang his money!

βράσις, ἡ

στὴ βράσι κολλάει τὸ σίδερο=I strike while the iron is hot.

Προσπάθησε νὰ πάρῃς τὰ χρήματα τώρα. Στὴ βράσι κολλάει τὸ σίδερο.
Try to get the money now. Strike while the iron is hot.

βραχύ, τὸ

διὰ βραχέων=briefly, in a few words.

Ἐξηγήσατέ μου τὴν περίπτωσιν διὰ βραχέων.
Explain the case to me briefly.

βρεγμένος, ὁ

βρεγμένος ὥς τὸ κόκκαλο=wet through, soaked to the skin.

Εἶμαι βρεγμένος ὥς τὸ κόκκαλο, πρέπει νὰ ἀλλάξω ροῦχα.
I am soaked to the skin. I must change clothes.

σὰν βρεγμένη γάτα=with the tail between his legs.

Ἦτο ἔνοχος. Ἐπέστρεψε σὰν βρεγμένη γάτα.
He was guilty. He came back with his tail between his legs.

βρέχει

βρέχει=it rains, it is raining.

Βρέχει. Πάρε τὴν ὀμπρέλλα σου μαζί σου.
It is raining. Take your umbrella with you.

βρέχει καρεκλοπόδαρα=it rains cats and dogs.

Χθές ἔβρεξε καρεκλοπόδαρα.
Yesterday it rained cats and dogs.

βρέχει πολὺ (γερὰ)=it rains hard.

῾Έβρεξε πολὺ χθὲς βράδυ.
It rained hard last night.

ὅ,τι βρέξει ἂς κατεβάση=happen what may.

Δὲν ἔχω μελετήσει καλά. Ὅ,τι βρέξει ἂς κατεβάση.
I have not studied well. Happen what may.

πέρα βρέχει=I show no interest, I am indifferent.

῾Εγὼ τὸν συμβουλεύω καὶ αὐτὸς πέρα βρέχει.
I advise him and he shows no interest.

βρέχω

τὶς βρέχω κάποιου=I thrash him, I beat him.

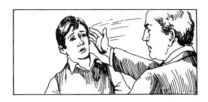

Κάθησε καλὰ ἀλλοιῶς θὰ σοῦ τὶς βρέξω.
Behave yourself otherwise I'll thrash you.

τὸν ἔχουν «μὴ στάξη καὶ μὴ βρέξη»=they take great care of him.

Εἶναι μοναχογυιὸς καὶ τὸν ἔχουν μὴ στάξη καὶ μὴ βρέξη.
He is the only son and they take great care of him.

βρίσκω ἰδὲ εὑρίσκω

βρόντος, ὁ

ὅλα πῆγαν στὸ βρόντο=everything went to the winds.

῾Εκάναμε πολλὰ πράγματα γι᾽ αὐτόν, ἀλλὰ ὅλα πῆγαν στὸ βρόντο.
We did many things for him but everything went to the winds.

βροχή, ἡ

στὴ βροχὴ=in the rain.

Μὴν στέκεσαι στὴν βροχή, ἔλα μέσα.
Don't stand in the rain, come in.

βρωμάω

τὸ ψάρι βρωμάει ἀπὸ τὸ κεφάλι=(lit.: a fish begins to stick at the head) i.e. that corruption starts from the leaders.

Εἶναι γνωστὸ ὅτι τὸ ψάρι βρωμάει ἀπὸ τὸ κεφάλι.
It is known that corruption starts from the leaders.

Γ

γαῖα, ἡ

ἐμοῦ ἀποθανόντος γαῖα πυρὶ μιχθήτω=after me the deluge, when I die come what may, *après moi le déluge.*

Δὲν μὲ νοιάζει γιὰ τίποτε. Ἐμοῦ ἀποθανόντος γαῖα πυρὶ μιχθήτω.
I don't care about anything, after me the deluge.

γάϊδαρος, ὁ (ἰδὲ ὄνος)

ἔδεσε τὸ γαϊδαρό του=he secured his future, he made his way.

Αὐτὸς ἔδεσε τὸ γαϊδαρό του, γι' αὐτὸ δὲν λέει τίποτε.
He has secured his future, that is why he does not say anything.

εἶπε ὁ γάϊδαρος τὸν πετεινὸ κεφάλα=the pot called the kettle black.

Μὲ μάλωσε γιατὶ ἄργησα ἂν καὶ αὐτὸς ὁ ἴδιος εἶχε ἀργήσει. Εἶπε ὁ γάϊδαρος τὸν πετεινὸ κεφάλα.
He scolded me for being late although he was late himself. The pot called the kettle black.

κατὰ φωνὴ καὶ γάϊδαρος=talk of the devil and he is sure to appear.

Ἐνῶ μιλούσαμε γι' αὐτόν, αὐτὸς κτυποῦσε τὸ κουδούνι. Κατὰ φωνὴ καὶ γάϊδαρος.
While we were talking about him, he rang the doorbell. Talk of the devil and he is sure to appear.

γάλα, τὸ

εἶναι μέλι-γάλα=they are on very good terms.

Σήμερα εἶναι μέλι-γάλα.
Today they are on very good terms.

ἔχω τοῦ πουλιοῦ τὸ γάλα=I am in clover, I have everything that I want.

Ἔχουν τοῦ πουλιοῦ τὸ γάλα μιὰ καὶ εἶναι πλούσιοι.
They have everything they want since they are rich.

γάμος, ὁ

πάρ' τον στὸν γάμο σου νὰ σοῦ πῆ καὶ τοῦ χρόνου=(said for a person that pays compliments out of season or tells things not in the proper time).

Μὴν τὸν παίρνης στὰ σοβαρά. Αὐτὸς εἶναι «πάρ' τον στὸ γάμο σου νὰ σοῦ πῆ καὶ τοῦ χρόνου».
Don't take him seriously. He pays compliments out of season.

γάντι, τὸ

μὲ τὸ γάντι (ὁμιλῶ σὲ κάποιον μὲ τὸ γάντι ἢ συμπεριφέρομαι σὲ κάποιον μὲ τὸ γάντι)=I speak to him politely or I handle him courteously.

Τῆς συμπεριφέρεται πάντοτε μὲ τὸ γάντι.
He always handles her courteously.

γαρίδα, ἡ

ἔγινε τὸ μάτι του γαρίδα (ὅπως τῆς γαρίδας)=(said of persons who are insatiate, greedy)=his eyes popped out.

Μόλις εἶδε τὸ παγωτὸ ἔγινε τὸ μάτι του γαρίδα.
As soon as he saw the ice-cream his eyes popped out.

γέλιο, τὸ

δὲν μπορῶ νὰ κρατήσω τά γέλια μου=I cannot help laughing.

Ὅταν ὁ Γιῶργος λέη ἀστεῖα δὲν μπορεῖ κανεὶς νὰ κρατήσῃ τὰ γέλια του.
When George tells jokes one cannot help laughing.

εἶναι γιὰ γέλια (ἢ εἶναι νὰ γελᾶ κανεὶς)=it is to laugh at, it is laughable.

Ἡ κατάστασις εἶναι γιὰ γέλια.
The situation is laughable.

ξεκαρδίζομαι στὰ γέλια=I burst into laughter.

Εἶπε ἕνα ἀστεῖο καὶ ὅλοι ξεκαρδιστήκαμε στὰ γέλια.
He told a joke and we all burst into laughter.

σκάω στὰ γέλια=I burst into laughter.

Κάθε φορὰ ποὺ λέει ἕνα ἀστεῖο σκᾶμε ὅλοι στὰ γέλια.
Every time he tells a joke we all burst into laughter.

γελῶ

γελᾶ καλὰ ὅποιος γελᾶ τελευταῖος=he laughs best who laughs last.

Μὴν ἀνησυχῇς, γελᾶ καλὰ ὅποιος γελᾶ τελευταῖος.
Don't worry, he laughs best who laughs last.

γελῶ μὲ κάποιον ἢ γελῶ εἰς βάρος κάποιου=I laugh at someone.

Νομίζεις ὅτι εἶναι καλὸ νὰ γελᾶς εἰς βάρος του;
Do you think it good to laugh at him?

Μὴ γελᾶς μὲ τὸ φίλο σου.
Don't laugh at your friend.

γεμίζω

φασούλι τὸ φασούλι γεμίζει τὸ σακκούλι=little and often fills the purse.

Ποτὲ δὲν πρέπει νὰ ξεχνᾶς ὅτι φασούλι τὸ φασούλι γεμίζει τὸ σακκούλι.
You should never forget that little and often fills the purse.

γενεά, ἡ

ἀπὸ γενεᾶς εἰς γενεάν=from generation to generation.

Τὸ οἰκογενειακὸ κειμήλιο παρεδίδετο ἀπὸ γενεᾶς εἰς γενεάν.
The family heirloom has been handed down from generation to generation.

γενικῶς

γενικῶς =generally speaking.

Γενικῶς δὲν τοὺς ἀρέσουν οἱ ξένοι.
Generally speaking they do not like foreigners.

γενικῶς (ὡς πρός τὸ σύνολον)=on the whole.

Γενικῶς ἡ σχολικὴ του ἐργασία εἶναι καλή.
On the whole his schoolwork is good.

γέννημα, τὸ

γέννημα καὶ θρέμμα τῆς (+ πόλις)=born and bred in (+place).

Εἶναι γέννημα καὶ θρέμμα τῶν Ἀθηνῶν.
He was born and bred in Athens.

γεννῶ

αὐτοῦ γεννοῦν καὶ τὰ κοκκόρια=he has the luck of the devil.

Εἶναι παράξενο πρᾶγμα, αὐτοῦ γεννοῦν καὶ τὰ κοκκόρια.
It is a strange thing, he has the luck of the devil.

τὸ μυαλό του δὲν γεννᾶ=his mind is sterile.

Μὴν περιμένης πολλὰ πράγματα ἀπ᾽ αὐτόν, τὸ μυαλό του δὲν γεννᾶ.
Don't expect many things from him, his mind is sterile.

γένος, τό

ἐν γένει=in general.

Ἐν γένει ἡ συμπεριφορά του εἶναι καλή.
In general his behaviour is good.

γῆ, ἡ

γῆ τῆς ἐπαγγελίας=the land of promise.

Εἰς τὴν ἀρχὴν ὅλοι νομίσαμε ὅτι αὐτὴ ἡ χώρα ἦτο ἡ γῆ τῆς ἐπαγγελίας.
At the beginning we all thought that this country was the land of promise.

κινῶ γῆν καὶ οὐρανὸν=I move heaven and earth, I make every possible effort.

Θὰ κινήσῃ γῆν καὶ οὐρανὸν νὰ τὸ βρῇ.
He will move heaven and earth in order to find it.

γηράσκω

γηράσκω ἀεὶ διδασκόμενος=the older I grow, the more I learn.

Ποτὲ δὲν ξεχνῶ ὅτι γηράσκω ἀεὶ διδασκόμενος.
I never forget that the older I grow the more I learn.

γιὰ νὰ

ἐργάζομαι γιὰ νὰ ζήσω=I work in order to live.

Μελετῶ γιὰ νὰ περάσω τὶς ἐξετάσεις.
I study so that I can pass the examinations.

γιὰ νὰ δοῦμε=let's see.

Γιὰ νὰ δοῦμε τὶ θὰ πῇ ὁ πατέρας σου γιὰ αὐτό.
Let's see what your father has to say about it.

γιὰ πρόσεχε τὶ λὲς=mind what you say.

Γιὰ πρόσεχε τὶ λές. Θὰ σὲ τιμωρήσω, ἐὰν δὲν προσέχῃς.
Mind what you say. I will punish you if you don't.

γίνομαι

ἂς γίνῃ ὅ,τι γίνῃ=come what may.

Θὰ πάω ἐκεῖ, ἂς γίνῃ ὅ,τι γίνῃ.
I will go there, come what may.

γίνεται δροσερὸς=grows cool.

Ὁ καιρὸς γίνεται δροσερός.
The weather grows cool.

γίνομαι καλὰ=I recover.

Ἔγινε γρήγορα καλά.
He recovered quickly.

δὲν γίνεται=it cannot be done.

Νὰ σοῦ δώσω τὸ αὐτοκίνητό μου; Δὲν γίνεται. Εἶναι ἀδύνατον.
Will I give you my car? Sorry. It cannot be done, it is impossible!

δὲν ξέρει τί τοῦ γίνεται=he does not know what the score is, he does not know what he is about.

Μὴν τὸν τιμωρῆς, δὲν ξέρει τί τοῦ γίνεται.
Don't punish him, he doesn't know what the score is.

κάτι δὲν μοῦ γίνεται=it does not fit me.

Αὐτὸ τὸ φόρεμα δὲν μοῦ γίνεται.
This dress does not fit me.

μὴ γένοιτο Θεέ μου=God forbid!

Ἐλπίζω ὅτι δὲν θὰ ἀποτύχω εἰς τὶς ἐξετάσεις. Μὴ γένοιτο Θεέ μου!
I hope that I will not fail in the examinations. God forbid!

Μὴ γένοιτο Θεέ μου. Δὲν ἀντέχω πιὰ νέες στενοχώριες.
God forbid! I cannot endure new worries anymore.

ὃ γέγονεν γέγονεν=what is done, cannot be undone.

Μὴν στενοχωρῆσαι, ὃ γέγονεν γέγονεν.
Don't worry about it. What is done, cannot be undone.

τὰ γενόμενα οὐκ ἀπογίνονται=things already done cannot be undone, to cry over spilled milk.

Μὴν στενοχωρεῖσαι, τὰ γενόμενα οὐκ ἀπογίνονται.
Don't worry about it. Don't cry over spilled milk.

τί δέον γενέσθαι;=what shall be done?

Τὶ δέον γενέσθαι; Κανεὶς δὲν ξέρει.
What shall be done? Nobody knows!

τί ἔγινε;=what happened?

Τὶ ἔγινε; Κανεὶς δὲν ξέρει.
What happened? Nobody knows!

γλυκό, τὸ

εἶναι ναύτης τοῦ γλυκοῦ νεροῦ=he is a fresh-water sailor.

Ὅ,τι λέει γιὰ τὴν πολεμική του πεῖρα στὴ θάλασσα δὲν εἶναι ἀλήθεια.
Ὅλοι ξέρουν ὅτι εἶναι ναύτης τοῦ γλυκοῦ νεροῦ.

Whatever he says about his war experience at sea is not true.
They all know that he is a fresh-water sailor.

κάνω (τὰ) γλυκὰ μάτια=I make eyes at.

Κάνει τὰ γλυκὰ μάτια στὴ Μαρία, ἀλλὰ εἰς μάτην.
He makes eyes at Mary but in vain.

γλυτώνω

φτηνὰ τὴν γλύτωσε=he had a narrow escape.

Διατρέξαμε μεγάλο κίνδυνο. Φτηνὰ τὴν γλυτώσαμε.
We ran a great risk. We had a narrow escape.

γλῶσσα, ἡ

βγάζω γλῶσσα=I answer back.
μοῦ βγάζει γλῶσσα=he answers me impudently.

Τὰ καλὰ παιδιὰ δὲν βγάζουν γλῶσσα.
Good children don't answer back.

ἔχω κάτι στὴν ἄκρη τῆς γλώσσας μου,(μοῦ ἔρχεται νὰ τὸ πῶ ἀλλὰ δὲν τὸ θυμᾶμαι καλὰ)=I have it on the tip of my tongue.

Τὸ ἔχω στὴν ἄκρη τῆς γλώσσας μου. Θὰ σοῦ πῶ σὲ λίγο.
I have it on the tip of my tongue. I will tell you in a while.

ἡ γλῶσσα της πάει πολυβόλο=her tongue goes nineteen to the dozen.

Εἶναι ἐνοχλητικό. Ἡ γλῶσσα της πάει πολυβόλο.
It is very annoying. Her tongue goes nineteen to the dozen.

μάλλιασε ἡ γλῶσσα μου=I talk myself dry.

Μάλλιασε ἡ γλῶσσα μου λέγοντάς του νὰ διαβάση.
I talk myself dry telling him to study.

ὁμιλῶ μιὰ γλῶσσα=I speak a language.

Ὁμιλεῖτε Ἑλληνικά;
Do you speak Greek?

ὁμιλῶ σὲ κάποιον σὲ μιὰ γλῶσσα=I speak to someone in.....

Τοὺς μίλησα Ἑλληνικά.
I spoke to them in Greek.

σὲ μιὰ γλῶσσα=in a language.

Σὲ τὶ γλῶσσα σοῦ ὁμιλεῖ ἡ μητέρα σου;
In what language does your mother speak to you?

Μοῦ ὁμιλεῖ Ἑλληνικά.
She speaks to me in Greek.

γνώμη, ἡ

εἶμαι τῆς γνώμης (μοῦ φαίνεται)=it seems to me.

Εἶμαι τῆς γνώμης ὅτι δὲν μοῦ λέει τὴν ἀλήθεια.
It seems to me that he does not tell me the truth.

κατὰ τὴν γνώμην μου=in my opinion, to my mind.

Κατὰ τὴν γνώμην μου αὐτὴ εἶναι πολὺ ἔξυπνη.
In my opinion she is very clever.

γνωρίζω

δὲν γνωρίζεις ὅτι... =don't you know that...

Δὲν γνωρίζεις ὅτι ἀγοράσαμε καινούργιο σπίτι;
Don't you know that we have bought a new house?
τὸ δένδρο γνωρίζεται ἀπὸ τὸν καρπὸ=a tree is known by its fruit.
Εἶναι τεμπέλης. Τὸ δένδρο γνωρίζεται ἀπὸ τὸν καρπό.
He is lazy. A tree is known by its fruit.

γουδί, τὸ

τὸ γουδὶ τὸ γουδοχέρι=the same old story over again.

Ἐγὼ τοῦ λέω νὰ διαβάσῃ καὶ αὐτὸς δὲν θέλει. Τὸ γουδὶ τὸ γουδοχέρι.
I am telling him to study and he doesn't. The same old story over again.

γραμμή, ἡ

μπαίνω στὴ γραμμὴ=I get or fall into line.

Οἱ μαθηταὶ ἐμπήκανε στὴ γραμμή.
The pupils got into line.

γραφή, ἡ

στὸ κάτω-κάτω τῆς γραφῆς=after all.

Στὸ κάτω-κάτω τῆς γραφῆς δὲν εἶμαι ὑποχρεωμένος νὰ πάω.
After all I am not obliged to go.

γρῦ

δὲν ἔβγαλε οὔτε γρῦ=he didn't say a word.

Τὸν ἐσκότωσαν καὶ δὲν ἔβγαλε οὔτε γρῦ.
They killed him and he didn't say a word.
δὲν καταλαβαίνει γρῦ=he cannot understand a thing, it is Greek to him.
Εἶναι ξένος, δὲν καταλαβαίνει γρῦ Ἑλληνικά.
He is foreigner, he cannot understand a thing in Greek.
δὲν ξέρει γρῦ=he has no idea.
Δὲν ξέρει γρῦ. Εἶναι ἀγράμματος.
He has no idea. He is ignorant.
οὔτε γρῦ=not even a syllable.
Ὁ δάσκαλος τὸν ἐξήτασε καὶ αὐτὸς δὲν εἶπε οὔτε γρῦ.
The teacher examined him and he did not utter a syllable.

γυαλιά, τά

τὰ κάνω γυαλιὰ καρφιὰ=to smash up everything, to break everything to pieces.

Ἐθύμωσε καὶ τὰ ἔκανε γυαλιὰ καρφιά.
He got angry and smashed up everything.

γυαλίζω

γυαλίζω κάτι=I shine something.

Χθὲς βράδυ γυάλισα τὰ παπούτσια μου.
Last night I shined my shoes.

γυρεύω

πάω γυρεύοντας (γιὰ καυγᾶ)=I am looking for trouble.

Τὶ σᾶς συμβαίνει; Πᾶτε γυρεύοντας γιὰ καυγᾶ;
What is the matter with you? Are you looking for trouble?

γυρίζω

γυρίζω ἀνάποδα=I turn something upside down.

Μὴν γυρίζῃς τὸ φλυτζάνι ἀνάποδα.
Don't turn the cup upside down.

γυρίζω πίσω=I am back, I get back.

Θὰ γυρίσω πίσω ἐνωρὶς ἀπόψε.
I will be back early tonight.

γυρίζω τὰ μυαλὰ κάποιου=I make him change his mind.

Τοῦ γύρισε τὰ μυαλὰ ἡ γυναῖκα του.
His wife made him change his mind.

γυρίζω τὴν πλάτη=I turn a cold shoulder to.

Ὅταν θὰ τὸν δῶ θὰ τοῦ γυρίσω τὴν πλάτη.
When I see him I will turn a cold shoulder to him.

γῦρος, ὁ

τὸν γῦρο τοῦ κόσμου=around the world.

Αὐτὸ τὸ ἀεροπλάνο μπορεῖ νὰ πετάξη τὸν γῦρο τοῦ κόσμου σὲ δέκα ὧρες.
This plane can fly around the world in ten hours.

γύρω

γύρω-γύρω=all around, on all sides.

Γύρω-γύρω ἦσαν οἱ μαθηταὶ καὶ στὸ μέσον ὁ δάσκαλος.
The students were all around and the teacher was in the middle.

δὰ

ὄχι δὰ=certainly not! you don't say so!

Ὄχι δά. Δὲν τὸ πιστεύω.
You don't say so! I don't believe it.

τώρα δὰ=just now.

Πότε τὸν εἶδες; Τώρα δά.
When did you see him? Just now.

δαγκώνω

προσοχὴ ὁ σκύλος δαγκώνει=beware of the dog, the dog bites.

Εἰς τὴν πόρτα ἔγραφε: «Προσοχὴ ὁ σκύλος δαγκώνει».
On the door was written: «Beware of the dog».

δαιμόνιον, τὸ

εἰσάγω καινὰ δαιμόνια=I introduce new ideas, new things.

Ὁ Σωκράτης εἰσήγαγε καινὰ δαιμόνια.
Socrates introduced new ideas.

δάκτυλο, τὸ

μετροῦνται στὰ δάκτυλα τῆς μιᾶς χειρὸς=not numerous, a few.

Οἱ φίλοι του μετροῦνται στὰ δάκτυλα τῆς μιᾶς χειρός.
His friends are not numerous.

ξέρω κάτι στὰ δάκτυλα=I have it at my finger-tips, or at my finger-ends.

Αὐτὸς ξέρει τὸ μάθημα τῆς ἱστορίας στὰ δάκτυλα.
He has his history lesson at his finger-tips.

δανείζω-δανείζομαι

δανείζω κάτι σὲ κάποιον=I lend someone something or something to someone.

δανείζομαι κάτι ἀπὸ κάποιον=I borrow something from someone.

Ποτὲ δὲν μὲ δανείζει λεπτά, ἀλλὰ πάντοτε τοῦ ἀρέσει νὰ δανείζεται (μερικὰ) ἀ-πὸ ἐμέ.
He never lends money to me, but he always likes to borrow some from me.

δανεικά, τὰ

δανεικὰ καὶ ἀγύριστα=money lent but not to be paid back.

Μὴν περιμένῃς νὰ σοῦ ἐπιστρέψῃ τὰ λεπτά. Τὰ ἐπῆρε δανεικὰ καὶ ἀγύριστα
Don't expect him to return the money to you. He borrowed it but he is no:
going to pay it back.

δάσκαλος, ὁ

βρίσκω τὸ δάσκαλό μου=I meet my master.

Νόμιζε ὅτι κανεὶς δὲν θὰ εἶχε τὸ θάρρος νὰ τοῦ ἐναντιωθῇ, ἀλλὰ τελικὰ βρῆκε
τὸ δάσκαλό του.
He thought that nobody would have the courage to oppose him, but finally he
met his master.

δεῖ

δεῖ χρημάτων=money is needed.

Οἱ ἀρχαῖοι Ἕλληνες ἔλεγαν «δεῖ χρημάτων».
Ancient Greeks used to say "money is needed."

Οἱ σύγχρονοι Ἕλληνες λένε «χρειαζόμεθα λεπτά».
Modern Greeks say "we need money."

ὅπου δεῖ=where it is required.

Μπορεῖτε νὰ δώσετε τὰ χρήματα ὅπου δεῖ.
You may give the money where it is required.

δεικνύω

θὰ τοῦ δείξω ἐγώ=I will teach him a lesson, I will show him who I am.

Τὴν ἐπομένη φορὰ θὰ τοῦ δείξω ἐγώ.
Next time I will teach him a lesson.

ὅπερ ἔδει δεῖξαι (ὅ.Ἔ.δ.)=which was to be proved.

δὲν (ἴδὲ ὄχι)

δὲν εἶναι=he is not, she is not, it is not, this is not, that is not.
δὲν goes always before the verb.

Δὲν εἶναι ἐδῶ ὁ Γιῶργος.
George is not here.

Δὲν εἶναι ἐκεῖ ἡ Μαρία;
Is Mary not there?

Δὲν ἔχω λεπτά.
I have no money.

δένω

λύνει καὶ δένει=he is in power, he is all-powerful.

Ὁ ἀδελφός του λύνει καὶ δένει.
His brother is all-powerful.

τὰ χέρια μου εἶναι δεμένα=my hands are tied.

Ὁ ὑπουργὸς εἶπε ὅτι τὰ χέρια του εἶναι δεμένα καὶ δὲν μπορεῖ νὰ κάνη τίποτε.
The minister said that his hands were tied and he could do nothing about it.

δεξιὰ

πρὸς τὰ δεξιὰ=to the right, on the right hand.

Γύρισε πρὸς τὰ δεξιά.
He turned to the right.

δέον, τὸ

ἐν καιρῷ τῷ δέοντι=in due course.

Θὰ λάβετε τὴν ἀπάντησιν ἐν καιρῷ τῷ δέοντι.
You will receive the answer in due course.

ὑπὲρ τὸ δέον=more than necessarily, above measure.

Εἶναι καλὸς καὶ ὑπὲρ τὸ δέον εὐγενής.
He is good and more than necessarily polite.

δέοντα, τὰ

θὰ πράξω τὰ δέοντα=I shall do what is proper.

Μὴν στενοχωρῆσαι. Θὰ πράξη τὰ δέοντα.
Don't worry. He will do what is proper.

τὰ δέοντα=my compliments.

Τὰ δέοντα εἰς τοὺς γονεῖς σου.
My compliments to your parents.

τὰ δέοντα ἐκ μέρους κάποιου=his compliments.

Ἔχεις τὰ δέοντα ἐκ μέρους τῆς συζύγου μου.
You have my wife's compliments.

δέσιμο, τὸ

εἶναι γιὰ δέσιμο=he is crazy.

Μὴν τοῦ μιλᾶς. Εἶναι γιὰ δέσιμο.
Don't talk to him. He is crazy.

δεύτερο, τὸ

ἀπὸ δεύτερο χέρι=second-hand.

Τὸ ἀγόρασα ἀπὸ δεύτερο χέρι.
I bought it second-hand.

δηλαδὴ

δηλαδὴ=that is to say, i.e.(id est).

Μιὰ δωδεκάδα, δηλαδὴ 12 κομμάτια.
A dozen, that is to say (i.e.) 12 pieces.

δῆμος, ὁ

τὰ ἐν οἴκῳ μὴ ἐν δήμῳ=don't air your dirty linen in public.

Ὁ πατέρας μου ἔλεγε: «τὰ ἐν οἴκῳ μὴ ἐν δήμῳ».
My father used to say: «don't air your dirty linen in public».

διὰ (ἰδὲ καὶ γιὰ)

διὰ τὴν ὥραν=for the time being, for the moment.

Διὰ τὴν ὥρα δὲν θὰ φύγῃ κανείς.
For the time being no one is leaving.

διὰ τοῦτο=for this reason, on this account.

Διὰ τοῦτο θὰ τιμωρηθῇ.
For this reason he will be punished.

διάβολος, ὁ

βρίσκω τὸ διάβολό μου=to be blamed.

Ἂν καὶ εἶναι ἀθῶος θὰ βρῇ τὸ διάβολό του.
Although he is innocent he will be blamed.

ἔχει τὸ διάβολο μέσα του=he has the devil in him.

Αὐτὴ ἡ γυναίκα ἔχει τὸ διάβολο μέσα της.
This woman has the devil in her.

ὁ διάβολος ἔχει πολλὰ ποδάρια=the devil is very active here and there, the devil is everywhere.

Ποτὲ δὲν ξέρεις τί μπορεῖ νὰ γίνῃ. Ὁ διάβολος ἔχει πολλὰ ποδάρια.
You never know what can happen. The devil is everywhere.

πήγαινε στὸ διάβολο=go to the devil, go to hell, damn you.

Μὴν χρησιμοποιῆτε τὴν ἔκφρασι: «πήγαινε στὸ διάβολο».
Don't use the expression: "go to the devil."

στοῦ διαβόλου τὰ κατάστιχα=to be in one's black books.

Ὡς πρὸς ἐμὲ τὸν ἔχω γράψει στοῦ διαβόλου τὰ κατάστιχα.
As far as I am concerned I have written him in my black books.

τοῦ διαβόλου κάλτσα=very clever, smart, quick-witted, wide-awake.

Αὐτὸς ὁ ἄνθρωπος εἶναι τοῦ διαβόλου κάλτσα.
This man is very clever.

τραβῶ τὸ διάβολό μου=I have a very rough time.

Τραβᾶ τὸ διάβολό του μὲ τὸ ἀφεντικό του.
He has a very rough time with his boss.

διαδίδω

διαδίδεται ὅτι... =it is rumoured that.., there is a rumour that..

Διαδίδεται ὅτι θὰ παντρευτοῦν σύντομα.
It is rumoured that they will get married soon.

διάθεσις, ἡ

δὲν ἔχω διάθεσι νὰ=I am not disposed to.., I do not like to, I am not inclined to.

Δὲν ἔχει διάθεσι νὰ κάνη ἕνα τέτοιο πρᾶγμα.
He is not inclined to do such a thing.

εἶμαι εἰς τὴν διάθεσιν κάποιου=I am at one's disposal.

Ἐὰν ποτὲ μὲ χρειασθῆτε εἶμαι στὴν διάθεσίν σας.
If you ever need me, I am at your disposal.

πάντα εἰς τὴν διάθεσίν σας=you are welcome.

Σᾶς εὐχαριστῶ διὰ τὴν βοήθειά σας.
Πάντοτε εἰς τὴν διάθεσίν σας.

I thank you for your help.
You are welcome.

ψυχικὴ διάθεσις=frame of mind.

Δὲν μποροῦσε νὰ τὸ κάμη. Δὲν ἦτο σὲ κατάλληλη ψυχικὴ διάθεσι .
He could not do it. He was not in the right frame of mind.

διαθέτω

διαθέτω ὥρα γιὰ κάτι=I spend time on.

Διαθέτω πολλὴ ὥρα γιὰ τὰ μαθήματά μου κάθε ἡμέρα.
I spend much time on my lessons every day.

διαιρῶ

διαίρει καὶ βασίλευε=divide and rule, divide and conquer, divide et impera.

Ἡ τακτικὴ «διαίρει καὶ βασίλευε» δὲν εἶναι πάντοτε ἡ καλλιτέρα.
The policy "divide and rule" is not always the best one.

δίαιτα, ἡ

κάνω δίαιτα=I am on a diet.

Οἱ πιὸ πολλὲς γυναῖκες κάνουν δίαιτα.
Most of the women are on a diet.

ιακοπές, οἱ

περνῶ τὶς διακοπές μου=I spend my vacations.

Περνᾶ τὶς διακοπές του εἰς τὰ βουνά.
He spends his vacations up in the mountains.

διακρίνω

διακρίνω=I tell the difference.

Μπορεῖ νὰ διακρίνη ἕνα ἄγριο σκύλο ἀπὸ ἕνα λύκο;
Can he tell the difference between a wild dog and a wolf?

Δὲν μπορῶ νὰ ξεχωρίσω ἕνα ἄλογο ἀπὸ ἕνα μουλάρι.
I cannot tell the difference between a horse and a mule.

διαλέγω

διαλέγω=I pick out.

Τὸν διάλεξε ὁ διευθυντής του ὡς τὸν πιὸ καλὸ ὑπάλληλο.
He was picked out by his director as the best clerk.

Σᾶς ἐπιτρέπουν νὰ τὰ διαλέγετε;
Are you allowed to pick them out?

Παρακαλῶ μὴν διαλέγετε τὰ πορτοκάλια. Εἶναι ὅλα ὥριμα.
Please do not pick the oranges out. All of them are ripe.

διάρκεια, ἡ

κατὰ τὴν διάρκειαν=during.

Ἔχομε ἐξετάσεις κατὰ τὴν διάρκεια τοῦ Ἰουνίου.
We have examinations during June.

Ἐργαζόμεθα κατὰ τὴν διάρκεια τῆς ἡμέρας.
We work during the day.

Κοιμούμεθα κατὰ τὴν διάρκεια τῆς νυκτός.
We sleep during the night.

διαρρηγνύω

διέρρηξαν τὰ ἱμάτιά τους=they rent their garments.

Διέρρηξαν τὰ ἱμάτιά τους ἐπιμένοντες ὅτι εἶναι ἀθῶοι.
They rent their garments insisting that they are innocent.

διάστημα, τὸ

καθ' ὅλο τὸ διάστημα=all during, all through.

Ἐκοιμᾶτο καθ' ὅλο τὸ διάστημα τῆς διαλέξεως.
He was sleeping all through the lecture.

διαταγή, ἡ

μέχρι νεωτέρας διαταγῆς=till further orders.

Θὰ μείνωμε ἐκεῖ μέχρι νεωτέρας διαταγῆς.
We shall stay there till further orders.

διατὶ

διατὶ ὄχι; =why not?

Θὰ ἔλθετε καὶ σεῖς;
Διατὶ ὄχι;
Are you coming too?
Why not?

διατρέχω

διατρέχω κίνδυνον=I run a risk.

Διατρέχομε κίνδυνον κάθε στιγμή.
We run a risk every moment.

τὰ διατρέξαντα=the events that took place.

Πές μας τὰ διατρέξαντα.
Tell us the events that took place.

διαφεύγω

διέφυγε τὸν θάνατον=he escaped death.

Διέφυγε τὸν θάνατον ὡς ἐκ θαύματος.
He escaped death by a miracle.

κάτι μοῦ διαφεύγει=it escapes my mind.

Συγχωρήσατέ με, μοῦ διέφυγε.
I beg your pardon. It escaped my mind.

διαφθείρω

διαφθείρει τὰ ἤθη=he corrupts the morals.

Τὸν Σωκράτη τὸν κατηγόρησαν ὅτι διέφθειρε τὰ ἤθη τῶν νέων τῶν Ἀθηνῶν.
Socrates was accused of corrupting the morals of the Athenian youth.

διαφορά, ἡ

διαφορὰ στὸ=a difference in.

Ὑπάρχει διαφορὰ στὸ χρῶμα.
There is a difference in color.

δίδω

δίδω ἕνα χέρι σὲ κάποιον=I help someone, I give someone a hand.

Δός μας ἕνα χερι νὰ τελειώσωμε γρήγορα.
Give us a hand so that we can finish soon.

δίδω ἐξετάσεις=I take examinations.

Θὰ πρέπει νὰ διαβάσω. Δίδω ἐξετάσεις τὴν ἐρχομένη ἑβδομάδα.
I must study. I am taking examinations next week.

ὁ καθηγητὴς ἐξετάζει=the teacher examines, the teacher gives or sets the examination.

ὁ μαθητὴς δίδει ἐξετάσεις=the student **takes** the examination. (In English it is the opposite).

δίδω προσοχὴν=I pay attention to.

Μὴν δίδης προσοχὴ στὶς ἀπειλές του.
Don't pay attention to his threats.

δίδω ραντεβοῦ=I fix an appointment.

Μπορεῖτε νὰ μοῦ δώσετε ἕνα ραντεβοῦ γιὰ αὔριο;
Can you fix an appointment for me for tomorrow?

δίδω σημασίαν σὲ κάτι=I attach importance to something.

Δίδω πάντοτε σημασία στοὺς καλοὺς τρόπους.
I always attach importance to good manners.

δίδω ὑπόσχεσιν=I make a promise.

Τὸν ξέρω, ὅλο ὑποσχέσεις δίδει.
I know him, he always makes promises.

δίδουν τὰ χέρια=they shake hands with each other in agreement or in conciliation.

Συνεφώνησαν καὶ ἔδωσαν τὰ χέρια.
They agreed and shook hands.

μοῦ δίνει στὰ νεῦρα=he gets on my nerves.

Αὐτὸς ὁ θόρυβος στὸ δρόμο μοῦ δίνει στὰ νεῦρα.
This noise in the street gets on my nerves.

ὁ Θεὸς νὰ δώσῃ=may the Lord grant.

Ἐλπίζω νὰ γυρίσῃ.
Ὁ Θεὸς νὰ δώσῃ.
I hope he returns.
May the Lord grant!

δικάζομαι

δικάζομαι γιὰ κάτι=I am on trial for.

Δικάζεται γιὰ φόνο.
He is on trial for murder.

δικάζω

δικάζω κάποιον τίμια (κατὰ τὸν νόμο)=I give someone a fair trial.

Τὸν ἐθανάτωσαν χωρὶς νὰ τὸν δικάσουν τίμια.
They put him to death without giving him a fair trial.

δίκαιον, τὸ

ἀπονέμω δίκαιον=I administer justice.

Τοιουτοτρόπως ἀπενεμήθη δίκαιον.
So justice was administered.

ἔχω δίκαιο=I am right.

Ἔχετε δίκαιο, τὸ ξέρω.
You are right, I know.

Δὲν ἔχει πάντα δίκαιο.
He is not always right.

δικαίωμα, τὸ

ἔχω τὸ δικαίωμα νὰ=I have the right to.

Ἔχει τὸ δικαίωμα νὰ κάνῃ ὅτι κάνει.
He has the right to do what he is doing.

διόλου

ὅλως διόλου=entirely, completely.

Εἶναι ὅλως διόλου τρελλός.
He is completely mad.

διπλῆ, ἡ

κάνω διπλῆ ζωὴ=I lead a double life.

Ὅλοι τὸ ξέρουμε ὅτι αὐτὴ κάνει διπλῆ ζωή.
We all know that she leads a double life.

διπλό, τό

παίζω διπλὸ παιχνίδι=I play a double game.

Εἶναι ἐπικίνδυνος, παίζει διπλὸ παιχνίδι.
He is dangerous, he plays a double game.

δίσκος, ὁ

βγάζω δίσκο=I take the collection, I make a collection.

Βγάζουν δίσκο κάθε Κυριακὴ στὴν Ἐκκλησία.
Every Sunday in the Church they take the collection.

δισταγμός, ὁ

χωρὶς δισταγμὸν (πάραυτα)=right off, straight away, straight off.

Πές της χωρὶς δισταγμὸν ὅτι δὲν σοῦ ἀρέσει.
Tell her right off that you don't like her.

δίχως

δίχως ἄλλο (ἐξάπαντος, ὁπωσδήποτε)=without fail.

Θὰ ἔλθη δίχως ἄλλο.
He will come without fail.

δίψα, ἡ

κάτι κόβει τὴν δίψα=it quenches the thirst.

Τὸ κάπνισμα δὲν κόβει τὴν δίψα.
Smoking does not quench the thirst.

σβύνω τὴν δίψα μου=I slake my thirst.

Δὲν εἶχε μὲ τὶ νὰ σβύση τὴν δίψα του.
He had nothing with which to slake his thirst.

δοκιμή, ἡ

μὲ δοκιμὴ=on trial.

Τὸ ἐπῆρα μὲ δοκιμή. Ἐὰν δὲν μοῦ ἀρέσει μπορῶ νὰ τὸ ἐπιστρέψω.
I have taken it on trial. If I don't like it, I can give it back.

δόντι, τό (τὰ δόντια)

βγάζω δόντι (στὸ γιατρὸ)=I have a tooth pulled out.

Πάω στὸν γιατρὸ νὰ βγάλω ἕνα δόντι.
I am going to the dentist to have a tooth pulled out.

τὸ βρέφος (ὁ μπέμπης) βγάζει δόντια=he cuts teeth or he is teething.

Ὁ μπέμπης βγάζει δόντια καὶ ὅλο κλαίει.
The baby is teething and always cries.

δὲν εἶναι γιὰ τὰ δόντια σου=you are not able to get it, it is not for you, it is too big a bite for you.

Αὐτὸ τὸ κέϊκ δὲν εἶναι γιὰ τὰ δόντια σου.
This cake is not for you.

τοῦ ἔτριξα τὰ δόντια=I menaced him, I threatened him, I showed him my teeth.

Ὁ πατέρας του τοῦ ἔτριξε τὰ δόντια, ἀλλὰ χωρὶς ἀποτέλεσμα.
His father threatened him but with no result.

ἔχει δόντι (ἢ δόντια) (ἔχει ἰσχυρὰ μέσα)=he can pull the strings.

Ἐπέτυχε γιατὶ ὁ πατέρας του εἶχε δόντι.
He succeeded because his father could pull the strings.

κρατῶ κάτι μὲ τὰ δόντια=I keep it back with great difficulty, I hang on to it.

Τὸν κρατῶ μὲ τὰ δόντια. Θέλει νὰ φύγῃ γιὰ τὴν Ἀμερικὴ.
I keep him back with great difficulty. He wants to leave for America.

ὁμιλῶ σὲ κάποιον ἔξω ἀπὸ τὰ δόντια=I speak to him frankly, with austerity, I speak to someone without hesitation, I don't mince the matter, I don't mince words.

Θὰ τοῦ μιλήσω ἔξω ἀπὸ τὰ δόντια. Δὲν ἐπιθυμῶ νὰ τὸν ξαναδῶ.
I will speak to him without hesitation. I don't wish to see him again.

ὡπλισμένος μέχρι τὰ δόντια=armed to the teeth.

Οἱ ἀντάρτες ἦσαν ὡπλισμένοι μέχρι τὰ δόντια.
The guerrillas were armed to the teeth.

τῆς πονάει τὸ δόντι γιὰ τὸν.... (εἶναι ἐρωτευμένη μαζί του)=she is in love with him.

Τοῦ πονάει τὸ δόντι γιὰ τὴν Μαρία, ἀλλὰ αὐτὴ δὲν τὸν θέλει.
He is in love with Mary but she does not want him.

δόσις, ἡ

πληρώνω μὲ δόσεις=I pay by instalments.

Δὲν μοῦ ἀρέσει νὰ πληρώνω μὲ δόσεις, προτιμῶ μετρητοῖς.
I don't like paying by instalments, I prefer cash down.

δουλειά, ἡ

αὐτὸ εἶναι δική μου δουλειά=that is my business.

Αὐτὸ εἶναι δική μου δουλειά. Θὰ τὸ τακτοποιήσω ἀμέσως.
That is my business. I will take care of it at once.

ἔχω δουλειά=I am busy.

Δὲν μπορῶ νὰ ἔλθω, ἔχω δουλειά.
I cannot come, I am busy.

ἡ δουλειὰ τῆς νοικοκυρᾶς στὸ σπίτι=housework.

Ἡ ὑπηρεσία τὴν βοηθᾶ μὲ τὴν δουλειὰ τοῦ νοικοκυριοῦ.
The maid helps her with the housework.

κύττα τὴν δουλειά σου=mind your own business.

Μὴν ἐρωτᾶς. Κύττα τὴν δουλειά σου.
Don't ask. Mind your own business.

στρώνομαι στὴν δουλειὰ=I get busy.

Ἄς σταματήσωμε τὴν κουβέντα καὶ ἂς στρωθοῦμε στὴν δουλειά.
Let's stop talking and get busy.

τὶ δουλειὰ κάνετε;=what is your profession?

Τί δουλειὰ κάνει ὁ πατέρας σου;
What is your father's profession?

What business is your father in?

δράμι, τὸ

δὲν ἔχει δράμι μυαλὸ (ἢ δὲν ἔχει κουκούτσι μυαλὸ)=he does not have a grain
of sense.

Ἔκανε τέτοιο πρᾶγμα; Δὲν ἔχει δράμι μυαλό.
Did he do such a thing? He does not have a grain of sense.

δὲν ἔχει δράμι φιλότιμο=he has no self-esteem, he does not have a grain of
self-esteem, of self-respect.

Δὲν σοῦ ἐπλήρωσε τὰ χρήματα;
Ὄχι. Δὲν ἔχει δράμι φιλότιμο.
Didn't he pay you the money?
No! He doesn't have a grain of self-esteem.

δράττομαι

δράττομαι τῆς εὐκαιρίας=I seize the opportunity, I avail myself of the
opportunity.

Δράττομαι τῆς εὐκαιρίας νὰ σᾶς προσκαλέσω στὴ δεξίωσι.
I avail myself of the opportunity to invite you to the reception.

δρόμος, ὁ

ἀνοίγω δρόμο (ἀνάμεσα στὸ πλῆθος)=I make, I push my way through the
crowd.

Ὁ κλέπτης ἄνοιξε δρόμο καὶ ἐξηφανίσθη.
The thief pushed his way through the crowd and disappeared.

ἔμεινε στοὺς πέντε δρόμους=he was deprived of his home or job (or both).

Κατὰ τὸν πόλεμο πολλοὶ ἄνθρωποι ἔμειναν στοὺς πέντε δρόμους.
During the war many people were deprived of their homes and jobs.

κατεβαίνω ἕνα δρόμο=I walk down a street.

Τὸν συνήντησα ὅταν κατέβαινε τὸ δρόμο.
I met him when he was walking down the street.

ὁ δρόμος βγάζει=the road leads to.

Παρακαλῶ, ποῦ βγάζει ὁ δρόμος αὐτός;
Βγάζει στὴ Λαμία.
Please, where does this road lead to?
It leads to Lamia.

ὁ δρόμος δὲν περνάει=the road is blocked.

Κατὰ τὴν διάρκεια τοῦ χειμῶνος ὁ δρόμος πρὸς τὸ χωριὸ δὲν περνάει.
During the winter months the road to that village is blocked.

στὸ δρόμο=in the street.

Ὑπάρχουν πολλὰ αὐτοκίνητα στὸ δρόμο.
There are many cars in the street.

δροσιά, ἡ

κάνει δροσιά=it is cool.

Κάνει δροσιά. Πάρε τὴν ζακέτα σου μαζί.
It is cool, take your jacket with you.

δύναμις, ἡ

κάνω τὸ κατὰ δύναμιν=I do what I can, I do my best.

Κάνω τὸ κατὰ δύναμιν. Ἐλπίζω νὰ πετύχω.
I do what I can. I hope that I will succeed.

ὑπερβαίνει τὶς δυνάμεις μου=it is beyond that which I can do, it is beyond my power.

Αὐτὸ ποὺ ζητᾶς ὑπερβαίνει τὶς δυνάμεις μου.
What you are asking for is beyond my power.

δυνατά, τὰ

βάζω τὰ δυνατά μου=I do my utmost, my best.

Βάλε τὰ δυνατά σου καὶ θὰ πετύχης.
Do your utmost and you will succeed.

δυνατὸν

δὲν εἶναι δυνατὸν=it is impossible.

εἶναι δυνατόν;=is it possible?

Δὲν εἶναι δυνατὸν νὰ πάω σήμερα.
It is impossible to go today.

Εἶναι δυνατὸν νὰ χαλάσετε τόσα λεφτά;
Is it possible for you to spend that much money?

ὅσον τὸ δυνατὸν συντομώτερα=as soon as possible.

Παρακαλῶ, ἀπαντήσατέ μου ὅσο τὸ δυνατὸν συντομώτερα.
Please answer me as soon as possible.

δύο

ἀνὰ δύο=two by two

Ἔφυγαν ἀνὰ δύο.
They left two by two.

μὲ δύο λόγια (μὲ δύο λέξεις)=in a word.

Μέ δύο λόγια δὲν μπορεῖ νὰ ἔλθη. Μὴν ρωτᾶς γιατί.
In a word, he cannot come. Don't ask why.

δυσκολεύομαι

δυσκολεύεται νὰ τὸ πιστεύσῃ=he can hardly believe it.

Δυσκολεύεται νὰ τὸ πιστεύση, ἀλλὰ εἶναι δυστυχῶς ἀληθές.
He can hardly believe it, but unfortunately it is true.

δύσκολο, τὸ

εἶναι δύσκολο νὰ =it is difficult to...

δύσκολο νὰ μαθευτῆ (νὰ μάθη κανεὶς)=it is difficult to learn.

Τὰ καλὰ Ἑλληνικὰ εἶναι δύσκολο νὰ μαθευτοῦν.
Good Greek is difficult to learn.

τὰ βλέπω δύσκολα (τὰ πράγματα)=I realize that things are difficult, I see difficulties.

Ἄν καὶ εἶμαι ἐκ φύσεως αἰσιόδοξος, αὐτὴ τὴ φορὰ τὰ βλέπω δύσκολα.
Although I am optimistic by nature, this time I realize that things are difficult.

δωμάτιο, τὸ

τακτοποιῶ ἕνα δωμάτιο=I do a room.

Ἡ ὑπηρέτρια τακτοποιεῖ τὸ δωμάτιό μου κάθε μέρα.
The maid does my room every day.

δωρεὰν

δωρεὰν=free.

Δὲν μπορεῖς νὰ πάρῃς ἕνα εἰσιτήριο δωρεάν. Μόνον τὰ μέλη τῆς λέσχης μας μποροῦν.
You cannot get a ticket free, only the members of our club can do so.

E

ἑβδομάς, ἡ

μιὰ φορὰ τὴν ἑβδομάδα (ἢ βδομάδα)=once a week.

Παίρνω Ἑλληνικὰ μαθήματα μόνον μία φορὰ τὴν ἑβδομάδα.
I take Greek lessons only once a week.

σὲ μία ἑβδομάδα=in a week.

Μπορῶ νὰ τὸ γράψω σὲ μία ἑβδομάδα.
I can write it in a week.

ἐγγύησις, ἡ

ἀπολύω κάποιον ἀπὸ τὴν φυλακὴν ἐπὶ ἐγγυήσει=I get him out of prison on bail.

Τὸν ἀπέλυσαν ἀπὸ τὴν φυλακὴν ἐπὶ ἐγγυήσει. Ἐπλήρωσαν δέκα χιλιάδες δραχμές.
They got him out of prison on bail. They paid ten thousand drachmas.

ἐγκαίρως

ἐγκαίρως γιὰ κάτι=in time.

Ἦσουν ἐκεῖ ἐγκαίρως γιὰ τὶς ἐξετάσεις;
Were you there in time for the examinations?

ἐγκόσμια, τὰ

ἀπαρνοῦμαι τὰ ἐγκόσμια=I lead a monastic life, I become a monk or a nun, I renounce the world.

Δὲν εἶναι εὔκολο νὰ ἀπαρνηθῇ κανεὶς τὰ ἐγκόσμια.
It is not an easy thing for one to renounce the world.

ἐγώ

ἐγὼ εἶμαι=It is me, it is I.

Ποῖος εἶναι; Ἐγώ, ὁ Γιῶργος.
Who is it? It's me, George. It's I, George!

ἐδῶ

ἐδῶ καὶ ἐκεῖ=here and there.

Ἐδῶ καὶ ἐκεῖ ὑπάρχουν μερικὲς ὑπογραμμισμένες λέξεις εἰς τὸ βιβλίο.
There are some underlined words here and there in the book.

ἐδῶ κοντὰ=here nearby, close by, in the neighbourhood.

Ὑπάρχει κανένα ταχυδρομικὸ γραφεῖο ἐδῶ κοντά;
Is there a post office in the neighbourhood?

ἐδῶ πέρα παρακαλῶ=over here please.

Βάλε το ἐδῶ πέρα παρακαλῶ.
Put it over here please.

ἀπ' ἐδῶ κι' ἐμπρὸς=from now on

Ἀπ' ἐδῶ κι' ἐμπρὸς θὰ ἀπαντῶ ἐγὼ εἰς τὸ τηλέφωνο.
From now on I shall answer the phone.

ἀπ' ἐδῶ παρακαλῶ=this way please.

Καθὼς ἐμπῆκα ὁ θυρωρὸς μοῦ εἶπε: «ἀπ' ἐδῶ παρακαλῶ».
As I entered, the doorman said to me: "This way, please."

Ἔλα ἐδῶ=come here.

Ἔλα ἐδῶ. Πές μου τὸ ὄνομά σου.
Come here. Tell me your name.

Ἔξω ἀπ' ἐδῶ=Get out of here.

Τοῦ εἶπε: «Ἔξω ἀπ' ἐδῶ».
He told him: "Get out of here."

ὡς ἐδῶ καὶ μὴ παρέκει=that's enough! don't go any farther!

Ὡς ἐδῶ καὶ μὴ παρέκει. Πλήρωσέ τον καὶ πὲς του νὰ φύγῃ.
That's enough. Pay him and tell him to go away.

εἶδος, τό

ἐν εἴδει=in the form of.

Ἐν εἴδει περιστερᾶς.
In the form of a dove.

εἴθε

εἴθε νὰ μὴν εἶχα γεννηθῆ=I wish I had not been born.

Ἦτο τόσο δυστυχὴς ὥστε εἶπε: «Εἴθε νὰ μὴν εἶχα γεννηθῆ».
He was so unhappy that he said: "I wish I had not been born."

εἰλικρινής, ὁ

εἶμαι εἰλικρινὴς μὲ=I am honest with.

Εἶναι πάντοτε εἰλικρινὴς μὲ τοὺς φίλους του.
He is always honest with his friends.

εἶμαι

εἶναι=he is, she is, it is, this is, that is.

Εἶναι ἐδῶ ὁ Γιῶργος; Ἐδῶ εἶναι.
Is George here? He is here.

Εἶναι ἐκεῖ ἡ Μαρία; Ἐκεῖ εἶναι.
Is Mary there? She is there.

Εἶναι αὐτὸ μολύβι; Αὐτὸ εἶναι μολύβι.
Is this a pencil? This is a pencil.

εἶναι ἴδια ἡ μητέρα της=she looks like her mother, she is the image of her mother.

Δὲν νομίζεις ὅτι εἶναι ἴδια ἡ μητέρα της;
Don't you think that she is the image of her mother?

εἶναι κανεὶς.μέσα;=Anybody home?

Ἡ πόρτα ἦτο ἀνοικτὴ καὶ ἐφώναξα: «Εἶναι κανεὶς μέσα»;
The door was open and I cried: "Anybody home?"

νάμαι (νὰ ἐδῶ εἶμαι)=here I am.

Μὲ φωνάξατε; Νάμαι.
Did you call for me? Here I am.

εἰμί

ἔστιν ὅτε=sometimes.
οὐκ ἔστιν ἄλλως γενέσθαι=there is no other way of doing it, it could not be done otherwise.

Ὁ ἱερεὺς εἶπε: «οὐκ ἔστιν ἄλλως γενέσθαι».
The priest said: "there was no other way of doing it".

τίς εἶ;=who is there? who goes there?

Ἡ ἔκφρασις «τὶς εἶ;» χρησιμοποιεῖται εἰς τὸν καιρὸν τοῦ πολέμου.
The expression "Who goes there"? is used during the war.

τοῦτ' ἔστι=id est (i.e), that is to say.
τῷ ὄντι=indeed, really.

Τῷ ὄντι. Εἶναι πολὺ καλὸς ἄνθρωπος.
Indeed! He is a very good man.

εἰς

εἰς τὴν (στὴ) ζωή μου=by my life.
εἰς plus the name of a person or thing held sacred.

Στὴ ζωὴ μου. Δὲν τὸν γνωρίζω.
By my life! I do not know him.

ἕνα, τό

ἕνα βιβλίο ἱστορίας=a history book.

N.B. In English a name before another name becomes adjective.
In Greek we use the genitive of the adjective-noun.

Ἕνα βιβλίο γεωγραφίας=a geography book.
Ἕνα τετράδιο ἀριθμητικῆς=an arithmetic copybook.

ἕνα πρὸς ἕνα=one by one.

Πές μου τα ἕνα πρὸς ἕνα.
Tell me about them one by one.

ἕνας, ὁ

ἀφ' ἑνός.... ἀφ' ἑτέρου=on the one hand.... on the other hand.

Ἀφ' ἑνὸς τῆς ἀρέσει νὰ ἔλθη, ἀφ' ἑτέρου δὲν ἔχει χρόνο.
On the one hand she likes to come, on the other hand she has no time.

ἕνας καὶ ἕνας=top quality, hand-picked.

Οἱ συνεργάτες του εἶναι ἕνας καὶ ἕνας.
His associates are of top quality.

ἕνας-ἕνας=one by one.

Μπῆκαν εἰς τὸ κτίριο ἕνας-ἕνας.
They entered the building one by one.

εἰσιτήριον, τό

εἰσιτήριον μετ' ἐπιστροφῆς=a return ticket.

Θέλετε εἰσιτήριο μετ' ἐπιστροφῆς;
Do you want a return ticket (double, two-way ticket).

εἴσοδος, ἡ

ἀπαγορεύεται ἡ εἴσοδος=no admission, no entry, entry is forbidden.

Στὴν πόρτα ἔγραφε: «Ἀπαγορεύεται ἡ εἴσοδος».
On the door was written: «No admission».

Ἀπαγορεύεται ἡ εἴσοδος εἰς τοὺς μὴ ἔχοντας ἐργασίαν=no admittance to unauthorized persons.

Εἶναι καλλίτερα νὰ γράψωμε: «Ἀπαγορεύεται ἡ εἴσοδος εἰς τοὺς μὴ ἔχοντας ἐργασίαν».
It is better to write: "No admittance to unauthorized persons."

ἐλευθέρα εἴσοδος=free admission.

Εἰς τὴν πόρτα γράφει: «Ἐλευθέρα εἴσοδος», ἀλλὰ εἰσπράττουν πέντε δραχμές.
«Free admission» is written on the door, but they charge five drachmas.

ἐκ

ἐκ δευτέρου=for a second time.

Τοῦ ἔγραψα ἐκ δευτέρου ἀλλὰ δὲν ἔλαβα ἀπάντησιν.
I wrote to him for a second time but I received no answer.

ἐκ συμφώνου=by common consent.

Ἔγινε ἐκ συμφώνου.
It was done by common consent.

ἐκ τοῦ μηδενός=out of nothing.

Ὁ Θεὸς ἐποίησε τὸν κόσμον ἐκ τοῦ μηδενός.
God created the world out of nothing.

Ἔκανε περιουσία ἐκ τοῦ μηδενός.
He made a fortune out of nothing.

ἑκατὸν

τοῖς ἑκατὸν=per cent.

Λαμβάνει δέκα τοῖς ἑκατὸν ἀπὸ κάθε βιβλίο ποὺ πωλεῖται.
He receives ten per cent for every copy sold.

ἐκδίδω

ἐκδίδεται (ἐπὶ περιοδικῶν ἢ ἐφημερίδων)=it comes out.

Αὐτὸ τὸ περιοδικὸν ἐκδίδεται κάθε δεκαπέντε.
This magazine comes out every fortnight.

ἐκδίκησις, ἡ

ἀπὸ ἐκδίκησιν=out of revenge.

Δὲν τὸ ἔκανε ἀπὸ ἐκδίκησι.
He did not do that out of revenge.

πνεῦμα ἐκδικήσεως=spirit of revenge.

Ἕνα πνεῦμα ἐκδικήσεως κυριαρχεῖ παντοῦ.
A spirit of revenge prevails everywhere.

ἐκδρομή, ἡ

πάω ἐκδρομὴ=I go on an excursion.

Πήγατε ἐκδρομὴ χθές;
Did you go on an excursion yesterday?

ἐκεῖ

ἐκεῖ ποὺ (+ παρατατικὸς)=as I was... ing

Ἐκεῖ ποὺ ἔγραφα ἄκουσα ἕνα θόρυβο.
As I was writing I heard a noise.

ἐκεῖ ποὺ ἤμουν ἕτοιμος νὰ (+ ρῆμα, ἀπαρέμφατο δημοτικῆς)=just as I was ready (about) to...

Ἐκεῖ ποὺ ἤμουν ἕτοιμος νὰ φύγω, τὸ θυμήθηκα.
Just as I was ready to leave I remembered it.

ἐκπληρῶ

ἐκπληρῶ τὸ καθῆκον μου=I perform, I carry out my duty.

Ἐκπληρῖ τὰ καθήκοντά του μετ' εὐχαριστήσεως.
He performs his duties cheerfully.

ἐκπλήσσομαι

ἐκπλήσσομαι μὲ (εἶμαι ἔκπληκτος, ἀπορῶ)=I am astonished at.

Ἐκπλήσσομαι πραγματικὰ μὲ τὰ νέα.
I am really astonished at the news.

ἐκποδών

θέτω κάποιον ἐκποδών=I get someone out of my way.

Ἔθεσε τοὺς ἐχθρούς του ἐκποδὼν καὶ κατέλαβε τὴν ἀρχήν.
He got his enemies out of his way and seized power.

ἐκτελῶ

ἐκτελῶ διαταγάς (του)=I carry out (his) orders.

Ἐκτελῶ διαταγὰς τοῦ διοικητοῦ μου.
I carry out my commander's orders.

ἐκτελῶ τὸ καθῆκον μου=I perform my duty.

Ἐκτελεῖ τὰ καθήκοντά του χωρὶς ἀντίρρησι.
He performs his duties without objecting.

ἐκτός

ἐκτὸς ἀμφιβολίας=beyond doubt, beyond question.

Ἡ τιμιότης του εἶναι ἐκτὸς ἀμφιβολίας.
His honesty is beyond (doubt) question.

ἐκτὸς ἂν=unless.

Θὰ ἔλθουμε ἐκτὸς ἂν βρέξη.
We shall come unless it rains.

ἐκτὸς ἀπὸ=apart from, in addition to.

Ἐκτός ἀπὸ τὸ χρόνο, τὸ ταξίδι θὰ στοιχίση ἕνα σωρό λεπτά.
Apart from the time, the trip will cost a lot of money.

Μοῦ ἔδωσε χίλιες δραχμὲς ἐκτὸς ἀπὸ ἐκεῖνες ποὺ μοῦ εἶχε ὑποσχεθῆ.
He gave me one thousand drachmas in addition to those he had promised me.

ἐκτὸς κινδύνου=out of danger.

Τώρα εἶναι ἐκτὸς κινδύνου.
Now he is out of danger.

ἐκτὸς τοῦ ὅτι εἶναι (+ ἐπίθετο)=besides being + adjective.

Ἐκτὸς τοῦ ὅτι εἶναι πλουσία εἶναι καὶ ὡραία.
Besides being rich she is beautiful too.

ἐκτὸς τούτου=besides.

Ἐκτὸς τούτου δὲν ἔχω χρήματα μαζί μου.
Besides, I don't have any money on me.

ἐλαφρά, ἡ

μὲ ἐλαφρὰν τὴν καρδίαν=light-heartedly.

Μοῦ τὸ εἶπε μὲ ἐλαφρὰν τὴν καρδίαν.
He said it to me light-heartedly.

ἐλέγχω

ἐλέγχω νὰ δῶ=I make a check up.

Θὰ ἐλέγξω νὰ δῶ καὶ θὰ σᾶς πῶ.
I will make a check up and I will tell you.

ἔλεος, τὸ

εἶμαι εἰς τὸ ἔλεος=I am at the mercy of.

Εἴμεθα εἰς τὸ ἔλεος τῶν κυμάτων ἐπὶ δύο ἡμέρες καὶ δύο νύκτες.
We were at the mercy of the waves for two days and two nights.

ἐλεῶ

Κύριε ἐλέησον=Lord have mercy!

ἔλλειψις, ἡ

ἐλλείψει ἀποδείξεων=because of lack of evidence.

Δὲν τὸν κατεδίκασαν, ἐλλείψει ἀποδείξεων.
They did not sentence him because of lack of evidence.

Ἕλλην, ὁ

Εἶμαι Ἕλλην (Ἕλληνας)=I am a Greek.

Εἶμαι Ἀμερικανὸς καὶ ὄχι Ἕλληνας.
I am an American and not a Greek.

Ἑλληνικά, τὰ

Τὰ Ἑλληνικά της εἶναι καλά.
Her Greek is good.

ἐλπίζω

ἐλπίζω νὰ εἶναι=I hope he is...

Ἐλπίζω νὰ εἶναι ἐκεῖ αὐτὴ τὴ φορά.
I hope he is there this time.

ἐλπίς, ἡ

διαψεύδω τὰς ἐλπίδας κάποιου=I disappoint his expectations.

Αὐτὴ τὴ φορὰ δὲν θὰ διαψεύσω τὶς ἐλπίδες τῶν γονέων μου.
This time I will not disappoint my parents' expectations.

δικαιώνω τὰς ἐλπίδας κάποιου=I answer to his expectations.

Ἐδικαίωσε τὰς ἐλπίδας τῆς μητέρας του. Τελικὰ ἔγινε γιατρός.
He answered to his mother's expectations. Finally he became a physician.

χάθηκε κάθε ἐλπίδα=all hope is lost.

Ἄν καὶ χάθηκε κάθε ἐλπίδα δὲν σταματοῦν νά μάχωνται.
Though all hope is lost, they do not stop fighting.

ἐμβάλλω

ἐμβάλλω εἰς ἀμηχανίαν=I embarrass someone.

Τὰ ἀστεῖα του μᾶς ἐμβάλλουν πάντοτε εἰς ἀμηχανίαν.
His jokes always embarrass us.

ἐμβάλλω εἰς σκέψεις=I cause thinking, I make someone thoughtful.

Ὅ,τι εἶπε μὲ ἐνέβαλεν εἰς σκέψεις.
What he said made me thoughtful.

ἐμὲ

τὸ κατ᾽ ἐμὲ=as far as I am concerned, regarding me, as for me.

Τὸ κατ' ἐμὲ δὲν ἔχετε δίκαιο.
As far as I am concerned you are not right.

ὡς πρὸς ἐμὲ=as for me.

Ὡς πρὸς ἐμὲ δὲν μπορῶ νὰ μείνω πολύ. Θὰ φύγω ἐνωρίς.
As for me, I cannot stay long. I will leave early.

ἐμπηγνύω

ἔμπηξε τὶς φωνὲς=He shouted, he screamed.

Ἔμπηξε τὶς φωνὲς καὶ ὁ κλέπτης ἐξαφανίσθηκε.
She screamed and the thief disappeared.

ἐμποιῶ

ἐμποιῶ αἴσθησιν (κάνω αἴσθησιν)=I produce a sensation.

Ὁ λόγος ἔκανε (ἐνεποίησε) αἴσθησιν.
His speech produced a sensation.

ἐμποιῶ ἐντύπωσιν (κάνω ἐντύπωσιν)=I impress, I produce an impression, I make an impression.

Ἡ ἐμφάνισίς του δὲν ἐνεποίησε (ἔκανε) ἐντύπωσιν.
His appearance did not make an impression.

ἐμποιῶ κατάπληξιν=I make a strong impression, I astonish someone.

Ἡ αὐθάδειά του μοῦ ἐμποιεῖ κατάπληξιν.
His audacity makes a strong impression on me (astonishes me).

ἐμποιῶ φόβον=I cause fear, I produce fear.

Τὰ λόγια του ἐμποιοῦν φόβον.
His words cause fear.

ἐμπρὸς

ἀπ' ἐδῶ κι' ἐμπρὸς=from now on.

Ἀπ' ἐδῶ κι' ἐμπρὸς θὰ ἔρχεσθε ἐνωρίτερα.
From now on you should come earlier.

βάζω ἐμπρὸς μιὰ δουλειὰ=I start a business.

Θὰ βάλω ἐμπρὸς μιὰ νέα δουλειά. Ἐλπίζω νὰ πάη καλά.
I will start a new business. I hope that it goes well.

βάζω μπρὸς τὸ αὐτοκίνητο (ἢ μιὰ μηχανὴ)=I start the car, I start the engine, I ignite it.

Βάλε μπρὸς τὸ αὐτοκίνητο καὶ περίμενέ με.
Start the car and wait for me.

βάζω μπροστὰ κάποιον (ἐπιπλήττω, ὑβρίζω, κατσαδιάζω)=I give him a dressing down.

(Πρβλ. στρώνω μπρὸς κάποιον).

Μὲ ἔβαλε μπροστὰ χωρὶς νὰ σκεφθῆ ὅτι ἴσως ἤμουν ἀθῶος.
He gave me a dressing down without thinking that I might have been innocent.

εἶμαι τίποτα μπροστά... =I am nothing to...

Τὸ μικρὸ σπίτι ποὺ ἔχουν τώρα εἶναι τίποτα μπροστὰ σ᾿ ἐκεῖνο ποὺ εἶχαν πρὸ τοῦ πολέμου.
The small house they have now is nothing to the one they had before the war.

μπρὸς βαθὺ καὶ πίσω ρέμα=between the devil and the deep blue sea.

Δὲν ξέρω τὶ νὰ κάνω. Μπρὸς βαθὺ καὶ πίσω ρέμα.
I don't know what to do, (I am) between the devil and the deep blue sea.

πληρώνω μπροστά=I pay in advance.

Πρέπει νὰ πληρώσω μπροστά, ἀλλὰ δὲν ἔχω χρήματα.
I must pay in advance but I have no money.

τὸ ρολόϊ πηγαίνει ἐμπρὸς=the watch is fast.

Τὶ ὥρα εἶναι; Τὸ ρολόϊ μου πηγαίνει ἐμπρός.
What time is it? My watch is fast.

φύγε ἀπὸ μπροστά μου=disappear, get lost, get out of my way.

Φύγε ἀπὸ μπροστά μου. Δὲν θέλω νὰ σὲ ξαναδῶ.
Get lost. I don't want to see you again.

ἐν

ἐν ὀνόματι τοῦ νόμου=in the name of the law.

Ὁ ἀστυφύλαξ εἶπε: «ἐν ὀνόματι τοῦ νόμου σὲ συλλαμβάνω».
The police officer said: "In the name of the law I arrest you."

ἐν πρώτοις=first of all.

Ἐν πρώτοις πὲς μας ποὺ ἤσουνα.
First of all, tell us where you have been.

ἐν συντομίᾳ=briefly, in short.

Πές μας τὶ συνέβη, ἀλλὰ ἐν συντομίᾳ.
Tell us what has happened, but briefly.

ἐν τάχει=in haste.

Ἀνεχώρησαν ἐν τάχει.
They left in haste.

ἐν τούτοις=however.

Ἐν τούτοις δὲν μοῦ τὸ ἐπέστρεψε.
However he did not return it to me.

ἐνδιαφέρομαι

δὲν μὲ ἐνδιαφέρει καθόλου=I don't care at all about.

Δὲν μὲ ἐνδιαφέρει καθόλου. Κάνε ὅτι νομίζεις.
I don't care at all about it. Do whatever you think.

ἐνδιαφέρομαι διὰ κάτι=I am interested in.

Ἐνδιαφέρεται γιὰ τὰ προβλήματα τῆς πόλεως.
He is interested in the problems of the city.

λίγο μὲ ἐνδιαφέρει=I don't pay much attention to that, that matters little to me, I don't care.

Λίγο μὲ ἐνδιαφέρει γιὰ τὴν γνώμη σας.
I don't care about your opinion.

τὸ πολὺ ποὺ μὲ ἐνδιαφέρει=I don't care at all about.

Τὸ ξέρεις ὅτι σὲ ἀγαπάει;
Τὸ πολὺ ποὺ μὲ ἐνδιαφέρει.

Do you know that he loves you?
I don't care about it at all.

ἐνδιαφέρον, τὸ

δείχνω, (νοιώθω) ἐνδιαφέρον γιὰ=I become interested in.

Δείχνει ἐνδιαφέρον γιὰ τὴν Ἀρχαιολογία.
He has become interested in archaeology.

ἔχω ἐνδιαφέρον γιὰ κάτι=I take an interest in, I am keen on.

Ἔχει ἐνδιαφέρον γιὰ τὴν Ἑλληνικὴ γλῶσσα.
He is keen on the Greek language.

ἐνήμερος, ὁ

καθιστῶ ἐνήμερον=I inform, I keep him informed, I keep him posted.

Σᾶς καθιστῶ ἐνήμερον ἐπὶ τῶν τελευταίων γεγονότων.
I inform you on the latest events.

ἐνθυμοῦμαι

ἂν ἐνθυμοῦμαι καλῶς=If I remember well, if my memory serves me right.

Ἄν ἐνθυμοῦμαι καλῶς μοῦ τὸ ὑποσχεθήκατε.
If I remember well you have promised it to me.

καθ' ὅσον ἐνθυμοῦμαι=so far as I remember.

Καθ' ὅσον ἐνθυμοῦμαι αὐτὸς δὲν ἦτο παρών.
So far as I remember he was not present.

ἐννοῶ

ἐννοεῖται=it is understood, certainly, naturally, of course.

Ἐννοεῖται ὅτι θὰ πρέπει νὰ πληρώσετε καὶ σεῖς.
It is understood that you should pay too.

ἐνοικιάζεται

ἐνοικιάζεται=to let, house to let, to rent, house to rent.

Τὸ σπίτι στὴ θάλασσα τὸ ἐνοικιάσαμε σὲ μία οἰκογένεια Ἑλλήνων.
We let the house by the sea to a Greek family.

ἐνοχλῶ

μὴ μ' ἐνοχλῆς=don't bother me!

Μὴ μ' ἐνοχλῆς, ἔχω δουλειά.
Don't bother me, I am busy.

ἔντιμο, τὸ

μὲ ἔντιμα μέσα=by honest means.

Εἶναι δυνατὸν νὰ γίνῃ κανεὶς πλούσιος μὲ ἔντιμα μέσα;
Is it possible for one to get rich by honest means?

ἐντόνως

ὁμιλῶ σὲ κάποιον ἐντόνως (ἢ ἔντονα)=I speak sharply to him.

Τοῦ ὡμίλησα ἐντόνως ἀλλ' εἰς μάτην
I spoke to him sharply but in vain.

ἐντὸς

ἐντὸς ὀλίγου=shortly, soon.

Ἡ παράστασις θὰ ἀρχίσῃ ἐντὸς ὀλίγου.
The performance will begin shortly.

ἐντρέπομαι

δὲν ντρέπεσαι=are you not ashamed of yourself?

Δὲν ντρέπεσαι νὰ κάνῃς τέτοιο πρᾶγμα;
Are you not ashamed of yourself for doing such a thing?

ἐντροπή, ἡ

κοκκινίζω ἀπὸ ἐντροπὴ (ἡ ντροπὴ)=I blush with shame.

Τῆς ὁμιλεῖς καὶ αὐτὴ κοκκινίζει ἀπὸ ἐντροπή.
You talk to her and she blushes with shame.

ντροπή σου=shame on you!

Ντροπή σου. Φύγε ἀπ' ἐδῶ.
Shame on you. Get out of here!

τί ντροπὴ=what a shame!

Ἔκανε τέτοιο πρᾶγμα;
Τί ντροπή!
Did he do such a thing?
What a shame!

χωρὶς ἐντροπὴ (ξεδιάντροπα)=shamelessly.

Τὸ εἶπε χωρὶς ἐντροπή.
He said it shamelessly.

ἐντύπωσις, ἡ

ἔχω τὴν ἐντύπωσιν=I am under the impression.

Ἔχω τὴν ἐντύπωσιν ὅτι δὲν θὰ ἔλθη.
I am under the impression that he will not come.

ἐνωρὶς

ἐνωρὶς τὸ πρωῒ=early in the morning.

Συνέβη ἐνωρὶς τὸ πρωῒ.
It happened early in the morning.

ἐξ (ἐκ — πρὸ φωνήεντος=ἐξ)

ἐξ αἰτίας σου=because of you.

Ὑποφέρομεν ἐξ' αἰτίας σου.
We are suffering because of you.

ἐξ ἀνάγκης=due to necessity, because of need, of necessity.

Τὸ ἔκλεψε ἐξ ἀνάγκης.
He stole it because of need.

ἐξ ἀπροόπτου=unexpectedly.

Μᾶς ἐπεσκέφθησαν ἐξ ἀπροόπτου.
They visited us unexpectedly.

ἐξ ἰδίων (μὲ τὰ δικά μου χρήματα)=at my own expense.

Ταξιδεύω ἐξ ἰδίων.
I travel at my own expense.

ἐξ ἴσου=equally.

Καὶ οἱ δύο εἶναι ἐξ ἴσου ἱκανοί.
Both are equally competent.

ἐξ ὄψεως=by name, by sight.

Τὸν γνωρίζω μόνον ἐξ ὄψεως.
I know him only by sight.

ἐξαίρεσις, ἡ

ἐξαίρεσις τοῦ κανόνος=exception to the rule.

Ὑπάρχουν πολλὲς ἐξαιρέσεις τοῦ κανόνος.
There are many exceptions to this rule.

ἐξακολουθῶ

ἐξακολουθεῖστε=go on, carry on.

Ἐξακολουθεῖστε παρακαλῶ. Πέστε μας ἀκριβῶς τί συνέβη.
Go on please. Tell us exactly what has happened.

ἐξακριβώνω

ἐξακριβώνω=I check up on.

Ἡ ἀστυνομία ἐξακριβώνει τὸ παρελθόν του.
The police are checking up on his past.

ἐξάπαντος

ἐξάπαντος (δίχως ἄλλο, ὁπωσδήποτε)=without fail.

Μὴν στενοχωρῆσθε. Θὰ τὸ κάνω ἐξάπαντος.
Don't worry. I will do it without fail.

ἐξάπτομαι

ἐξάπτομαι εὔκολα=I flare up easily.

Μὴν τὸν πειράζῃς. Ἐξάπτεται εὔκολα.
Don't tease him. He flares up easily.

ἐξάπτω

κάτι ἐξάπτει τὴν ὀργὴν κάποιου=it rouses his anger.

Οἱ ἀπειλές της ἐξῆψαν τὴν ὀργήν του.
Her threats roused his anger.

μὴν ἐξάπτεσθε=don't ger excited, don't flare up.
(Πρβλ. keep calm).

Μὴν ἐξάπτεσθε. Δὲν ἔχετε δίκαιο.
Don't get excited. You are not right.

ἐξαρτᾶται

ἐξαρτᾶται=it depends.

Ἐξαρτᾶται ἀπὸ τὸν καιρό.
It depends on the weather.

Ἐξαρτᾶται ἀπὸ τὰς περιστάσεις.
It depends on the circumstances.

ἐξαρτᾶται ἀπὸ σᾶς=It is up to you.

Δὲν ἐξαρτᾶται ἀπὸ ἐμένα ἀλλὰ ἀπὸ σᾶς.
It is not up to me, but up to you.

ἔξαψις, ἡ

ἔχω ἐξάψεις=I am highly excited, my blood rushes up to my head.

Μὴν τῆς μιλᾶς. Ἔχει ἐξάψεις.
Don't talk to her. She is highly excited.

ἐξέτασις, ἡ

γράφω καλὰ στὶς ἐξετάσεις=I do my examinations well.

δίδω ἐξετάσεις=I take examinations.

Ἔγραψες καλὰ στὶς ἐξετάσεις;
Did you do your examinations well?

Πότε δίνετε ἐξετάσεις;
When do you take examinations?

ἐξηγοῦμαι

ἐξηγηθήκαμε;=have we come to an understanding? have we understood each other well?

Ἐξηγηθήκαμε; Δὲν πρόκειται νὰ πᾶς πουθενά.
Have we understood each other well? You are not going to go anywhere.

ἐξῆς

εἰς τὸ ἐξῆς=from now on, in the future.

Εἰς τὸ ἐξῆς μπορεῖ νὰ φεύγετε ἐνωρίτερα.
From now on you may leave earlier.

ἕξις, ἡ

ἕξις, δευτέρα φύσις=habit is second nature.

Πρόσεχε, μὴν τὸ ξανακάνης. Ἡ ἕξις εἶναι δευτέρα φύσις.
Be careful, don't do it again. Habit is second nature.

καθ᾽ ἕξιν=by force of habit.

Τὸ κάνει καθ᾽ ἕξιν.
He does it by force of habit.

ἔξοδος, ἡ

ἔξοδος κινδύνου=emergency exit.

Ποῦ εἶναι ἡ ἔξοδος κινδύνου παρακαλῶ;
Where is the emergency exit please?

ἐξοικειωμένος, ὁ

εἶμαι ἐξοικειωμένος (γνωρίζω καλὰ)=I am familiar with.

Δὲν εἶμαι ἐξοικειωμένος μὲ αὐτὸ τὸν ἰδιωματισμό, εἶναι κάτι τὸ νέο γιὰ μένα.
I am not familiar with this idiom. It is something new to me.

ἐξοφλῶ

αὐτὸς ἐξώφλησε=he is finished, he has no future.

Αὐτὸς ἐξώφλησε, μὴν τὸν λογαριάζης.
He is finished. Don't count him in.

ἐξοφλῶ τὰ χρέη μου=I pay off my debts.

Ἐξοφλεῖ τὰ χρέη του στὸ τέλος τοῦ μηνός.
He pays off his debts at the end of the month.

ἐξηπηρετῶ

μπορῶ νὰ σᾶς ἐξηπηρετήσω;=may I help you? Can I help you?

ἔξω

ἀπέξω-ἀπέξω (μὲ ὑπαινιγμὸ)=insinuatingly.
φέρνω κάτι ἀπέξω-ἀπέξω=I insinuate, I hint.

Δὲν τὸ εἶπε κατ᾽ εὐθεῖαν. Τὸ ἔφερε ἀπέξω-ἀπέξω.
He did not say it directly. He insinuated it.

βγάζω κάποιον ἔξω μὲ τὶς κλωτσιὲς=I kick him out.

Ἠπείλησε τὸν διευθυντή του καὶ αὐτὸς τὸν ἔβγαλε ἔξω μὲ τὶς κλωτσιές.
He threatened his director and the director kicked him out.

εἶμαι ἔξω φρενῶν=I am mad, I am furious, I am beside myself.

Εἶναι ἔξω φρενῶν. Ἂν σὲ συναντήση θὰ σὲ σκοτώση.
He is mad. If he meets you he will kill you.

ἔξω-ἔξω=at the edge.

Τὸ ἔβαλε ἔξω-ἔξω καὶ ἔπεσε κάτω.
He put it at the edge, so it fell down.

ἔξω ἀπ᾽ ἐδῶ=get out of here, get lost.

Ἔξω ἀπ᾽ ἐδῶ ἀμέσως.
Get out of here at once.

μιὰ καὶ ἔξω (διὰ μιᾶς, χωρὶς διακοπὴ)=with one movement, at once, without any interruption.

Ὁ ὀδοντοϊατρὸς τράβηξε τὸ δόντι μιὰ καὶ ἔξω.
The dentist pulled the tooth out with one movement.

πέφτω ἔξω=I am mistaken, I am wrong.

Ἄν δὲν πέφτω ἔξω τὸν ξέρω.
If I am not mistaken, I know him.

πέφτετε ἔξω=you are barking up the wrong tree.

Πέφτετε ἔξω. Δὲν πρόκειται νὰ σᾶς βοηθήσῃ.
You are barking up the wrong tree. He is not going to help you.

τὸ ρίχνω ἔξω (παραμελῶ τὴν ἐργασία μου, γίνομαι ἄσωτος)=I neglect my work, I lead a dissolute life.

Τὸ ἔρριξε ἔξω καὶ πέθανε νέος.
He led a dissolute life and died young.

ξέρω κάτι ἀπ' ἔξω=I know it by heart.

Ἡ Μαρία ξέρει τὸ μάθημά της ἀπ' ἔξω.
Mary knows her lesson by heart.

ὁ ἔξω ἀπ' ἐδῶ (ὁ σατανᾶς)=the devil.

Φταίει ὁ ἔξω ἀπ' ἐδῶ.
The devil is to blame.

ἐξωθῶ

ἐξωθῶ τὰ πράγματα εἰς τὰ ἄκρα=I push things to extremes.

Οἱ ἀπεργοῦντες ἐργάτες ἐξώθησαν τὰ πράγματα εἰς τὰ ἄκρα.
The striking workers pushed things to extremes.

ἑορτή, ἡ

κατόπιν ἑορτῆς=too late.

Ὅταν τὸ ἔμαθε ἦταν κατόπιν ἑορτῆς.
When he héard about it, it was too late.

ἐπαληθεύω

ἐπαληθεύει (πραγματοποιεῖται)=it comes true.

Ἡ ἐπιθυμία του ἐπαληθεύτηκε.
His wish came true.

ἐπανάληψις, ἡ

κατ' ἐπανάληψιν=repeatedly.

Τοῦ τὸ ὑπενθύμησα κατ' ἐπανάληψιν.
I reminded him of it repeatedly.

ἐπάνω (ἰδὲ ἐπίσης πάνω)

ἀπὸ ἐπάνω ἕως κάτω=up and down, from top to bottom, from head to foot.

Τὴν ἐκοίταξα ἀπὸ ἐπάνω ἕως κάτω.
I looked her up and down.

ἐκεῖ ἐπάνω=up there.

Τὸ βιβλίο ποὺ ζητᾶτε εἶναι ἐκεῖ ἐπάνω.
The book you are looking for is up there.

ἐπάνω-κάτω=about, approximately.

Ἦταν ἐπάνω-κάτω εἴκοσι ἄνθρωποι.
There were about twenty people.

ἐπάνω στὴν ὥρα=in the nick of time, just at the time.

Τὸ τηλεγράφημα ἦλθε ἐπάνω στὴν ὥρα.
The cable came in the nick of time.

παίρνω ἐπάνω μου=I recover, I gain weight.

Ἂν καὶ τρώγῃ πολὺ δὲν παίρνει ἐπάνω της, οὔτε ἕνα κιλό.
Although she eats much, she does not gain weight, not even a kilo.

τὸ παίρνω ἐπάνω μου=I take on airs, I am proud of it.

Κάποιος τῆς εἶπε ὅτι εἶναι ὡραία καὶ τὸ ἐπῆρε ἐπάνω της.
Someone told her that she is beautiful and she took on airs.

ἔπειτα

ἔπειτα=after that.

Ἔπειτα ἐπῆγε στὸ σπίτι.
After that he went home.

Ἔπειτα ἐπήγαμε στὸ σινεμά.
After that we went to the cinema.

ἐπὶ

ἐπὶ ἐγγυήσει=on bail

Τὸν ἔβγαλαν ἀπὸ τὴν φυλακὴ ἐπὶ ἐγγυήσει.
They got him out of prison on bail.

ἐπὶ λέξει=word for word.

Εἶπε ἐπὶ λέξει τὰ ἑξῆς.
He said word for word the following.

ἐπὶ πλέον=in addition to, besides.

Ἐπὶ πλέον μοῦ ζήτησε καὶ δανεικά.
In addition to that he asked me to lend him money.

ἐπὶ τὰ χείρω=for the worse.
ἐπὶ τὰ βελτίω=for the better.

Ὁ καιρὸς ἤλλαξε ἐπὶ τὰ χείρω.
The weather changed for the worse.

Ἡ ὑγεία του ἤλλαξε ἐπὶ τὰ βελτίω.
His health changed for the better.

ἐπὶ τῇ προφάσει=on the pretext that, on the plea that.

Δὲν ἦλθε ἐπὶ τῇ προφάσει ὅτι ἦτο ἀπησχολημένος.
He did not come on the pretext that he was busy.

ἐπὶ τοῦ παρόντος=for the time being, for the present (time).

Ἐπὶ τοῦ παρόντος θὰ μείνῃ μαζί μας.
For the time being he will stay with us.

ἐπὶ τούτοις=besides, in addition to, moreover.

Ἐπὶ τούτοις, σημειώσατε καὶ τὰ ἑξῆς:
In addition to them, notice the following too.

ἐπὶ τῷ λόγῳ τῆς τιμῆς μου=by my word of honour.

Ἐπὶ τῷ λόγῳ τῆς τιμῆς μου δὲν θὰ τὸ πῶ σὲ κανέναν.
By my word of honour I will not say it to anybody.

ἐπίκειμαι

ἐπίκειται κάτι=it is imminent.

Εἶναι βέβαιον ὅτι ἐπίκειται πόλεμος.
It is certain that war is imminent.

ἐπιπροσθέτως

ἐπιπροσθέτως πρὸς=in addition to.

Μοῦ ἔδωσε χίλιες δραχμὲς ἐπιπροσθέτως πρὸς ἐκείνας ποὺ μοῦ εἶχε ὑποσχεθῆ.
He gave me one thousand drachmas in addition to those he had promised me.

ἐπιρρίπτω

ἐπιρρίπτω τὰς εὐθύνας=I put the blame on, I attribute the responsibilities of an action to.

Ἡ Κυβέρνησις ἐπιρρίπτει τὰς εὐθύνας εἰς τὴν ἀστυνομίαν.
The Government puts the blame on the police.

ἐπιρροή, ἡ

ἐξασκῶ ἐπιρροή=I exert influence, I exercise influence, I have influence.
Προσοχὴ μὲ τὴν πρόθεσιν on, over ἢ upon).

Ἐξασκεῖ μεγάλη ἐπιρροὴ ἐπὶ τῆς οἰκονομικῆς ζωῆς τῆς χώρας.
He exercises great influence upon the economic life of his country.

ἐπίσης

ἐπίσης=as well.

Γράψε τὸ ὄνομά μου ἐπίσης.
Write my name as well.

καθὼς ἐπίσης=as well as.
(Πρβλ. καί .... καὶ)

Εἶναι ὡραῖος καθὼς ἐπίσης καὶ ἔξυπνος.
He is handsome as well as clever.

Εἶναι καὶ τεμπέλης καὶ φτωχός.
He is lazy as well as poor.

ἐπίσκεψις, ἡ

ἀνταποδίδω τὴν ἐπίσκεψιν=I return the visit.

Θὰ σᾶς ἀνταποδώσωμε τὴν ἐπίσκεψι τὴν ἐπομένη ἑβδομάδα.
We shall return the visit next week.

κάνω ἐπίσκεψι=I pay a visit.

Ἡ κυρία Σμὶθ διαρκῶς μᾶς κάνει ἐπισκέψεις. Δὲν μένει ποτὲ σπίτι της.
Mrs Smith always pays us a visit. She never stays at home.

ὁ γιατρὸς κάνει μίαν ἐπίσκεψι=he visits or attends a patient.

Ὁ γιατρὸς κάνει δέκα ἐπισκέψεις κάθε πρωΐ.
The doctor visits ten patients every morning.

ἐπιστρέφω

ἐπιστρέφω=I am back, I get back.

Θὰ ἐπιστρέψω σὲ μία ὥρα.
I will be back in an hour.

ἐπίτηδες

ἐπίτηδες=on purpose.

Τὸ εἶπε ἐπίτηδες. Ἤθελε νὰ προσέξω ὅτι ξέρει τὸ μυστικό μου.
She said it on purpose. She wanted me to notice that she knows my secret.

ἐπιτρέπω

ἐπιτρέπεται ἡ εἴσοδος;=may one come in?
ἐπιτρέπεται νὰ=is it permitted..? May I...?

Ἐπιτρέπεται νὰ καπνίσω;
Is it permitted to smoke? May I smoke?

ἐπιτρέψατέ μου νὰ...=allow me to...

Ἐπιτρέψατέ μου νὰ φύγω.
Allow me to go.

καιροῦ ἐπιτρέποντος=weather permitting.

Θὰ πᾶμε τὸ Σαββατοκύριακο καιροῦ ἐπιτρέποντος.
We shall go this week-end, weather permitting.

κάτι «δὲν ἐπιτρέπεται»=it is not allowed.

Δὲν ἐπιτρέπεται τὸ κάπνισμα.
Smoking is not allowed.

(Πρβλ. No smoking).

Δὲν ἐπιτρέπεται ἡ εἴσοδος.
Entering is not allowed.

(Πρβλ. No admittance).

ἕπεται

ἕπεται ἡ συνέχεια=to be continued.
ἕπεται ὅτι...=it follows that..., the result is that...
(N.B. mostly with **δὲν**)
δὲν ἕπεται ὅτι=it is not expected that.

Δὲν ἕπεται ὅτι θὰ πρέπει νὰ πληρώσουν οἱ ἐπισκέπτες.
It is not expected that the visitors will pay.

ὡς ἕπεται=as follows.

Τὰ γεγονότα συνέβησαν ὡς ἕπεται.
The events have happened as follows.

ἑπόμενον, τὸ

ἦτο ἑπόμενον=it was to be expected.

Ἦτο ἑπόμενον νὰ ἀποτύχη μιὰ καὶ δὲν εἶχε διαβάσει καθόλου.
His failure was to be expected since he had not studied at all.

Δὲν ἦλθε, ὡς ἦτο ἑπόμενον.
He did not come as was expected.

ἑπόμενος, ὁ

ὁ ἑπόμενος=the next.
τὴν ἑπομένη ἑβδομάδα=next week.

τὴν ἑπομένη ἡμέρα=next day.
εἰς τὸ ἑπόμενον φύλλον=in the next issue.

ἐποχή, ἡ

αὐτὴ τὴν ἐποχὴν=at this season, this time of the year.

Αὐτὴν τὴν ἐποχὴν κάνει πάντοτε ζέστη.
At this season (this time of the year) it is always hot.

ἔποψις, ἡ

ὑπὸ πᾶσαν ἔποψιν=in every respect, from any point of view.

Ὑπὸ πᾶσαν ἔποψιν ἔχετε δίκαιον.
You are right in every respect.

98

πωφελοῦμαι

ἐπωφελοῦμαι τῆς εὐκαιρίας=I seize the opportunity, I make hay while the sun shines.

Ἐπωφελήθην τῆς εὐκαιρίας καὶ τοῦ εἶπα τὴν γνώμην μου.
I seized the opportunity and told him my opinion.

ρείπιον, τό

κάποιος εἶναι σωστὸ ἐρείπιον=he is nothing but a wreck.

Μετὰ τὸν θάνατον τοῦ συζύγου της εἶναι σωστὸ ἐρείπιον.
After her husband's death she is nothing but a wreck.

ρχομαι

ἔρχομαι εἰς ἑαυτόν=I come to my senses.

Ἦλθεν εἰς ἑαυτὸν καὶ ἐγύρισε σπίτι.
He came to his senses and returned home.

ἔρχομαι στὰ χέρια=I come to blows.

Κάθε φορὰ ποὺ συναντῶνται ἔρχονται στὰ χέρια.
Every time they meet each other they come to blows.

κάτι μοῦ ἔρχεται κατ' εὐχὴν=it happens just as it was wished or expected.

Εἶναι τυχερός. Στὴν ζωήν του τοῦ ἦλθαν ὅλα κατ' εὐχήν.
He is lucky. Everything in his life happened just as he wished.

καλῶς ἤλθατε=welcome!

ρώτησις, ἡ

κάνω ἐρώτησιν=I ask a question.

Γιατί κάνεις πολλὲς ἐρωτήσεις;
Why do you ask many questions?

σχάτη, ἡ

ἐν ἐσχάτη ἀνάγκη=in an emergency.

Ἐν ἐσχάτη ἀνάγκη τηλεφωνήσατέ μου τὴν νύκτα.
In an emergency call me at night.

τος, τό

καθ' ὅλον τὸ ἔτος=all during the year, the year round.

Μένουν στὴν Ἑλλάδα καθ' ὅλον τὸ ἔτος.
They stay in Greece all during the year.

ἔτσι

ἔτσι δὲν εἶναι;=is it not so?

Ὅποιος εἶναι εὐτυχὴς αἰσθάνεται θαυμάσια. Ἔτσι δὲν εἶναι;
He who is happy feels fine. Is it not so?

ἔτσι εἶναι=so it is.

Ἔτσι εἶναι. Ὅποιος εἶναι ὑγιὴς χαίρεται τὴν ζωήν.
So it is. He who is healthy enjoys life.

ἔτσι κι᾽ ἔτσι=so and so.

Πῶς αἰσθάνεσθε;
Ἔτσι κι ἔτσι.
How do you feel?
So and so.

μὴν κάνης ἔτσι=don't behave that way, come now, pull yourself together.

Μὴν κάνης ἔτσι. Θὰ γυρίση κάποια μέρα.
Pull yourself together. He will come back some day.

εὐαρεστῶ

εὐαρεστηθῆτε νὰ=would you be so kind as to.

Εὐαρεστηθῆτε νὰ μᾶς ἀπαντήσετε συντόμως.
Would you be so kind as to answer us soon.

ὅπως εὐαρεστεῖσθε=as you please, as you like.

Ἐλᾶτε τώρα ἢ ἀργότερα. Ὅπως εὐαρεστεῖσθε.
You may come now or later on. As you please.

εὔθετος, ὁ

ἐν εὐθέτῳ χρόνῳ=in due time.

Θὰ πληρώσω τὸ χρέος μου ἐν εὐθέτῳ χρόνῳ.
I shall pay my debt in due time.

εὐθύνη, ἡ

φέρω εὐθύνη γιὰ κάτι=I am responsible for.

Ὁ καπετάνιος φέρει τὴν εὐθύνη δι᾽ ὅ,τι ἔγινε.
The captain is responsible for what has happened.

ὐθὺς

ἀπ᾽ εὐθείας=directly.

Μπορούσες νὰ μοῦ τὸ ἔλεγες ἀπ᾽ εὐθείας.
You could have told it to me directly.

εὐθὺς ὡς=as soon as.

Εὐθὺς ὡς τὸ ἐπληροφορήθην σᾶς ἔγραψα.
I wrote to you as soon as I was informed of it.

κατ' εὐθεῖαν=directly, in a direct line.

Πετάξαμε κατ' εὐθεῖαν στὴν Ρώμην.
We flew directly to Rome.

εὐκαιρία, ἡ

εἰς πρώτην εὐκαιρίαν=at the first, at the earliest opportunity.

Θὰ σᾶς πληρώσω εἰς πρώτην εὐκαιρίαν.
I will pay you at the earliest opportunity.

ἐπ' εὐκαιρίᾳ=on the occasion of.

Ἐπ' εὐκαιρίᾳ τῶν γάμων των τοὺς ἀγοράσαμεν ἕνα δῶρον.
On the occasion of their wedding we bought them a gift.

χάνω τὴν εὐκαιρίαν=I miss the opportunity, the chance.

Λυπᾶται ποὺ ἔχασε μιὰ θαυμασίαν εὐκαιρίαν.
He is sorry because he has missed a fine opportunity.

εὔκολον, τὸ

εὔκολον=easy.

Εἶναι εὔκολο νὰ τὸ μάθῃς.
It is easy (for you) to learn it.

Δὲν εἶναι εὔκολον νὰ τὸ βρῇς.
It is not easy to find it.

εὑρίσκω

εὑρίσκω (ἢ βρίσκω) τὸν δάσκαλόν μου=I meet my master.

Τελικὰ βρῆκε τὸν δάσκαλόν του.
Finally he met his master.

εὑρίσκω (ἢ βρίσκω) τὸν μπελά μου=I get into trouble.

Εἶναι πολὺ εὔκολο νὰ βρῆ κανεὶς τὸν μπελά του.
It is very easy for one to get into trouble.

ἀπὸ τὸν Θεὸν νὰ τὸ 'βρη=may God punish him, may God repay him.
τὰ βρίσκω σκοῦρα=I meet difficulties.

Ἐπῆγε νὰ σπουδάσῃ εἰς τὴν Ἑλλάδα ἀλλὰ τὰ βρῆκε σκοῦρα.
He went to study in Greece but he met difficulties.

εὐσπλαχνίζομαι

εὐσπλαχνίζομαι=I have mercy.

Ὦ Θεέ μου. Εὐσπλαχνίσου μας.
Oh! God, have mercy on us!

εὐχαρίστησις, ἡ

Ἔχω τὴν εὐχαρίστησιν νὰ... (τὴν χαρὰν νὰ...)=I have the pleasure of.

Εἴμεθα εὐτυχεῖς διότι εἴχαμε τὴν εὐχαρίστησιν νὰ συναντήσωμεν αὐτὸν τὸν σπουδαῖον ἄνθρωπον.
We are happy that we had the pleasure of meeting this important man.

εὐχή, ἡ

ἐξεπληρώθη μιὰ εὐχὴ=a wish has been fulfilled.

Ἐξεπληρώθη μιὰ εὐχή. Παντρεύτηκε.
A wish has been fulfilled. She got married.

ποιὸς στὴν εὐχὴ=who in the world.

Ποιὸς στὴν εὐχῆ τὸ εἶπε;
Who in the world said it?

πού νὰ πάρη ἡ εὐχὴ...=where in the world...

Ποῦ ἤσουν νὰ πάρη ἡ εὐχή;
Where in the world have you been?

εὔχομαι

εὔχομαι (μακάρι)=I wish + ὑποτακτική.

Μακάρι νὰ ἤμουν πλούσιος.
I wish I were rich.

ἐφέτος

ἐφέτος=this year.

Ἐφέτος θὰ μείνω στὴν Ἀθήνα.
This year I will stay in Athens.

ἔχω

Ἔχω δίκαιο=I am right.

Ἔχει δίκαιο. Πρέπει νὰ σταματήσωμεν ἀμέσως.
He is right. We should stop at once.

ἔχω τὸ δικαίωμα νὰ...=I have the right to...

Δὲν ἔχομε τὸ δικαίωμα νὰ τὸ κάνωμε.
We have not the right to do it.

ἔχω δουλειὰ=I am busy.

Δὲν βλέπεις ὅτι ἔχω δουλειά;
Don't you see that I am busy?

ἔχω καιρὸ νὰ τὸν δῶ=I have not seen him for a long time.

ἔχω νὰ τὸν δῶ δύο μέρες=I have not seen him for two days.

ἔχω νὰ τὸν δῶ ἀπόψε (πρέπει)=I have to see (I must see) him tonight.

ἔχω νὰ κάνω κάτι=I have to do something.

Ἔχω νὰ γράψω ἕνα γράμμα.
I have to write a letter.

ἔχω δουλειὲς νὰ κάνω=I have things to do.

Δὲν μπορῶ νὰ ἔλθω, ἔχω δουλειὲς νὰ κάνω.
I can iot come, I have things to do.

-Z-

ζαλίζω

μὴ μὲ ζαλίζῃς=don't bother me.

Μὴ μὲ ζαλίζῃς, δὲν ἔχω χρήματα νὰ σοῦ δώσω.
Don't bother me. I don't have money to give you.

ζεσταίνομαι

ζεσταίνομαι=I get warm.

Ἐὰν θέλῃς νὰ ζεσταθῇς γιατὶ δὲν πίνῃς ἕνα φλυτζάνι ζεστὸ τσάϊ;
If you want to get warm, why don't you drink a cup of hot tea?

ζεσταίνομαι=I become hot.

Τὸ αὐτοκίνητο σταμάτησε γιατὶ ἡ μηχανή του ζεστάθηκε πολύ.
The car stopped because its motor had become very hot.

ζέστη, ἡ

κάνει ζέστη=it is warm.

Δὲν κάνει ζέστη σήμερα.
It is not warm today.

κάνει πολλὴ ζέστη=it is hot.

Τὸν Ἰούλιον κάνει πολλὴ ζέστη στὴν Ἀθήνα.
In July it is hot in Athens.

ζήτημα, τὸ

ζήτημα εἶναι=it is doubtful.

Εἶναι ζήτημα ἂν θὰ ἔλθῃ.
It is doubtful whether he will come.

εἶναι ζήτημα χρημάτων=it is a question of money.

Δὲν εἶναι ζήτημα χρημάτων μόνον ἀλλὰ καὶ χρόνου.
It is not only a question of money but of time as well.

δὲν γεννᾶται ζήτημα=there is no question to bother, please don't bother.

Δὲν γεννᾶται ζήτημα. Μοῦ τὰ δίδετε τὸν ἐπόμενο μῆνα.
Please don't bother. You may give them to me next month

ζήτω

ζήτω!!! = Hurrah!!!

Ὁ δάσκαλος εἶπε: «Αὔριο θὰ πᾶμε ἐκδρομή».
The teacher said: «Tomorrow we are going on an excursion».

Οἱ μαθηταὶ ἀνεφώνησαν: Ζήτω!!!
The students cried: Hurrah!!!

ζήτω ὁ... = up with someone.

Ὁ λαὸς φώναζε: «ζήτω ὁ Πρόεδρος».
The people were crying: "up with the President"!

(Πρβλ. τὸ ἀντίθετο down with=κάτω ὁ...).
ζήτω ὁ βασιλεὺς=long live the king.

Ὁ Ἀγγλικὸς λαὸς φώναζε: «Ζήτω ὁ Βασιλεὺς».
The English people were crying: "Long live the king" .

ζητῶ

ζητῶ κάποιον=I ask for someone.

Ζήτησέ με στὴν πόρτα.
Ask for me at the door.

Ἐζήτησε κάποιον ποὺ δὲν τὸν ξέρομε.
He asked for someone whom we do not know.

σᾶς ζητοῦν=you are wanted.

Σᾶς ζητοῦν εἰς τὸ τηλέφωνο.
You are wanted on the phone.

σᾶς ζητῶ συγγνώμην=I beg your pardon.

Σᾶς ζητῶ συγγνώμην. Δὲν τὸ ἤξερα.
I beg your pardon. I did not know it.

τί ζητᾶτε ἐδῶ; =what do you want here?
ζητῶ... = I am looking for...

Τί ζητᾶτε ἐδῶ;
What do you want here?

Ζητῶ ἕνα γνωστόν μου.
I am looking for someone that I know.

ζιζάνια, τὰ

σπείρω ζιζάνια=I sow discord.

Μὲ τὰ λόγια της σπείρει ζιζάνια.
She sows discord with her words.

ζόρι, τὸ

μὲ τὸ ζόρι=by force.

Τὸ ἔκανε μὲ τὸ ζόρι.
He did it by force.

Τὸν παντρεύτηκε μὲ τὸ ζόρι.
She married him by force.

ζουρλός, ὁ

εἶναι ζουρλὸς γιὰ δέσιμο=he should be put into a strait-jacket, he is as mad as a March hare.

Μὴν προσέχης τί λέει. Εἶναι ζουρλὸς γιὰ δέσιμο.
Don't pay any attention to what he says. He should be put into a strait-jacket.

ζῶ

ζῶ μὲ...=I live on...

Ζῶ μὲ ὅ,τι κερδίζω.
I live on what I earn.

ζῶ μεροδούλι μεροφάϊ=I live from hand to mouth.

Οἱ περισσότεροι ἄνθρωποι ζοῦν μεροδούλι μεροφάϊ.
Most of the people live from hand to mouth.

ζῶ φτωχικὰ=I lead a poor life.

Ζοῦν φτωχικὰ στὸ χωριό τους.
They lead a poor life in their village.

ἐφ' ὅσον ζῶ=as long as I live.

Ἐφ' ὅσον ζῶ θὰ τὴν προστατεύω.
As long as I live I will protect her.

νὰ ζήσῃς=may God give you a long life.

Ὁ γέρο τυφλὸς εἶπε: «Νὰ ζήσῃς παιδί μου».
The old blind man said: "May God give you a long life my child."

νὰ ζήσετε=may God grant you a long life, congratulations.

Στὸ γάμο λένε: «Νὰ ζήσετε».
At a wedding one wishes: "Congratulations."

τὰ πρὸς τὸ ζῆν=the necessaries for life.

Ἔχει τὰ πρὸς τὸ ζῆν. Δὲν ἔχει ἀνάγκη νὰ ἐργασθῇ.
He has the necessaries of life. There is no need for him to work.

ζωή, ἡ

ἄνετη ζωὴ=an easy life, a life of ease.

Κάνει ἄνετη ζωή.
He is leading an easy life.

αὐτὴ εἶναι ἡ ζωὴ=such is life.

Αὐτὴ εἶναι ἡ ζωή. Θὰ πρέπει νὰ εἶναι κανεὶς ἕτοιμος νὰ τὴν ἀντιμετωπίσῃ γενναῖα.
Such is life. One should be prepared to face it bravely.

διάγω (κάνω) διπλῆ ζωὴ=I lead a double life.

Δὲν μπορῶ νὰ πιστέψω, ὅτι κάνει διπλῆ ζωή.
I cannot believe that he leads a double life.

εἶναι ζήτημα ζωῆς ἢ θανάτου=it is a question of life or death, very urgent.

Σᾶς παρακαλῶ ἀφῆστε με νὰ περάσω, εἶναι ζήτημα ζωῆς ἢ θανάτου.
Let me pass please. It is a question of life or death.

στὴν ζωή μου=by my life.

Στὴν ζωή μου, δὲν ξέρω τίποτε γι' αὐτό.
By my life. I do not know anything about it.

ἤ

ἤ ὄχι=or not

Σᾶς ἀρέσει ἤ ὄχι;
Do you like it or not?

ἥλιος, ὁ

στὸν ἥλιον=in the sun.

Ἐργάζεται ὅλη μέρα στὸν ἥλιο.
He works all day long in the sun.

Γιατὶ κάθεσαι στὸν ἥλιον; Ἔλα μέσα.
Why do you stay in the sun? Come in.

ἡμέρα, ἡ

ἀπὸ ἡμέρα σὲ ἡμέρα=from day to day.

Πολλὰ πράγματα ἀλλάζουν ἀπὸ ἡμέρα σὲ ἡμέρα.
Many things change from day to day.

ἡμέρα μὲ τὴν ἡμέρα=day by day.

Δυναμώνει ἡμέρα μέ τὴν ἡμέρα.
He is getting stronger day by day.

κάθε δεύτερη ἡμέρα=every other day.

Ἔχω Ἑλληνικὰ κάθε δεύτερη ἡμέρα.
I have Greek (lessons) every other day.

(κατὰ) τὴν ἡμέρα=in the daytime.

Ποτὲ δὲν κοιμᾶται (κατὰ) τὴν ἡμέρα.
He never sleeps in the daytime.

μέρα μπαίνει, μέρα βγαίνει=day in day out.

Αὐτὸς κάνει τὸ ἴδιο, μέρα μπαίνει, μέρα βγαίνει.
He does the same thing, day in day out.

μία ἡμέρα ἐλεύθερη=a day off.

Θέλω νὰ ἔχω μία ἡμέρα ἐλεύθερη.
I want to have a day off.

πληρώνομαι μὲ τὴν ἡμέρα=I am paid by the day.

Οἱ ἐργάτες πληρώνονται μὲ τὴν ἡμέρα.
Workmen are paid by the day.

πρὸ ὀλίγων ἡμερῶν (πρὶν ἀπὸ λίγες μέρες)=a few days ago.

Ἦταν ἐδῶ πρὶν ἀπὸ λίγες μέρες.
He was here a few days ago.

τὶ (ἡ) μέρα εἶναι σήμερα; Κυριακὴ ἢ Δευτέρα; = what day is today? Is it Sunday or Monday?

ἡσυχία, ἡ

βρίσκω τὴν ἡσυχία μου=I find peace (of mind).

Ἐπώλησα τὸ αὐτοκίνητό μου καὶ βρῆκα τὴν ἡσυχία μου.
I sold my car and I found peace of mind.

ἡσυχία (κάνε ἡσυχία, κάνετε ἡσυχία, κάτσε ἥσυχα)=be quiet!

Κάνετε ἡσυχία παρακαλῶ.
Be quiet, please!

μὲ τὴν ἡσυχία σας=at (your) leisure.

Κρατῆστε το μερικὲς μέρες. Μοῦ τὸ ἐπιστρέφετε μὲ τὴν ἡσυχία σας.
Keep it for a few days. You can return it to me at leisure.

ἥσυχος, ὁ

ἄσε με ἥσυχον=leave me alone.

Ἄσε με ἥσυχον. Μὴ μὲ ἐνοχλῆς.
Leave me alone. Don't bother me.

-Θ-

θάλασσα, ἡ

ἄνθρωπος στὴν θάλασσα=man overboard!

Σταματῆστε τὸ πλοῖον. Ἄνθρωπος στὴν θάλασσα.
Stop the ship. Man overboard!

μὲ πειράζει ἡ θάλασσα=I get seasick.

Θὰ πᾶμε μὲ τὸ τραῖνο γιατὶ μὲ πειράζει ἡ θάλασσα.
We shall go by train because I get seasick.

τὰ ἔκανε θάλασσα (τὰ θαλάσσωσε)=he made a mess of it, he spoiled everything.

Θέλησε νὰ βοηθήση, ἀλλὰ τὰ θαλάσσωσε.
He wanted to help but he made a mess of it.

θάνατος, ὁ

μετὰ θάνατον (μεταθανατίως)=after death, post-mortem (p.m.).

Τοῦ ἀνεγνώρισαν τὴν ἀξία του μετὰ θάνατον.
They recognized his worth after death.

θάρρος, τὸ

ἔχει τὸ θάρρος τῆς γνώμης της=she has the courage of her convictions.

Εἶναι σπουδαῖο πρᾶγμα νὰ ἔχη κανεὶς τὸ θάρρος τῆς γνώμης του.
It is an important thing for one to have the courage of one's opinion.

ἔχω τὸ θάρρος νὰ=I have the nerve to.

Δὲν εἶχα τὸ θάρρος νὰ κάνω ἕνα τέτοιο πρᾶγμα.
I had not the nerve to do such a terrible thing.

λαμβάνω τὸ θάρρος=I take the liberty.

Λαμβάνω τὸ θάρρος νὰ σᾶς παρακαλέσω διὰ τὴν περίπτωσιν τοῦ υἱοῦ μου.
I take the liberty to bother you with my son's case.

μὴν τοῦ δίνης πολὺ θάρρος=do not encourage him.

Μὴν τοῦ δίδετε πολὺ θάρρος. Δὲν ξέρει ποῦ νὰ σταματήση.
Do not encourage him. He does not know where to stop.

παίρνει πολὺ θάρρος (καταργεῖ τὴν ἀπόστασιν)=he takes too many liberties.

Μὴν ἀρχίζης κουβέντα μαζί του. Παίρνει εὔκολα πολὺ θάρρος.
Don't talk to him. He takes too many liberties.

χάνω τὸ θάρρος μου=I lose heart.

Ποτὲ δὲν χάνει τὸ θάρρος του. Εἶναι πράγματι γενναῖος.
He never loses heart, he really is a brave man.

θᾶττον, (ἐπίρ.)

θᾶττον ἢ βράδιον=sooner or later.

(Πρβλ. ἀργὰ ἢ γρήγορα=sooner or later)

Θᾶττον ἢ βράδιον ἡ ἀλήθεια θὰ φανερωθῆ.
Sooner or later the truth will come out.

θέατρον, τὸ

γίνομαι θέατρο στὸν κόσμον=I become ridiculous, I expose myself to ridicule, I make myself look ridiculous.

Σταμάτησε τὶς φωνές. Γινήκαμε θέατρο στὸν κόσμον.
Stop shouting. We have become ridiculous.

θέλημα, τὸ

στέλνω κάποιον σὲ θέλημα=I send someone on an errand.

Ὁ Γιῶργος δὲν εἶναι ἐδῶ αὐτὴν τὴν στιγμήν. Τὸν ἔστειλα σὲ θέλημα.
George is not here this moment. I have sent him on an errand.

θέλησις, ἡ

παρὰ τὴν θέλησιν κάποιου=against his own will.

Τὸ ὑπέγραψε παρὰ τὴν θέλησίν του.
He signed it against his own will.

θέλω

δὲν θέλω νὰ ξέρω τίποτε γιὰ κάτι=I don't want to know anything about it.
δὲν θέλει... =he will not listen, he won't...

Τοῦ τὸ ὑπενθύμισα, ἀλλὰ δὲν ἤθελε νὰ ξέρη τίποτε γι' αὐτό.
I reminded him of it, but he didn't want to know anything about it.

δὲν ξέρει τί θέλει=he does not know what he wants, he does not know his own mind.

Κάθε φορὰ ἀλλάζει γνώμη. Δὲν ξέρει τί θέλει.
Each time he changes his opinion. He does not know what he wants.

εἴτε τὸ θέλετε εἴτε ὄχι=whether you like it or not.

Εἴτε τὸ θέλετε εἴτε ὄχι θὰ ἔλθετε μαζί μας.
Whether you like it or not you should come with us.

θὰ ἤθελα νὰ...=I should like to...

Θὰ ἤθελα νὰ ἤξερα ποῦ ἦσουν τόσο ἀργά.
I should like to know where you have been at this late hour.

θέλοντας καὶ μὴ θέλοντας=willing or not, willy-nilly.
(Πρβλ. ἑκὼν-ἄκων=the same meaning)

Θέλοντας καὶ μὴ θέλοντας θὰ ἔλθετε μαζί μας.
Willing or not you will come with us.

θέλω τὸ κακὸ κάποιου=I wish him the worst.

Πιστεύω ὅτι αὐτὴ θέλει τὸ κακό μου.
I believe that she wishes me the worst.

θέλω τὸ καλὸ κάποιου=I wish him well.

Ἄκουσε τὸν πατέρα σου. Θέλει τὸ καλό σου.
Listen to your father. He wishes you well.

σᾶς θέλουν στὸ τηλέφωνο=you are wanted on the phone.
τί θέλετε; = what do you want?

Τί θέλετε;
Θέλω νὰ δῶ τὸν διευθυντήν.

What do you want?
I want to see the director.

θεόκουφος, ὁ

θεόκουφος=stone deaf.

Δὲν ἀκούει τίποτε, εἶναι θεόκουφος.
He does not hear anything, he is stone deaf.

Θεός, ὁ

ἄλλαι μὲν βουλαὶ ἀνθρώπων ἄλλα δὲ θεὸς κελεύει=man proposes, God disposes.

Ἐπρόκειτο νὰ πάη ταξίδι στὴν Ἀμερική, ἀλλὰ ἀρρώστησε. Ἄλλαι μὲν βουλαὶ ἀνθρώπων ἄλλα δὲ θεὸς κελεύει.
He was to go on a trip to America, but he fell ill. Man proposes, God disposes.

ἂν θέλη ὁ Θεός=please God.

Ἄν θέλη ὁ Θεὸς θὰ ξαναέλθωμε τὸ ἐπόμενο καλοκαίρι.
Please God, we shall come again next summer.

δόξα τῷ Θεῷ=thank God.

Δόξα τῷ Θεῷ εἴμεθα τουλάχιστον ὑγιεῖς.
Thank God, at least we are healthy.

ἕνας Θεὸς ξέρει τί...=only God knows what...

Ἕνας Θεὸς ξέρει τὶ ὑποφέραμε κατὰ τὴν διάρκειαν τοῦ πολέμου.
Only God knows what we suffered during the war.

ἔχει ὁ Θεός=God is great (and merciful).

Μὴν ἀγωνιᾶς διὰ τὸ μέλλον. Ἔχει ὁ Θεός.
Have no anxiety for the future. God is great.

Θεοῦ θέλοντος=God willing.

Θεοῦ θέλοντος θὰ εὑρισκόμεθα ἐκεῖ προτοῦ νὰ νυκτώση.
God willing we shall be there before dark.

μὰ τὸ Θεὸ=by God!

Μὰ τὸ Θεό, θὰ τὸν σκοτώσω.
By God! I shall kill him.

ὁ Θεὸς βοηθός=God help us.

Ἄς ἀρχίσωμε καὶ ὁ Θεὸς βοηθός.
Let's begin. God help us.

ὁ Θεὸς νὰ δώση=God grant it.

Σᾶς εὔχομαι νὰ καλλιτερεύσετε γρήγορα.
Ὁ Θεὸς νὰ δώση.
I hope you get better soon.
God grant it.

ὁ Θεὸς νὰ σᾶς εὐλογῆ=God bless you.

Εἴσθε πολὺ καλός. Ὁ Θεὸς νὰ σᾶς εὐλογῆ.
You are very kind. God bless you.

πρὸς Θεοῦ=for God's sake.

Πρὸς Θεοῦ μὴν κάνετε τέτοιο πρᾶγμα.
For God's sake don't do such a thing.

θερίζω

ὅ,τι σπείρης θὰ θερίσης=you will reap what you have sown.
τοὺς θέρισε ἡ πεῖνα=hunger has tormented them.

Ἦσαν δέκα μέρες στὴν θάλασσα χωρὶς τροφή. Τοὺς θέρισε ἡ πεῖνα.
They were ten days at sea without food. Hunger had tormented them.

θέρος, τὸ

κατὰ τὸ θέρος=during the summer.
κατὰ τὴν διάρκειαν τοῦ θέρους=during the summer.

Δὲν ἔχομε σχολεῖο κατὰ τὸ θέρος.
We have no school during the summer.

Ὁ Γιῶργος κατὰ τὴν διάρκειαν τοῦ θέρους ἐργάζεται.
George works during the summer.

Τὸ θέρος πᾶμε κολύμπι.
We go swimming during the summer.

πρὸ τοῦ θέρους=before summer.

Τὰ μαθήματά μας τελειώνουν πρὸ τοῦ θέρους (προτοῦ νὰ ἔλθῃ τὸ θέρος).
Our classes end before summer comes.

θέσις, ἡ

βάζω κάποιον εἰς τὴν θέσιν του=I take him down a peg.

Ἐνόμισε τὸν ἑαυτόν του ἀνώτερον καὶ αὐτὴ τὸν ἔβαλε στὴν θέσιν του.
He thought himself superior so she took him down a peg.

δὲν εἶμαι σὲ θέσιν νὰ...=I am not in a position to...

Δὲν εἶναι σὲ θέσιν νὰ ἔλθῃ, εἶναι ἄρρωστος.
He is not in a position to come. He is sick.

κρατῶ θέσιν=I book a seat.

Κράτησα θέσιν στὸ πρωϊνὸ ἀεροπλάνο.
I booked a seat on the morning plane.

στὴν θέσιν κάποιου=in somebody else's place.

Στὴν θέσιν τῆς Μαρίας (ἀντὶ τῆς Μαρίας) ἦλθεν ἡ ἀδελφή της.
Her sister came in Mary's place.

στὴν θέσιν σας=if I were you.

Στὴν θέσιν σας δὲν θὰ ἐπήγαινα.
If I were you I should not go.

θησαυρός, ὁ

ἀνακαλύπτω θησαυρὸν (ἀναπάντεχον)=I come upon a fortune.

Καθὼς ἔσκαβαν ἀνεκάλυψαν ἕνα θησαυρόν.
As they were digging they came upon a fortune.

κληρονομῶ θησαυρὸν=I come into a fortune.

Δὲν ξέρεις τὰ νέα; Κληρονόμησαν ἕνα θησαυρόν.
Don't you know the news? They came into a fortune.

θολά, τὰ

ψαρεύω σὲ θολὰ νερὰ=I fish in troubled waters.

Αὐτὸς πάντα ψαρεύει σὲ θολὰ νερά.
He always fishes in troubled waters.

θράσος, τὸ

ἔχω τὸ θράσος νὰ...=I have the cheek to...

Εἶχε τὸ θράσος νὰ τῆς τὸ πῆ ἔτσι;
Did he have the cheek to tell her like that?

θυμώνω

θυμώνω μὲ κάποιον ἢ κάτι=I am mad at or with.

Εἶναι θυμωμένος μαζί μου γιατὶ ἄργησα.
He is mad at me because I was late.

θυσία, ἡ

πάσῃ θυσίᾳ=at any cost, at any price.

Πάσῃ θυσίᾳ νὰ εὑρίσκεσθε ἐκεῖ στὶς δέκα τὸ πρωΐ.
At any cost you should be there at ten in the morning.

-I-

ἰατρική, ἡ

γενικὴ ἰατρικὴ ἐξέτασις=a medical check-up.

Εἶναι εἰς τὸ νοσοκομεῖον γιὰ μιὰ γενικὴ (ἰατρικὴ) ἐξέτασιν.
He is in the hospital for a (medical) check-up.

ἰδέα, ἡ

δὲν ἔχω ἰδέα ἀπὸ κάτι=I have no idea on the matter. I know nothing about it.

Τὴν ἐρώτησα γιὰ τὴν συνταγήν, ἀλλὰ δὲν εἶχεν ἰδέα ἀπὸ μαγείρευμα.
I asked her about the recipe but she had no idea about cookery.

δὲν ἔχω τὴν παραμικρὴν ἰδέα=I have not the faintest idea.

Μήπως ξέρετε ποῦ εἶναι ὁ Γιῶργος;
Δὲν ἔχω τὴν παραμικρὴν ἰδέα.

113

Do you happen to know where George is?
I have not the faintest idea.

ἔχω μεγάλη ἰδέα γιὰ τὸν ἑαυτόν μου=I think too much of myself.

Εἶναι ἐγωϊστής. Ἔχει μεγάλη ἰδέα γιὰ τὴν οἰκογένειά του καὶ τὰ λεφτά της.
He is an egoist. He thinks too much of his family and its money.

τῆς κόλλησε ἡ ἰδέα=she is obsessed with the idea.

Τῆς κόλλησε ἡ ἰδέα ὅτι εἶναι βαρειὰ ἄρρωστη.
She is obsessed with the idea of being seriously ill.

ἴδιος

ἰδίαις αὐτοῦ χερσὶν (I.A.X.) (ἐπὶ ἐπιστολῆς)=personal, to be delivered into the hands of the addressee only.
κατ' ἰδίαν=privately.

Τοῦ ὡμίλησα κατ' ἰδίαν.
I spoke to him privately.

κρίνω ἐξ ἰδίων τὰ ἀλλότρια=I measure other people's corn by my own bushel, I judge others by my own standards.

Μὴν κρίνῃς ἐξ ἰδίων τὰ ἀλλότρια.
Don't judge others by your own standards.

τὸ ἴδιο μοῦ κάνει=it's all the same to me.

Δὲν θὰ ἔλθω μαζί σας.
Τὸ ἴδιο μοῦ κάνει.

I am not coming with you.
It's all the same to me.

ἰδού

ἰδού=here is.

Ἰδοὺ τὸ βιβλίον σας.
Here is your book.

ἱκανός, ὁ

εἶμαι ἱκανὸς νὰ κάνω κάτι=I am able to do something.

δὲν εἶναι ἱκανὸς γιὰ τίποτα=he is not able to do anything at all.

εἶναι ἱκανὸς νὰ τὸ κάνη=he is able to do it.

δὲν τὸν ἔχω ἱκανὸν νὰ τὸ κάνη=I do not think that he is able to do it.

ἰσόβια

ἰσόβια=for life.

Τὸν βάλανε φυλακὴ «ἰσόβια».
They put him in prison for life.

ἴσου, ἐξ

ἐξ ἴσου=as well as, equally.

Ἡ Μαρία ὁμιλεῖ καὶ γράφει ἐξ ἴσου καλὰ Ἑλληνικά.
Mary speaks and writes Greek equally well.

ἱστορία, ἡ

εἶναι ὁλόκληρη ἱστορία=it's a long story.

Εἶναι ὁλόκληρη ἱστορία, θὰ χρειασθῆ ὧρες γιὰ νὰ σοῦ πῶ τὶ συνέβη.
It's a long story, it will take hours to tell you what has happened.

αὐτὸ θὰ τοῦ δημιουργήση ἱστορίες=it will lead him into trouble.

Ἐὰν συνεχίσης νὰ τὸ κάνης, θὰ σοῦ δημιουργήση ἱστορίες.
If you go on doing this, it will lead you into trouble.

δημιουργῶ ἱστορίες=I cause someone trouble.

ἰσχύς, ἡ

ἐν ἰσχύϊ=to be in force, to be valid.

Αὐτὸς ὁ νόμος δὲν εἶναι ἐν ἰσχύϊ πλέον.
That law is not in force anymore.

ἔχει ἰσχὺν νόμου=has the force of law.

Τὸ νέο διάταγμα ἔχει ἰσχὺν νόμου.
The new decree has the force of law.

ἰσχύω

κάτι δὲν ἰσχύει=it is not valid, it is not in force.

Αὐτὸ τὸ διάταγμα δὲν ἰσχύει.
This decree is not in force.

-K-

καζάνι, τὸ

βράζομε στὸ ἴδιο καζάνι=we are in the same boat.

Ἔχομε τὰ ἴδια προβλήματα. Βράζομε στὸ ἴδιο καζάνι.
We have the same problems. We are in the same boat.

καθαρίζω

καθαρίζω καλά=I clean up.

Καθαρίζει τὸ σπίτι καλὰ καὶ μετὰ πηγαίνει στὸ Πανεπιστήμιο.
She cleans up the house and then she goes to the University.

καθαρός, ὁ (ἡ καθαρή, τὸ καθαρὸ)

καθαρὸς οὐρανὸς ἀστραπὲς δὲν φοβᾶται=a clear conscience fears nothing, I have a clear conscience, a good conscience is a soft pillow.

Ἔκανα τὸ καθῆκον μου. Καθαρὸς οὐρανὸς ἀστραπὲς δὲν φοβᾶται.
I have done my duty. A clear conscience fears nothing.

εἶναι καθαρὴ τρέλλα=it is utter madness, it is sheer madness.

Αὐτὸ ποὺ πᾶς νὰ κάνης εἶναι καθαρὴ τρέλλα.
What you are going to do is utter madness.

κάθε

κάθε ἄλλο=far from it.

Τὸ ὑποσχέθηκες;
Κάθε ἄλλο.
Did you promise that?
No, far from it.

κάθε λίγο καὶ λιγάκι=frequently, every now and then.

Κάθε λίγο καὶ λιγάκι τὸν ζητοῦν στὸ τηλέφωνο.
Every now and then he is wanted on the phone.

καθένας ἀπὸ=each of (masc.).

Καθένας (κάθε ἕνας) ἀπὸ τοὺς μαθητὰς ἔχει ἕνα βιβλίον.
Each of the students has a book.

κάθε μία ἀπὸ=each of (fem.)

Κάθε μία ἀπὸ τὶς κοπέλλες ἔχει ἕνα μολύβι.
Each of the girls has a pencil.

κάθε ἕνα ἀπὸ=each of (neut.).

Κάθε ἕνα ἀπὸ τὰ παιδιὰ ἔχει μία μπάλλα.
Each of the boys has a ball.

καθῆκον, τὸ

ἀναλαμβάνω τὰ καθήκοντά μου=I take up my duties, I assume my ɪunctions.

Ὁ νέος ὑπουργὸς ἀνέλαβε τὰ καθήκοντά του χθές.
The new minister took up his duties yesterday.

ἐκπληρῶ τὸ καθῆκον μου=I fulfill my duty.

Ἐξεπλήρωσε τὸ καθῆκον του πρὸς τὴν πατρίδα του.
He fulfilled his duty to his country.

θεωρῶ (κάτι) καθῆκον μου νὰ=it is my duty to.

Θεωρῶ καθῆκον μου νὰ σᾶς πῶ τὴν ἀλήθεια.
It is my duty to tell you the truth.

κάνω τὸ καθῆκον μου=I do, I perform my duty.

Πάντοτε κάνει τὸ καθῆκον του.
He always performs his duty.

παραβαίνω τὸ καθῆκον μου=I fail in my duty.

Ποτὲ δὲν παρέβη τὸ καθῆκον του καθ' ὅλα τὰ ἔτη τῆς μακρᾶς του ὑπηρεσίας.
He has never failed in his duty during all these years of long service.

παραλείπω τὸ καθῆκον μου=I fail in my duty.

Δὲν παρέλειψε τὸ καθῆκον του ἂν καὶ ἦτο ἀσθενής.
He did not fail in his duty although he was ill.

καθησιό, τὸ

τοὺς ἀρέσει τὸ καθησιὸ=they like idling.

Δὲν τοῦ ἀρέσει νὰ ἐργάζεται, εἶναι τεμπέλης, τοῦ ἀρέσει τὸ καθησιό.
He does not like to work, he is a lazy man, he likes idling.

καθόλου

δὲν ἔχω καθόλου καιρὸ=I have no time.

Δὲν ἔχει καθόλου ἐλεύθερο καιρό, ἐργάζεται σχεδὸν μέρα καὶ νύκτα.
He has no time, he works almost day and night.

καθόλου χρήματα=no money.

Δὲν ἔχω καθόλου χρήματα.
I have no money at all.

Δὲν ἔχω χρήματα.
I have no money.

N.B. In English a sentence should not have two negations. In modern Greek two negations or double negative is accepted.

Δὲν ἔχω καθόλου καιρό=I have no time at all.

Δὲν ἔχω καθόλου ψωμί=I have no bread at all.

κάθομαι

καθῆστε=take a seat, sit down.

Καθῆστε παρακαλῶ.
Take a seat please.

Sit down please.

κάθομαι σὲ πολυθρόνα=I sit in an armchair.
κάθομαι στὸν καναπὲ=I sit on a sofa.

κάθομαι στὴν καρέκλα=I sit on a chair.
κάθομαι στὸν πάγκο=I sit on a bench.

κάθομαι στὸ σκαμνὶ=I sit on a stool.

καθυστερημένο, τὸ

κάτι εἶναι καθυστερημένο (ἔχει ἀργήσει)=it is behind time.

Τὸ τραῖνο μας εἶναι καθυστερημένο.
Our train is behind time.

καιρός, ὁ

ἄλλοι καιροὶ ἄλλα ἤθη=other days, other ways.

Τώρα τὰ πράγματα ἔχουν ἀλλάξει. Ἄλλοι καιροὶ ἄλλα ἤθη.
Now things have changed. Other days, other ways.

ἀπὸ καιροῦ εἰς καιρὸν=from time to time.

Ἔρχεται καὶ μᾶς βλέπει ἀπὸ καιροῦ εἰς καιρόν.
He comes and sees us from time to time.

δὲν ἔχω καιρὸ νά...=I have no time to...

Δὲν ἔχω καιρὸ νὰ πάω νὰ τὴν δῶ.
I have no time to go and see her.

ἐν καιρῷ τῷ δέοντι=in due course.

Θὰ σᾶς πῶ ἐν καιρῷ τῷ δέοντι.
I shall tell you in due course.

ἦταν καιρὸς=it was high time.

Εἶναι καιρὸς γιὰ σένα νὰ βρῆς μιὰ δουλειά.
It is high time you found a job.

καιρὸς παντὶ πράγματι="each thing at the proper time."

Οἱ Ἕλληνες λέγουν: «καιρὸς παντὶ πράγματι».
Greeks say: "everything at the proper time."

καιροῦ ἐπιτρέποντος=weather permitting.

Καιροῦ ἐπιτρέποντος θὰ ἀναχωρήσωμε αὔριο.
Weather permitting we shall leave tomorrow.

μὲ τὸν καιρὸ=in the course of time, by and by.

Μὲ τὸν καιρὸ θὰ συνηθίση νὰ ζῆ μόνη της.
In the course of time she will get used to living alone.

μιὰ φορὰ κι ἕνα καιρὸ=once upon a time.

Μιὰ φορὰ κι' ἕνα καιρὸ ζοῦσε ἕνας βασιλιᾶς.
Once upon a time there lived a king.

ὁ καιρὸς ἀλλάζει=the weather changes.

Τὸ καλοκαίρι ὁ καιρὸς δὲν ἀλλάζει εὔκολα.
In the summer the weather does not change easily.

ὁ καιρὸς ἀνοίγει=the weather is clearing up.

Ὁ καιρὸς ἀνοίγει, τὸ πλοῖο θὰ ἀναχωρήση.
The weather is clearing up, the ship will depart.

ὁ καιρὸς φεύγει=time flies.

Εἶναι καταπληκτικὸ πὼς ὁ καιρὸς φεύγει.
It is amazing how time flies.

περνῶ τὸν καιρόν μου=I spend my time.

Πῶς περνᾶτε τὸν καιρόν σας;
How do you spend your time?

πόσο καιρὸ (πόσες μέρες).=how long?

Πόσο καιρὸ θὰ μείνης ἐκεῖ;
How long will you stay there?

τὶ καιρὸ κάνει;=how is the weather?

Τὶ καιρὸ κάνει ἐκεῖ πέρα;
How is the weather over there?

καίω

καρφὶ δὲν τοῦ καίγεται=he does not turn a hair, he is completely indifferent.

Ὅ,τι καὶ νὰ συμβῆ, αὐτοῦ καρφὶ δὲν τοῦ καίγεται.
Whatever happens, he does not turn a hair.

κακές, στὶς

εἶναι στὶς κακές του=he is in a bad mood, he is "in the dumps," in low spirits, in a depressed condition.

Μὴν τὸν ρωτᾶς τὴ στιγμὴ αὐτή. Εἶναι στὶς κακές του.
Don't ask him right now. He is in a bad mood.

κακό, τὸ

ἀνταποδίδω καλὸν ἀντὶ κακοῦ=I return good for evil.

Ἕνας καλὸς ἄνθρωπος πάντοτε ἀνταποδίδει καλὸν ἀντὶ κακοῦ.
A good man always returns good for evil.

βάζω κακὸ μὲ τὸ νοῦ μου=I suspect a misfortune, I become suspicious.

Δὲν ἐπῆρε γράμμα ἀπὸ τὸ γυιό της ἕνα μῆνα τώρα καὶ βάζει κακὸ μὲ τὸ νοῦ της.
She has not had a letter from her son for a month now and she suspects that something bad has happened to him.

δύο κακῶν προκειμένων τὸ μὴ χεῖρον βέλτιστον=choose the lesser of the two evils.

Δὲν ὑπάρχει ἄλλη λύσις. Δύο κακῶν προκειμένων τὸ μὴ χεῖρον βέλτιστον.
There is no other solution. Choose the lesser of the two evils.

ἑνὸς κακοῦ δοθέντος μύρια ἕπονται=it never rains but it pours, misfortunes never come alone.

Πέθανε ὁ ἄνδρας της καὶ ἀρρώστησε σοβαρὰ ὁ γυιός της. Ἑνὸς κακοῦ δοθέντος μύρια ἕπονται.
Her husband died and her son got seriously ill. It never rains but it pours.

ἔσκασε ἀπὸ τὸ κακό του=he was fit to burst.

Ἀκούγοντας τὰ νέα ἔσκασε ἀπὸ τὸ κακό της.
Upon hearing the news she was fit to burst.

κάνω κακὸ σὲ κάποιον=I do something bad to someone, I do harm to.

Τὶ κακὸ σοῦ ἔκανα καὶ μὲ μισεῖς;
What have I done to you that you should hate me?

παίρνω κάποιον ἀπὸ κακὸ=I take a dislike to somebody.

Ὁ νέος δάσκαλος μὲ ἐπῆρε ἀπὸ κακό.
The new teacher took a dislike to me.

παράγινε τὸ κακὸ=it has gone too far.

Παράγινε τὸ κακό. Κάποιος πρέπει νὰ τὸν σταματήσῃ.
It has gone too far. Someone must stop him.

σκέπτομαι τὸ κακὸ=I have evil intentions.

Αὐτὸς σκέπτεται πάντοτε τὸ κακό.
He always has evil intentions.

τὸ κακὸ εἶναι ὅτι... = the bad thing is, the trouble is...

Τὸ κακὸ εἶναι ὅτι δὲν ἀλλάζει εὔκολα γνώμη.
The bad thing is that he does not change his opinion easily.

παίρνω τὸν κακὸ δρόμο=I go to the dogs.

Ἦταν καλὸς ἀλλὰ τώρα ἔχει πάρει τὸν κακὸ δρόμο.
He used to be good but now he has gone to the dogs.

τοῦ κάκου=in vain.

Περιμέναμε ὅλη τὴν νύχτα. Τοῦ κάκου. Τὸ τραῖνο δὲν ἦλθε.
We waited the whole night in vain. The train did not come.

καλὰ

δὲν εἶμαι καλὰ=I am not well.

Δὲν εἶμαι καλά. Πάω νὰ πλαγιάσω.
I am not well. I am going to bed.

δὲν εἶμαι στὰ καλά μου=I do not feel well, I am not well.

Δὲν εἶμαι στὰ καλά μου. Θὰ πάω νὰ ξαπλώσω.
I do not feel well. I am going to bed.

δὲν εἶναι στὰ καλά του=he is crazy, he is mad, he is out of his mind.

Ἐὰν λέῃ τέτοια πράγματα, ἀσφαλῶς δὲν εἶναι στὰ καλά της.
If she says such things, she is certainly out of her mind.

Δὲν εἶσθε στὰ καλά σας. Πῶς μπορῶ νὰ κάνω τέτοιο πρᾶγμα.
Are you crazy? How can I do such a thing?

Μὴν τὴν ἀκοῦς. Δὲν εἶναι στὰ καλά της.
Don't listen to her. She is out of her mind.

δὲν μπορῶ νὰ κάνω καλὰ κάποιον=I cannot assert authority over, I cannot handle..., I cannot beat him at...

Ἡ νέα δασκάλα δὲν μπορεῖ νὰ κάνῃ καλὰ τοὺς μαθητάς της.
The new teacher cannot assert her authority over the pupils.

Ὁ Γιάννης δὲν μπορεῖ νὰ κάνῃ καλὰ (νὰ νικήσῃ) τὸ Γιῶργο στὴν πάλη.
John cannot beat George at wrestling.

καλὰ νὰ πάθῃ=it serves him right.

Ἔχει μεγάλη ἰδέα γιὰ τὸν ἑαυτόν της. Καλὰ νὰ πάθῃ.
She thinks too much of herself. It serves her right.

κάνω ἐγὼ καλὰ γιὰ κάτι=I assume responsibility for.

Μὴν στενοχωρῆσαι. Θὰ κάνω ἐγὼ καλὰ γι' αὐτό.
Don't worry. I will assume responsibility for it.

κάνω κάποιον καλὰ=I cure, I heal.

Πάρε αὐτὸ τὸ φάρμακο, θὰ σὲ κάνῃ καλά.
Take this medicine, it will cure you.

πολὺ καλὰ=all right, very well, o.k.

Πολὺ καλά, συμφωνῶ.
All right, I agree.

τὰ ἔχω καλὰ μὲ κάποιον=I am on good terms with.

Αὐτὸ τὸν καιρὸν τὰ ἔχει καλὰ μὲ ⁓ον διευθυντή του.
This time he is on good terms with his director.

βάζω τὰ καλά μου=I put on my Sunday best.

Σήμερα εἶναι γιορτή. Θὰ βάλῃς τὰ καλά σου.
Today is a holiday. You should put on your Sunday best.

καλή, ἡ

καλὴ ἀντάμωσι=good bye!
μιὰ καὶ καλὴ=once and for all.

Τῆς εἶπα τὴν γνώμη μου μιὰ καὶ καλή.
I told her my opinion once and for all.

κάλλιο

κάλλιο ἀργὰ παρὰ ποτὲ=better late than never.

Παντρεύτηκε στὰ πενήντα της. Κάλλιο ἀργὰ παρὰ ποτέ.
She got married in her fifties. Better late than never.

κάλλιο πέντε καὶ στὸ χέρι παρὰ δέκα καὶ καρτέρι=a bird in the hand is worth
two in the bush.

*Προτιμῶ νὰ πάρω τὴν προκαταβολὴ τώρα. Κάλλιο πέντε καὶ στὸ χέρι παρὰ δέ-
κα καὶ καρτέρι.*
*I prefer to get the advance payment now. A bird in the hand is worth two in the
bush.*

κάλλιστα

κάλλιστα=as well.

Μπορεῖ κάλλιστα νὰ φύγῃ ἂν δὲν ἔχει καιρό.
She may as well leave, if she has no time.

καλό, τὸ

ἀνταποδίδω καλὸν ἀντὶ κακοῦ=I return good for evil.

Στὴ ζωή σου πάντοτε νὰ ἀνταποδίδῃς καλὸν ἀντὶ κακοῦ.
In your life you should always return good for evil.

ἄντε στὸ καλὸ=go in peace.

Ἄντε στὸ καλό.
Go in peace!

βγῆκε καλὸ=it turned out to be good.

Παρὰ τὶς ἀμφιβολίες μου, βγῆκε καλό.
In spite of my being doubtful, it turned out to be good.

γιὰ καλὸ καὶ γιὰ κακὸ (καλοῦ κακοῦ)=at all events, in case, at any rate, for any emergency, just in case.

Γιὰ καλὸ καὶ γιὰ κακὸ πάρε χρήματα μαζί σου.
Take money with you, just in case you need it.

κάνε τὸ καλὸ καὶ ρίξτο στὸ γιαλὸ=a good deed, a good turn is never lost.

Ἡ μητέρα μου πάντοτε ἔλεγε: «Κάνε τὸ καλὸ καὶ ρίξτο στὸ γιαλό».
My mother used to say: "A good turn is never lost."

παίρνω κάποιον μὲ τὸ καλὸ=I am well disposed towards him, I speak to him kindly, in a gentle manner, in a kind way.

Πάρτον μὲ τὸ καλὸ καὶ θὰ κάνη ὅ,τι τοῦ πῆς.
Speak to him kindly and he will do whatever you ask him to do.

στὸ καλὸ=good-bye! farewell!

καλοκαίρι τὸ

πρὶν ἀπὸ τὸ καλοκαίρι=before summer.

Τὰ χελιδόνια ἔρχονται πολὺ πρὶν ἀπὸ τὸ καλοκαίρι.
The swallows come long before summer.

τὴν ἐποχὴ τοῦ καλοκαιριοῦ=in the summer time.

Δὲν ἔχομε σχολεῖο τὴν ἐποχὴ τοῦ καλοκαιριοῦ.
There is no school in the summer time.

καλός, ὁ

εἶμαι καλὸς σὲ κάτι=I am good at.

Ὁ Γιῶργος εἶναι καλὸς στὸ κολύμπι.
George is good at swimming.

καλύτερα

καλύτερα=you had better.

Καλύτερα νὰ μὴν πάω ἐκεῖ.
I had better not go there.

καλῶς

καλῶς νὰ'ρθῆτε=you will be welcome.

Θὰ σᾶς ἐπισκεφθοῦμε αὔριο.
Καλῶς νὰ'ρθῆτε.
We are going to visit you tomorrow.
You will be welcome.

καλῶς ὡρίσατε=welcome!
καλῶς ὥρισες=welcome!
καλῶς ἦλθες=welcome!

Χαιρόμεθα ποὺ σᾶς βλέπομε.
Καλῶς ὡρίσατε.
We are glad to see you.
You are welcome!

καμμιὰ

καμιὰ φορὰ=sometimes.

Συναντώμεθα καμιὰ φορὰ τὸ ἀπόγευμα.
We meet sometimes in the afternoon.

καμπάνα, ἡ

ἡ καμπάνα κτυπάει=the bell tolls.

Ἡ καμπάνα κτυπάει γιατὶ ἡ ἐκκλησία ἔχει ἤδη ἀρχίσει.
The bell tolls because the church has already begun.

κάμποσοι

κάμποσοι=several of.

Κάμποσοι ἀπὸ τοὺς μαθητὰς οὐδέποτε διαβάζουν πολύ.
Several of the students never study hard.

κανένας, ὁ

μὲ κανένα τρόπο=in no way.

Δὲν συμφωνεῖ μὲ κανένα τρόπο μαζί μας.
He agrees in no way with us.

κάνω

δὲν ξέρω τὶ νὰ κάνω=I don't know what to do.

Τὰ ἔχει χαμένα. Δὲν ξέρει τὶ νὰ κάνη.
She is at a loss. She doesn't know what to do.

κάτι δὲν μοῦ κάνει=it does not suit me, it is not the one I want.

Αὐτὸ τὸ φόρεμα δὲν μοῦ κάνει.
This dress does not suit me.

κάνω δίαιτα=I am on a diet.

Κάνει δίαιτα ἀπὸ τὴν Κυριακή.
He has been on a diet since Sunday.

κάνω ἔγκλημα=I commit a crime.

Ἐὰν κάνης ἔγκλημα, θὰ πρέπει νὰ τιμωρηθῆς.
If you commit a crime you should be punished.

κάνω Ἑλληνικὰ=I take Greek lessons.

Κάνω Ἑλληνικὰ κάθε ἡμέρα 5-6 τὸ ἀπόγευμα.
I take Greek lessons every day from 5 to 6 in the afternoon.

κάνω καλὸ σὲ κάποιον=I do someone a good turn.

Ἂν καὶ εἶναι ἐχθρός μου θὰ τοῦ κάνω καλό.
Although he is my enemy I will do him a good turn.

κάνω κάποιον τοῦ ἁλατιοῦ=I thrash him.

Τὸν ἔκαναν τοῦ ἁλατιοῦ. Σήμερα εἶναι στὸ κρεββάτι.
They thrashed him. Today he is in bed.

κάνω κάτι ἐν βίᾳ (βιαστικὰ)=I do something in a hurry.

Ἔγραψε τὸ γράμμα ἐν βίᾳ (βιαστικὰ) καὶ τώρα δὲν μπορεῖ νὰ τὸ διαβάσῃ.
He wrote the letter in a hurry and now he cannot read it.

κάνω κάποιον νὰ κάνη κάτι=I make someone do something.

Ὁ δάσκαλος μᾶς ἔκανε νὰ γράψωμε τὴν ἱστορία μιὰ φορὰ ἀκόμη.
The teacher made us write the story once more.

κάνω λεπτὰ=I make money.

Ἔκανε πολλὰ λεπτὰ κατὰ τὴν διάρκεια τοῦ πολέμου.
He made much money during the war.

κάνω λάθος=I am mistaken, I make a mistake, I commit an error.

Κάνετε λάθος. Δὲν εἶμαι αὐτὸς ποὺ ζητᾶτε.
You are mistaken. I am not the one you are looking for.

κάνω ὅ,τι μπορῶ=I do my best.

Νὰ εἶσαι βέβαιος. Θὰ κάνω ὅ,τι μπορῶ.
Be sure. I will do my best.

κάνω ὅ,τι μοῦ καπνίση=I do as I please.

Αἰσθάνεται ἐλεύθερη. Κάνει ὅ,τι τῆς καπνίση.
She feels free. She does as she pleases.

κάνει ὅ,τι τοῦ κατέβη=he does anything that comes into his head.

Δὲν εἶναι ἔξυπνος. Κάνει ὅ,τι τοῦ κατέβη.
He is not clever. He does anything that comes into his head.

κάνω πῶς...=I pretend to...

Κάνει πὼς κοιμᾶται, ἀλλὰ δὲν κοιμᾶται.
She is pretending to sleep, but she doesn't.

κάνω τὸ καθῆκον μου=I do my duty, I perform, I carry out my duty.

Δὲν ἔχεις τίποτε νὰ χάσης. Κάνε τὸ καθῆκον σου.
You have nothing to lose. Do your duty.

κάνει τὸ κορόϊδο=he plays dumb.

Μοῦ χρωστάει λεπτά, ἀλλὰ κάνει τὸ κορόϊδο.
He owes me money, but he plays dumb.

κάνω τὸν ἔξυπνο=I act smart.

Κάνει τὸν ἔξυπνο ἀλλὰ ξέρομε ὅτι δὲν εἶναι.
He acts smart but we know he isn't.

κάνω τοῦ κεφαλιοῦ μου=I do things the way I want to, I act according to my own sweet will.

Μὴν κάνης τοῦ κεφαλιοῦ σου. Θὰ μετανοιώσης.
Don't act according to your own sweet will. You will be sorry for that.

κάνω στραβὰ μάτια=I turn a blind eye on, I shut my eyes to, I tolerate.

Κάνε στραβὰ μάτια. Δὲν ὑπάρχει ἄλλος τρόπος νὰ τὸν βοηθήσης.
Shut your eyes to it. There is no other way to help him.

κάνω τὸν τρελλὸ=I play the fool.

Ὅλοι ξέρουμε τὴν ἀλήθεια. Μὴν κάνης τὸν τρελλό.
We all know the truth. Don't play the fool.

κάνω ὑπομονὴ=I have patience.

Κάνε ὑπομονή. Θὰ γίνης γρήγορα καλά.
Have patience. You will soon get well.

μὴν κάνης ἔτσι=don't behave that way, don't go on like that.

Μὴν κάνης ἔτσι. Δὲν θὰ λείψη γιὰ πολύ.
Don't go on like that, he will not be away for long.

πόσο κάνει;=how much does it cost?

Πόσο κάνει αὐτὸ τὸ βιβλίο παρακαλῶ;
How much does this book cost, please?

τὶ κάνετε;=how do you do? How are you?

τὶ νὰ κάνω;=what shall I do?

Τὶ νὰ κάνω; Νὰ φύγω ἢ νὰ περιμένω;
What shall I do? Shall I go away or shall I wait?

τὸ κάναμε δύο ὧρες=we covered the distance in two hours, it took us.

Ἀπὸ τὴν Πάτρα στὴν Ἀθήνα τὸ κάναμε δύο μόνον ὧρες.
From Patras to Athens it took us only two hours.

τὸ ἴδιο μοῦ κάνει=it is all the same to me.

Ἐμένα τὸ ἴδιο μοῦ κάνει, ἀρκεῖ ἐσὺ νὰ εἶσαι εὐχαριστημένος.
It is all the same to me, provided that you are happy.

κανών, ὁ

κατὰ κανόνα=as a rule.

Κατὰ κανόνα ἡ βιβλιοθήκη εἶναι ἀνοικτὴ μόνον διὰ σπουδαστάς.
As a rule the library is open only to students.

καπάτσος, ὁ

εἶμαι καπάτσος νὰ...= I am capable of...

Εἶναι καπάτσος νὰ τὸ κάνη χωρὶς νὰ μᾶς ρωτήση.
He is capable of doing it without asking us.

καπνίζω

μοῦ κάπνισε νὰ... = I took it into my head to...

Μοῦ κάπνισε νὰ μάθω Ἑλληνικά.
I took it into my head to learn Greek.

κάποια, ἡ

κάποια μέρα=some day.

Κάποια μέρα μπορεῖ νὰ γίνω πλούσιος.
Some day I may become rich.

Κάποια μέρα θὰ τὸ καταλάβης.
Some day you will understand.

κάποτε

κάποτε-κάποτε=once in a while.

Τὸν ἐπισκεπτόμεθα κάποτε-κάποτε.
We visit him once in a while.

καρδιά, ἡ

ἀνοίγω σὲ κάποιον τὴν καρδιά μου=I open my heart to someone.

Μὴν ἀνοίγῃς τὴν καρδιά σου σὲ ἀνθρώπους ποὺ δὲν ξέρεις καλά.
Don't open your heart to people you don't know well.

γελῶ μὲ τὴν καρδιά μου=I laugh heartily

Εἶπε ἕνα πολὺ ἔξυπνο ἀστεῖο. Ὅλοι γελάσαμε μὲ τὴν καρδιά μας.
He told a very clever joke. We all laughed heartily.

ἐλαφρᾷ τῇ καρδίᾳ=thoughtlessly, imprudently, unthinkingly.

Τὸν κατηγόρησαν ἐλαφρᾷ τῇ καρδίᾳ.
They accused him unthinkingly.

μὲ μισὴ καρδιὰ=half-heartedly.

Μοῦ τὰ ἔδωσε, ἀλλὰ μὲ μισὴ καρδιά.
He gave them to me but half-heartedly.

μὲ ὅλη μου τὴ καρδιὰ=with all my heart.

Τὴν ἀγαπῶ μέ ὅλη μου τὴν καρδιά.
I love her with all my heart.

καρφί, τὸ

δὲν μοῦ καίγεται καρφὶ=I don't turn a hair, I don't care about, I don't pay a dime, I am completely indifferent.

Τὸ καράβι βουλιάζει καὶ δὲν τοῦ καίγεται καρφί.
The ship is sinking and he does not turn a hair.

κάθομαι στὰ καρφιὰ=I am on pins and needles.

Περιμένει τὰ ἀποτελέσματα τῶν ἐξετάσεων καὶ κάθεται στὰ καρφιά.
He waits for the results of the examinations and is on pins and needles.

κόβω καρφιὰ=I shiver.

Κάνει πολὺ κρύο. Χωρὶς θέρμανσι θὰ κόψωμε καρφιά.
It is very cold. Without heating we shall shiver.

κατὰ

ἔχω κατὰ νοῦν=I intend, I keep in my mind.

Ἔχω κατὰ νοῦν νὰ τὸν καλέσω καὶ αὐτόν.
I intend to invite him too.

καθ’ ἣν στιγμὴν=at the moment.

Καθ’ ἣν στιγμὴν τηλεφωνοῦσε ἔπεσε νεκρός.
At the moment he was phoning, he dropped dead.

κατ’ ἀρχὰς=first:

Κατ’ ἀρχὰς πές μου τὸ ὄνομά σου.
First tell me your name.

κατ’ αὐτὰς=in the coming days.

Θὰ μᾶς ἐπισκεφθοῦν κατ’ αὐτάς.
They will visit us in the coming days.

κατ’ ἔτος=annually.

Κερδίζει πεντακοσίας χιλιάδας δραχμὰς κατ’ ἔτος.
He earns five hundred thousand drachmas annually.

κατ’ εὐθεῖαν=straight.

Πές το κατ’ εὐθεῖαν. Μὴν διστάζῃς.
Say it straight. Don't hesitate.

κατ’ ἰδίαν=privately.

Μπορῶ νὰ σᾶς μιλήσω κατ’ ἰδίαν;
May I speak to you privately?

κατὰ γῆς=on the ground.

Ἔπεσε κατὰ γῆς.
He fell on the ground.

κατὰ γράμμα=literally.

Ὁ νόμος δὲν ἑρμηνεύεται κατὰ γράμμα.
The law is not to be interpreted literally.

κατὰ ἐδῶ=over here.

Κοίταξε κατὰ ἐδῶ.
Look over here.

κατὰ ἐκεῖ=over there.

Μὴν κοιτάζῃς κατὰ ἐκεῖ.
Don't look over there.

κατὰ κράτος=totally.

Ἐνικήθη κατὰ κράτος.
He was totally defeated.

κατὰ λάθος=by mistake.

Τὸ ἐπῆρα κατὰ λάθος.
I took it by mistake.

κατὰ λέξιν=word by word.

Διάβασέ μού το κατὰ λέξιν παρακαλῶ.
Please read it to me word by word.

κατὰ πρόσωπον=to one's face.

Τοῦ εἶπε κατὰ πρόσωπον ὅτι δὲν τὸν ἀγαπᾶ πλέον.
She said to his face that she does not love him anymore.

κατὰ τὴν γνώμη μου=in my opinion, according to my opinion.

Κατὰ τὴν γνώμη μου δὲν ἔχεις δίκαιο.
In my opinion you are not right.

κατὰ τίς...=about..., around...

Ἂς συναντηθοῦμε κατὰ τὶς πέντε τὸ ἀπόγευμα.
Let's meet around five in the afternoon.

κατὰ τὸν νόμον=according to the law.

Κατὰ τὸν νόμον πρέπει νὰ πληρώσετε χίλιες δραχμές.
According to the law you should pay one thousand drachmas.

κατὰ τύχην=by chance.

Τὴν συνήντησα χθὲς βράδυ κατὰ τύχην.
I met her last night by chance.

τὰ ὑπὲρ καὶ τὰ κατὰ=the pros and cons.

Πρέπει νὰ μελετήσωμε τὰ ὑπὲρ καὶ τὰ κατὰ καὶ ἔπειτα νὰ ἀποφασίσωμε.
We must study the pros and cons and then decide.

κατάκαρδα

τὸ παίρνω κατάκαρδα=I take it to heart.

Ἀπέτυχε στὶς ἐξετάσεις καὶ τὸ ἐπῆρε κατάκαρδα.
He failed in the examinations and took it to heart.

καταλαβαίνω

δὲν καταλαβαίνω γρῦ=I do not understand anything, it is all Greek to me.

Μιλοῦσε γρήγορα. Δὲν κατάλαβα γρῦ.
He was speaking fast. I did not understand anything.

δίδω σὲ κάποιον νὰ καταλάβη κάτι=a) I explain something to him in detail. b) I beat him (to make him understand).

Δός του νὰ καταλάβη περὶ τίνος πρόκειται.
Explain to him in detail what it is all about.

Μὴν ἀνησυχῆς. Τοῦ ἔδωσα νὰ καταλάβη.
Don't worry. I beat him (to make him understand)

κατάλογος, ὁ

φωνάζω τὸν κατάλογο=I call the roll.

Ὁ δάσκαλος δὲν ξεχνᾶ ποτὲ νὰ φωνάξη τὸν κατάλογο.
The teacher never forgets to call the roll.

κατάμουτρα

κατάμουτρα=to one's face.

Τοῦ τὸ εἶπα κατάμουτρα.
I said it to his face.

Μὴν τῆς τὸ λὲς κατάμουτρα.
Don't say it to her face.

κατεβάζω

κατεβάζω τὸ κεφάλι=I hang the head.

Κοίταξέ με. Μὴν κατεβάζῃς τὸ κεφάλι.
Look at me. Don't hang your head.

κατεβάζω τὰ μάτια=I lower the eyes.

Ἦταν ἔνοχος καὶ κατέβασε τὰ μάτια.
He was guilty and lowered his eyes.

κατεβάζω τὰ μοῦτρα=I pull a long face.

Δὲν τῆς ἀγόρασε νέο φουστάνι καὶ αὐτὴ κατέβασε τὰ μοῦτρα.
He did not buy her a new dress, so she pulled a long face.

ὁ νοῦς του δὲν κατεβάζει=he has not an inventive mind.

Ἂν καὶ εἶναι μορφωμένος, ὁ νοῦς του δὲν κατεβάζει.
Although he is educated he hasn't got an inventive mind.

κατεβαίνω

κατεβαίνω ἕνα δρόμο=I walk down a street.

Κατεβῆτε αὐτὸ τὸ δρόμο καὶ στρίψτε δεξιά.
Walk down this street and turn right.

λέει ὅ,τι τοῦ κατέβη=he says whatever comes into his mind or head.

Εἶναι ἐπιπόλαιος, λέει ὅ,τι τοῦ κατέβη.
He is superficial, he says whatever comes into his head.

μοῦ κατέβηκε=an idea crossed my mind, I thought of doing...

Μοῦ κατέβηκε νὰ τοὺς ἐπισκεφθῶ ἀπόψε.
I thought of visiting them tonight.

κατέρχομαι

κατέρχομαι (ἀπὸ ὄχημα)=I get off.

Τὸ λεωφορεῖο σταμάτησε καὶ κατεβήκαμε.
The bus stopped and we got off.

κατόπιν

ὁ ἕνας κατόπιν τοῦ ἄλλου=one after the other.

Ἐπήδησαν εἰς τὴν θάλασσα ὁ ἕνας κατόπιν τοῦ ἄλλου.
They jumped into the sea one after the other.

κατόπιν ἑορτῆς=too late.

Ὅταν ἔλαβα τὸ τηλεγράφημα ἦτο κατόπιν ἑορτῆς.
When I received the cable it was too late.

κατσούφης, ὁ

κατσούφης=gloomy faced.

Ὅταν δὲν ἔχει λεπτὰ εἶναι κατσούφης.
Whenever he hasn't any money he is gloomy faced.

κάτω

ἄνω-κάτω=upside-down, in confusion.

Τὸ κάθε τι εἰς τὸ δωμάτιο ἦτο ἄνω-κάτω.
Everything in the room was upside-down.

βάζω κάποιον κάτω=I beat him.

Μὴν τὸν προκαλῆς, θὰ σὲ βάλη κάτω.
Don't challenge him, he will beat you.

Δὲν τὸ βάζω κάτω=I insist in doing, I do not give up.

Ἔδωσε τρεῖς φορὲς εἰσαγωγικὲς ἐξετάσεις καὶ ἀπέτυχε ἀλλὰ δὲν τὸ βάζει κάτω.
He took the entrance examinations three times, but he does not give up.

κάτω ὁ...=down with someone.

Ὁ λαὸς φώναζε: «κάτω ὁ...».
The people were crying: «down with...».

κάτω τὰ χέρια=hands off.

Κάτω τὰ χέρια ἀπὸ τὴν Κύπρο.
Hands off Cyprus.

πάνω-κάτω=about, nearly.

Ἦσαν πάνω-κάτω δέκα ἐπισκέπτες.
There were about ten visitors.

παίρνω τὴν κάτω βόλτα=I get worse.

Ἐὰν ἡ ὑγεία του πάρη τὴν κάτω βόλτα ἀσφαλῶς θὰ πεθάνη.
If his health gets worse he will certainly die.

στὸ κάτω-κάτω τῆς γραφῆς=after all.

Στὸ κάτω-κάτω τῆς γραφῆς εἶναι φίλος μου. Δὲν μπορῶ νὰ κάνω ἕνα τέτοιο πρᾶγμα σ' αὐτόν.
After all, he is my friend. I cannot do such a thing to him.

κεῖται

ἐνθάδε κεῖται=here lies.

Ἐπὶ τοῦ τάφου ἦταν γραμμένο: «Ἐνθάδε κεῖται ὁ δοῦλος τοῦ Θεοῦ...».
On the grave was written:«Here lies the servant of God...»

κερδίζω

κερδίζω χρόνο=I save time.

Πᾶνε μὲ τὸ ἀεροπλάνο γιὰ νὰ κερδίσουν χρόνο.
They go by plane to save time.

κεφάλι, τὸ

εἶναι ἀγύριστο κεφάλι=he is headstrong, he is stubborn, he is obstinate.

Μὴν χάνης τὸν καιρό σου, εἶναι ἀγύριστο κεφάλι.
Don't waste your time. He is headstrong.

κρατῶ τὸ κεφάλι ψηλὰ=I am proud of, I hold my head high.

Παρὰ τὴν φτώχεια του κρατάει τὸ κεφάλι ψηλά.
In spite of his poverty, he holds his head high.

κέφι, τὸ

κάνω κάτι μὲ τὸ κέφι μου=I do something at my leisure.

Κάνει ὅλα τὰ πράγματα μὲ τὸ κέφι του.
He does all things at his leisure.

κίνδυνος, ὁ

διατρέχω κίνδυνον=I run a risk.

Δὲν ἤξερε νὰ κολυμπᾶ, ἔτσι διέτρεξε τὸν κίνδυνο νὰ πνιγῆ.
He did not know how to swim, so he ran the risk of being drowned.

ἔξοδος κινδύνου=emergency exit.

Σὲ κάθε θέατρο ἢ κινηματογράφο ὑπάρχουν τουλάχιστον δύο ἔξοδοι κινδύνου
In each theater or cinema there are at least two emergency exits.

κινηματογράφος, ὁ

στὸν κινηματογράφο=at the movies.

Τὸν συνήντησα στὸν κινηματογράφο.
I met him at the movies.

:ινῶ

«σὺν Ἀθηνᾶ καὶ χεῖρα κίνει»=God helps those who help themselves.

Τί περιμένεις; Κάνε κάτι. «Σὺν Ἀθηνᾶ καὶ χεῖρα κίνει».
What are you waiting for? Do something. God helps those who help themselves.

κλαίγομαι

κλαίγομαι=I complain.

Ὅλο κλαίγεται γιὰ τὴν ὑγεία του.
He always complains about his health.

κλαίω

εἶναι νὰ τὸν κλαῖς=he is to be pitied.

Δὲν εἶχε ποτὲ θάρρος στὴ ζωή του. Εἶναι νὰ τὸν κλαῖς.
He has never had courage in his life. He is to be pitied.

κλαίω (εἶμαι δακρυσμένος)=I am in tears.

Ὅταν ἐμπῆκα αὐτὴ ἔκλαιγε.
When I entered she was in tears.

νὰ κλαίῃ ἡ μάνα τὸ παιδὶ καὶ τὸ παιδὶ τὴ μάνα=said on a great calamity. It means: the situation is so bad that the mother cries for the lost child, and the child for the lost mother.

τράβα με κι ἃς κλαίω=I pretend that I do not like what I strongly desire.

Τῆς ἀρέσει νὰ τὴν προσκαλοῦν ἀλλὰ εἶναι «τράβα με κι' ἃς κλαίω».
She likes being invited but she pretends that she does not.

κλείνω

κλείνω τὰ μάτια=I die, I shut my eyes to, I tolerate, I pretend that I do not mind.

Ὅταν θὰ κλείσω τὰ μάτια θὰ σᾶς λείψω.
When I die you will miss me.

Κλεῖσε τὰ μάτια καὶ κάνε πὼς δὲν σὲ πειράζει.
Shut your eyes and pretend that you don't mind.

κλείνω τὸ δρόμο=I block the way.

Μιὰ μεγάλη πέτρα ἔκλεισε τὸ δρόμο.
A big stone blocked the way.

κλητήρας, ὁ

ἀπὸ δήμαρχος κλητήρας=the one day occupying the highest position and the other being degraded to that of the lowest one.

κλῖμα, τὸ

ἀλλαγὲς στὸ κλῖμα=changes in climate.

Στὴν Ἀθήνα δὲν ὑπάρχουν ἀλλαγὲς στὸ κλῖμα.
In Athens there are no changes in climate.

κλωτσιά, ἡ

τὸν πέταξε ἔξω μὲ τὶς κλωτσιὲς=he kicked him out.

Εζήτησε αὔξησι καὶ ὁ διευθυντὴς τὸν πέταξε ἔξω μὲ τὶς κλωτσιές.
He asked for an increase and the director kicked him out.

κόβω

δὲν μὲ κόφτει (δὲν μὲ νοιάζει, δὲν ἐνδιαφέρομαι)=I don't care, it has no effect on me, it cuts no ice.

Κάνε ὅ,τι θέλεις. Δὲν με κόφτει.
Do whatever you like. It cuts no ice.

δὲν τοῦ 'κοψε=it did not occur to him, he did not think of it.

Δὲν τοῦ 'κοψε νὰ πάρη ἕνα ταξί.
He did not think of getting a taxi.

κάτι κόβει τὴν ὄρεξι=it takes the edge off one's appetite, it makes one less hungry.

Τὸ κάπνισμα κόβει τὴν ὄρεξι.
Smoking takes the edge off one's appetite.

κόβε γρήγορα=be off, be off with you, go away, beat it.

Μοῦ εἶπε: «κόβε γρήγορα».
He told me: "be off with you."

κόβει καὶ ράβει=he talks too much, he is in power, he can pull strings.

Ἡ γλῶσσα της κόβει καὶ ράβει.
She talks too much.

Ὁ ἄνδρας της κόβει καὶ ράβει στὸ ὑπουργεῖο.
Her husband can pull strings at the Ministry.

κόβω ἀριστερὰ=I turn to the left.

Κόψε ἀριστερὰ στὴν ἑπομένη γωνία.
Turn to the left at the next corner.

κόβω δεξιὰ=I turn to the right.

Μετὰ ἀπὸ δύο τετράγωνα κόψε δεξιά.
Turn to the right after two blocks.

κόβω λάσπη=I take to flight, I flee.

Ἀκούγοντας τὸν πυροβολισμὸ ἔκοψα λάσπη.
Hearing the shot I took to flight.

κόβω μέσα ἀπό...=I cut across...

Συνήθως κόβω μέσα ἀπὸ τὰ χωράφια γιὰ νὰ φθάσω ἐνωρίτερα.
I usually cut across the fields in order to arrive earlier.

κόβω τὰ μαλλιά μου=I have my hair cut.

Κόβει τὰ μαλλιά του μιὰ φορὰ τὸν μῆνα.
He has his hair cut once a month.

κόβω τὸ κάπνισμα=I give up smoking, I quit smoking.

Ἔκοψε τὸ κάπνισμα καὶ αἰσθάνεται καλλίτερα.
He gave up smoking and feels better.

μοῦ κόπηκαν τὰ ἥπατα=my heart sank into my boots.

Ὅταν ἄκουσα γιὰ τὸν τραγικὸ θάνατό του μοῦ κόπηκαν τὰ ἥπατα.
When I heard about his tragic death, my heart sank into my boots.

ιοῦ κόπηκαν τὰ πόδια=I am exhausted.

Περπατῶ δύο ὧρες τώρα. Μοῦ κόπηκαν τὰ πόδια.
I have been walking for two hours now. I am exhausted.

μοῦ 'κοψε τὴν ἀναπνοὴ=it took my breath away.

Ἡ σκηνὴ τοῦ ἀτυχήματος μοῦ 'κοψε τὴν ἀναπνοή.
The accident was so horrible that it took my breath away.

μοῦ 'κοψες τὸ αἷμα (μὲ κατετρόμαξες)=you terrified me.
μοῦ 'κοψες τὴ χολὴ (μὲ κατετρόμαξες)=you terrified me.

Μοῦ 'κοψες τὸ αἷμα (τὴ χολὴ) μὲ αὐτὸ τὸ πιστόλι.
You terrified me with that pistol.

τοῦ κόβει τὸ κεφάλι του (τὸ μυαλό του)=he is clever, he is inventive, he understands easily.

Τοῦ κόβει τὸ κεφάλι. Θὰ προκόψη στὴν ζωή.
He is clever. He will go far in life.

τὸν ἔκοψε ἕνα αὐτοκίνητο=he was killed by a car, he was run over by a car.

Καθὼς διέσχιζε τὸ δρόμο τὸν ἔκοψε ἕνα αὐτοκίνητο.
As he was crossing the street he was run over by a car.

κοιμοῦμαι

κοιμοῦμαι γιὰ λίγο=I take a nap.

Κοιμοῦμαι γιὰ λίγο σχεδὸν κάθε ἀπόγευμα.
I take a nap almost every afternoon.

κοινός, ὁ

ἀπὸ κοινοῦ=in common with.

Ἔχω μιὰ νέα ἐπιχείρησι ἀπὸ κοινοῦ μὲ τὸν ἀδελφό μου.
I have a new business in common with my brother.

κόκκαλο, τὸ

ἀφήνω τὰ κόκκαλά μου=I die.

Ἄφησε τὰ κόκκαλά του στὴν Ἀφρική.
He died in Africa.

μένω κόκκαλο=I am stupefied, I am thunderstruck.

Τὸ κορίτσι βλέποντας τὸ πιστόλι ἔμεινε κόκκαλο.
Seeing the pistol the girl was stupefied.

μούσκεμα ὥς τὸ κόκκαλο=wet through.

Περπάτησα στὴ βροχὴ καὶ εἶμαι μούσκεμα ὥς τὸ κόκκαλο.
I walked in the rain and I am wet through.

πετσὶ καὶ κόκκαλο=skinny and bony, all skin and bones.

Ἡ γυναίκα του εἶναι πετσὶ καὶ κόκκαλο.
His wife is skinny and bony.

κολλέγιο, τὸ

πηγαίνω στὸ κολλέγιο=I go to College, I attend College.

Πηγαίνει στὸ Κολλέγιο.
He attends College.

σπουδάζω εἰς τὸ Κολλέγιο=I am in College.

Δὲν σπούδασε ποτὲ εἰς τὸ Κολλέγιον.
He has never been in College.

κολλῶ

μιὰ ἀρρώστεια κολλάει=it is contagious.

Ἡ γρίππη κολλάει.
Influenza is contagious.

κολλῶ κάποιον μιὰ ἀρρώστεια=I infect him with a disease.

Τὸν ἐκόλλησα γρίππη.
I infected him with influenza.

κολλῶ μιὰ ἀρρώστεια=I catch a disease, I get a disease.

Κόλλησα γρίππη.
I caught influenza.

κολλῶ σὰν βδέλλα=I stick like a leech.

Ὅταν μᾶς ἐπισκέπτεται μένει πολύ. Κολλάει σὰν βδέλλα.
When he visits us he stays a long time. He sticks like a leech.

στὴν βράσι κολλάει τὸ σίδερο=strike while the iron is hot.

Κάντο τώρα. Στὴ βράσι κολλάει τὸ σίδερο.
Do it now. Strike while the iron is hot.

τῆς κόλλησε ἡ ἰδέα ὅτι=she is obsessed with the idea that she is (ugly, sick etc.)

Τῆς κόλλησε ἡ ἰδέα ὅτι εἶναι παχειά.
She is obsessed with the idea that she is fat.

κολοκύθια, τὰ

κολοκύθια στὸ πάτερο ἢ κολοκύθια τούμπανα ἢ κολοκύθια μὲ τὴ ρίγανη=nonsense, stupidity, stuff and nonsense.

Δὲν τοῦ ἔχω ἐμπιστοσύνη. Αὐτὰ ποὺ εἶπε εἶναι κολοκύθια στὸ πάτερο.
I don't trust him. What he said is nonsense.

κόλπος, ὁ

τοῦ ἦλθε κόλπος=he was stupefied, he was stunned.

Μόλις ἄκουσε γιὰ τὸν θάνατο τοῦ γιοῦ του τοῦ ἦλθε κόλπος.
On hearing about his son's death, he was stupefied.

κολυμπάω

κολυμπάω στὰ πλούτη (ἢ στὸ χρῆμα)=I am rolling in money.

Ἡ οἰκογένειά του κολυμπάει στὰ πλούτη.
His family is rolling in money.

κολυμπάω στὸν ἱδρῶτα=I am bathed in sweat.

Κάνει πολὺ ζέστη. Κολυμπάω στὸν ἱδρῶτα.
It is very hot. I am bathed in sweat.

κολύμπι, τὸ

πάω γιὰ κολύμπι=I go swimming.

Τὸ καλοκαίρι πᾶτε γιὰ κολύμπι κάθε μέρα;
In the summer do you go swimming every day?

κόμπος, ὁ

ἐδῶ εἶναι ὁ κόμπος=here lies the difficulty.

Ἐδῶ εἶναι ὁ κόμπος. Ποιὸς θὰ τοῦ τὸ πῆ.
Here lies the difficulty. Who is going to tell him.

ἕνα κόμπο νερὸ=a small quantity of water, a drop of water.

Πεθαίνω γιὰ ἕνα κόμπο νερό.
I am dying for a drop of water.

ἔφθασε ὁ κόμπος στὸ χτένι=things have come to a critical state.

Πρέπει νὰ ἀποφασίσωμε τὶ θὰ κάνωμε. Ἔφθασε ὁ κόμπος στὸ χτένι.
We must decide what we are going to do. Things have come to a critical state.

κοντεύω

κόντεψε νά...=I nearly got...

Κόντεψε νὰ σκοτωθῶ.
I nearly got killed.

κόπος, ὁ

ἄδικος κόπος=useless trouble

Ἐπήγαμε ἐκεῖ ἀλλὰ δὲν βρήκαμε κανέναν. Ἄδικος κόπος.
We went there but we found nobody. Useless trouble.

δὲν ἀξίζει τὸν κόπο=it is not worth-while.

Μὴν ἐπιμένῃς. Δὲν ἀξίζει τὸν κόπο.
Do not insist. It is not worth-while.

λαμβάνω τὸν κόπο=I take the trouble.

Παρακαλῶ λάβατε τὸν κόπο νὰ ταχυδρομήσετε αὐτὸ τὸ γράμμα.
Please take the trouble to mail this letter.

τὰ καλὰ κόποις κτῶνται=no pains no gains.

...ίποτε δὲν εἶναι εὔκολο στὴ ζωή. Τὰ καλὰ κόποις κτῶνται.
Nothing is easy in life. No pains no gains.

χαμένος κόπος=lost effort.

Ἔγραψα τὸ γράμμα ἀλλὰ δὲν τὸ ἐταχυδρόμησα. Χαμένος κόπος.
I wrote the letter but I did not mail it. Lost effort.

κόπτω (ἰδὲ κόβω)

κόρακας, ὁ

στὸν κόρακα=damn it!

κορόϊδο, τὸ

κάνω τὸ κορόϊδο=I play, I act dumb, I play the fool.

Μὴν κάνῃς τὸ κορόϊδο. Σήμερα πρέπει νὰ πληρώσῃς ἐσύ.
Don't play dumb. Today you should pay.

κόσμος, ὁ

γιὰ τὰ μάτια τοῦ κόσμου=for appearance's sake.
(Πρβλ. πρὸς τὸ θεαθῆναι τοῖς ἀνθρώποις=the same meaning).

Ὅ,τι κάνει τὸ κάνει γιὰ τὰ μάτια τοῦ κόσμου.
Whatever he does, he does it for appearance's sake.

δὲν χάλασε ὁ κόσμος=it is not so important.

Δὲν χάλασε ὁ κόσμος ποὺ ἔχασες τὴ μπάλλα σου. Θὰ ἀγοράσωμε ἄλλη.
It is not so important that you lost your ball. We shall buy another one.

ἔφαγα τὸν κόσμο νὰ τὸν βρῶ=I moved heaven and earth to find him, I have left no stone unturned in order to find him.

Ἔχασα τὸν χρυσὸ ἀναπτῆρα μου καὶ ἔφαγα τὸν κόσμο νὰ τὸν βρῶ.
I lost my gold lighter and I moved heaven and earth to find it.

κάνω τὸν γῦρο τοῦ κόσμου=I go round the world.

Κάνουν τὸ γῦρο τοῦ κόσμου γιατὶ θέλουν νὰ δοῦν πολλά.
They go round the world because they want to see many things.

κόσμος=people

Ἦταν πολὺς κόσμος στὸ πάρτυ;
Were there many people at the party?

μὴν σηκώνης τὸν κόσμο στὸ πόδι=don't cause a commotion.

Οἱ κραυγὲς τοῦ μωροῦ σήκωσαν τὸ κόσμο στὸ πόδι.
The cries of the baby caused a commotion.

ὁ κόσμος τὄχει τούμπανο κι' ἐμεῖς κρυφὸ καμάρι=it is a public secret.

Θὰ παντρευτοῦν σύντομα καὶ νομίζουν ὅτι δὲν τὸ ξέρει κανείς. Δὲν ὑποπτεύονται ὅμως ὅτι ὁ κόσμος τὄχει τούμπανο κι' αὐτοὶ κρυφὸ καμάρι.
They are going to marry soon and they think that nobody knows about it. However they do not suspect that it is a public secret.

ὁ κόσμος νὰ χαλάση=come what may.

Θὰ τὸ κάνη, ὁ κόσμος νὰ χαλάση.
He will do it, come what may.

στὴν ἄλλη ἄκρη τοῦ κόσμου=at the other end of the world.

Τοὺς βλέπομε σπανίως. Ζοῦν στὴν ἄλλη ἄκρη τοῦ κόσμου.
We rarely see them. They live at the other end of the world.

σ' ὅλο τὸν κόσμο (παντοῦ)=all over the world.

Ἔχει ταξιδεύσει παντοῦ, σ' ὅλο τὸ κόσμο.
He has travelled all over the world.

στὸν ἄλλο κόσμο=in the world to come, in the next world, in the kingdom to come.

κοστίζω

μοῦ κόστισε=it caused me great sorrow, it grieved me.

Ἀπέτυχε εἰς τὶς ἐξετάσεις καὶ τοῦ κόστισε.
He failed in the examinations and it caused him great sorrow.

μοῦ κόστισε ὁ κοῦκος ἀηδόνι=I paid dearly for my whistle.

Σὲ αὐτὸ τὸ ρεστωρὰν ὅλα εἶναι ἀκριβά, σοῦ κοστίζει ὁ κοῦκος ἀηδόνι.
In this restaurant everything is expensive. One pays dearly for one's whistle.

κουκούτσι, τὸ

δὲν ἔχει κουκούτσι μυαλὸ=he has not a grain of sense.

Ἐὰν ἔκανε αὐτὸ τὸ πρᾶγμα, βεβαίως δὲν ἔχει κουκούτσι μυαλό.
If he has done such a thing, certainly he doesn't have a grain of sense.

κουνάω

μὴν τὸ κουνήσῃς ρούπι=don't move a bit, stay where you are.

Ἡ μητέρα του τοῦ εἶπε: «μὴν τὸ κουνήσῃς ρούπι».
His mother said to him: "stay where you are."

κουρεύομαι

ἂς πάῃ νὰ κουρεύεται=it is an expression of indifference or contempt, scorn, disdain.

πάω νὰ κουρευτῶ=I am going to have my hair cut.

Ποῦ πᾶς;
Πάω νὰ κουρευτῶ.
Where are you going?
I am going to have my hair cut.

πῆγα γιὰ μαλλὶ καὶ βγῆκα κουρεμένος=I get the opposite of what I am looking for.

Ἐζήτησε αὔξησι μισθοῦ καὶ τὸν ἀπέλυσαν. Πῆγε γιὰ μαλλὶ καὶ βγῆκε κουρεμένος.
He asked for an increase in salary and they fired him. He got the opposite of what he was looking for.

κράτος, τὸ

κατὰ κράτος=totally, completely.

Ὁ ἐχθρὸς ἐνικήθη κατὰ κράτος.
The enemy was completely defeated.

κρατάω (κρατῶ)

κρατάω ἕνα μυστικὸ=I keep a secret.

Αὐτὸς ὁ ἄνθρωπος δὲν μπορεῖ νὰ κρατήσῃ ἕνα μυστικό.
That man cannot keep a secret.

κρατάω κάτι μὲ τὰ δόντια=I have great difficulty in hanging on to it.

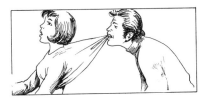

Ἤθελε νὰ φύγῃ καὶ τὸν κράτησα μὲ τὰ δόντια.
He wanted to leave and I had great difficulty in hanging on to him.

κρατῶ κάτι ψηλὰ=I hold something up.

Κρατῶ τὸ φῶς ψηλὰ διότι θέλω νὰ βλέπω καλά.
I hold the light up, because I want to see well.

κρατῶ τὸ λόγο μου=I keep my word.

Εἶναι κύριος. Κρατᾶ πάντοτε τὸν λόγο του.
He is a gentleman. He always keeps his word.

κρεββάτι, τὸ

στρώνω τὸ κρεββάτι=I make the bed.

Πρέπει νὰ μάθῃ νὰ στρώνῃ τὸ κρεββάτι της μόνη της.
She must learn to make her bed by herself.

κρέμομαι

κρεμιέμαι ἀπὸ τὰ χείλη κάποιου=I like what he says very much, I hang on his lips.

Ὅταν κάνῃ μία διάλεξι ὅλοι κρέμονται ἀπὸ τὰ χείλη του.
When he delivers a speech all hang on his lips.

κρεμῶ

κρέμασα τὸ σακκάκι μου=I hang my coat, I have hung my coat.
τὸν κρέμασαν=they hanged him.

Τὸν κρέμασαν κατὰ τὴν διάρκεια τοῦ πολέμου.
They hanged him during the war.

κρῖμα, τὸ

τὶ κρῖμα=what a pity!

Εἶναι τόσο ὡραία γυναίκα, ἀλλὰ κουτή. Τὶ κρῖμα.
She is such a beautiful woman, but a stupid one. What a pity!

κρίνω

κρίνω ἐξ ἰδίων τὰ ἀλλότρια=I judge others by myself.

Δεν εἶναι σωστὸ νὰ κρίνωμε ἐξ ἰδίων τὰ ἀλλότρια.
It is not right to judge others by ourselves.

κρύο, τὸ

ἔμεινε στὰ κρύα τοῦ λουτροῦ=he was left in the lurch.

Ἡ Μαρία ἔμεινε στὰ κρύα τοῦ λουτροῦ. Ὁ Γιῶργος ὑποσχέθηκε νὰ τὴν παν-τρευτῇ ἀλλὰ τελικὰ δὲν κράτησε τὸ λόγο του.
Mary was left in the lurch. George promised to marry her but finally he did not keep his word.

κάνει κρύο=it is ·cold.

Σήμερα κάνει πολὺ κρύο.
It is very cold today.

μελανιάζω ἀπὸ τὸ κρύο=I am blue with cold.

Ὅταν τὸν βρῆκα, ἦταν μελανὸς (εἶχε μελανιάσει) ἀπὸ τὸ κρύο.
When I found him, he was blue with cold.

πεθαίνω ἀπὸ τὸ κρύο=I freeze to death.

Δὲν μπορῶ νὰ περιμένω πιὸ πολύ. Πεθαίνω ἀπὸ. τὸ κρύο.
I cannot wait any longer. I am freezing to death.

τρέμω ἀπὸ -ᴐ κρύο=I shiver with cold.

Ἔτρεμα ἀπὸ τὸ κρύο ὅλη τὴν νύκτα εἰς ἐκεῖνο τὸ παλαιὸ ξενοδοχεῖο.
I was shivering with cold the whole night in that old hotel.

κρυολογῶ

κρυολογῶ=I catch cold.

Πότε κρυολόγησες;
When did you catch cold?

κρυολογῶ ἄσχημα=I have a bad cold.

Ἔχετε κρυολογήσει ἄσχημα αὐτὴ τὴ φορά.
You have a bad cold this time.

κρυώνω

κρυώνω=I feel cold.

Κλεῖσε ἐκείνη τὴν πόρτα παρακαλῶ. Κρυώνω.
Close that door, please. I feel cold.

τὸ φυσᾶ καὶ δὲν κρυώνει=once beaten twice shy.

Ἀπέτυχε εἰς τὸ γάμο της. Θέλει νὰ ξαναπαντρευτῆ, ἀλλὰ εἶναι πολὺ προσεκτι-
κή, τὸ φυσᾶ καὶ δὲν κρυώνει.
She failed in her marriage. She wants to marry again but she is very cautious.
Once beaten twice shy.

κουδούνι, τὸ

κτυπῶ τὸ κουδούνι (πόρτας)=I ring the bell.

Κτύπησα τὸ κουδούνι καὶ ἄνοιξαν τὴν πόρτα ἀμέσως.
I rang the bell and they opened the door at once.

κτυπῶ

ἡ καμπάνα κτυπάει=the bell tolls.

Ἔχεις διαβάσει τὸ βιβλίο: «Γιὰ ποιὸν κτυπᾶ ἡ καμπάνα»;
Have you read the book: "For Whom the Bell Tolls?"

κτυπάει τὸ κεφάλι του=he repents, he is very sorry.

Δὲν ἔμαθε μιὰ ξένη γλῶσσα καὶ τώρα κτυπάει τὸ κεφάλι του.
He did not learn a foreign language and now he is very sorry.

κτυπῶ τὴν πόρτα=I knock at the door.

Ἡ Μαρία κτύπησε τὴν πόρτα δύο φορές.
Mary knocked at the door twice.

κτυπῶ τὰ χέρια (κτυπῶ παλαμάκια)=I clap my hands.

Εἰς τὴν Ἑλλάδα κτυποῦν παλαμάκια ἀντὶ νὰ φωνάζουν τὸ γκαρσόνι.
In Greece they clap their hands instead of calling the waiter.

κτυπῶ τὸ κουδούνι (πόρτας)=I ring the bell.

Μὴν κτυπᾶτε τὸ κουδούνι τόσες πολλὲς φορές.
Don't ring the bell so many times.

Κυριακή, ἡ

αὐτὴ τὴν Κυριακὴ=this Sunday.

Αὐτὴ τὴν Κυριακὴ θὰ ἐπισκεφθοῦμε τὴν Ἀκρόπολι.
This Sunday we will visit the Acropolis.

κάθε Κυριακὴ=every Sunday.

Κάθε Κυριακὴ πηγαίνω στὴν Ἐκκλησία.
I go to church every Sunday.

τὶς Κυριακὲς=on Sundays.

Τὶς Κυριακὲς τὸ σχολεῖο εἶναι κλειστό.
School is closed on Sundays.

N.B. The same syntax is followed referring to other days of the week except Saturday. In Greek the days of the week are feminine **ἡ Κυριακή, ἡ Δευτέρα** etc. except Saturday, **τὸ Σάββατο.**

Κύριος, ὁ

Εἶναι ὁ κύριος Φωκᾶς ἐδῶ;=Is Mr. Focas here?
Ἕνας κύριος εἶναι πάντοτε εὐγενής=A gentleman is always polite.

Κύριος οἶδε=Lord knows!
Ὁ Γιῶργος εἶναι κύριος=George is a gentleman.

Τὶ θέλετε κύριε;=What do you want sir?

κυττάζω

κύττα=look!
κύττα δῶ=look here!
κύττα καλὰ=look well!
κύτταξε καλὰ καὶ πές μου τὴν γνώμη σου=look well and tell me your opinion.

κύττα τὴ δουλειά σου=mind your own business.

Πές της νὰ κυττάη τὴ δουλειά της.
Tell her to mind her own business.

κυττάζω κάποιον μὲ στραβὸ μάτι=I give him a sour look, I look unfavourably upon him.

Ὁ δάσκαλος μὲ κύτταξε μὲ στραβὸ μάτι.
The teacher gave me a sour look.

κυττάζω κάτι=I look at.

Κύτταξέ με.
Look at me!

λάβρα, ή

φωτιὰ καὶ λάβρα=very expensive, very high.

Οἱ τιμές τους εἶναι φωτιὰ καὶ λάβρα.
Their prices are very high.

λάδι, τὸ

ἡ θάλασσα εἶναι λάδι (ἤσυχη)=the sea is like glass.

Πᾶμε γιὰ μπάνιο; Ἡ θάλασσα εἶναι λάδι.
Let's go swimming. The sea is like glass.

λάθος, τὸ

κατὰ λάθος=by mistake.

Ἐπῆρα τὰ γάντια σας κατὰ λάθος.
I took your gloves by mistake.

κάνω λάθος=I make a mistake, I am mistaken, I am wrong.

Ἔκανα λάθος, δὲν εἶναι ὁ ἄνθρωπος ποὺ θέλω.
I have made a mistake, he is not the man I want.

λαιμός, ὁ

βάζω τὸ μαχαίρι στὸ λαιμὸ=I force someone to do something, I leave him no way out, he has no choice.

Θὰ τὸ κάνω, ἀλλὰ μὴ μοῦ βάζης τὸ μαχαίρι στὸ λαιμό.
I will do it, but don't force me.

μὲ πονάει ὁ λαιμὸς=I have a sore throat.

Τὸν πονάει ὁ λαιμός του, γι' αὐτὸ δὲν μιλάει πολύ.
He has a sore throat, that is why he does not speak much.

παίρνω κάποιον στὸ λαιμό μου=I cause misfortune.

Τὸν πῆρε στὸ λαιμό του ἕνας παλιός του φίλος.
An old friend of his caused him misfortune.

λαμβάνω

λαμβάνω διαταγὰς=I receive orders.

Δὲν λάβαμε ἀκόμη διαταγὰς νὰ ξεκινήσωμε.
We have not yet received orders to start.

λαμβάνω μέρος=I take part in.

Δὲν ἔλαβα μέρος εἰς τὴν συζήτησιν.
I did not take part in the discussion.

λαμβάνω τὴν τιμὴν=I have the honour.

Λαμβάνω τὴν τιμὴν νὰ σᾶς προσκαλέσω στοὺς γάμους μου.
I have the honour to invite you to my wedding.

λαμβάνω τὸ θάρρος=I take the liberty.

Λαμβάνω τὸ θάρρος νὰ σᾶς διακόψω.
I take the liberty to interrupt you.

λαμβάνω τὸν κόπο νὰ=I take the trouble to.

Σᾶς εὐχαριστῶ ποὺ λάβατε τὸν κόπο νὰ μοῦ γράψετε.
I thank you for having taken the trouble to write to me.

λαμβάνω ὑπ' ὄψιν=I take into consideration, I take into account.

Μὴν ἀνησυχῆτε. Θὰ τὸ λάβω ὑπ' ὄψιν μου.
Don't worry. I will take it into consideration.

λαμβάνω χώραν=I take place.

Ἡ συνάντησις θὰ λάβη χώραν στὸ σπίτι μου.
The meeting will take place at my home.

λάμπω

ὁ ἥλιος λάμπει=the sun is shining.

Ὅταν ἔφυγα, ὁ ἥλιος ἔλαμπε.
When I left, the sun was shining.

λαοί, οἱ

οἱ λαοί=the peoples.

Οἱ λαοὶ τοῦ κόσμου.
The peoples of the world.

λέγω

ἄκου λέει=certainly, without any reservation.

Θὰ ἔλθης στὴν ἐκδρομή;
Ἄκου λέει!

Will you come on the excursion?
Certainly, I will!

ἂς ποῦμε πὼς=let us suppose that.

Ἄς ποῦμε πὼς κερδίζεις τὸ στοίχημα.
Let us suppose that you win the bet.

γιὰ νὰ πῶ τὴν ἀλήθεια=to tell the truth.

Γιὰ νὰ σοῦ πῶ τὴν ἀλήθεια, τὸ φὶλμ δὲν μοῦ ἄρεσε καθόλου.
To tell you the truth, I did not like the film at all.

ἐδῶ ποὺ τὰ λέμε=by the way.
(Πρβλ. ἐν παρόδῳ=the same meaning).

148

Ἐδῶ ποῦ τὰ λέμε, τὶ ὥρα εἶναι;
By the way, what time is it?

θὰ τὸ κάνη καὶ θὰ πῆ κι' ἕνα τραγούδι=he will do it whether he likes it or not he will do it no matter what he thinks of it.

Ὁ πατέρας της τῆς εἶπε: «Θὰ τὸ κάνης καὶ θὰ πῆς κι' ἕνα τραγούδι».
Her father said her: "You will do it whether you like it or not."

κάτι δὲν λέει τίποτε= it is of no value at all, it is not of value, there is nothing in it.

Τὸ νέο της βιβλίο δὲν λέει τίποτε.
Her new book is of no value at all.

κάτι δὲν λέγεται=it cannot be said, it is beyond words.

Ἡ ὀμορφιά της δὲν λέγεται.
Her beauty is beyond words.

λέγω κάτι=I say something.

Λέγε κάτι.
Say something.

λέγω κάτι σὲ κάποιον=I tell someone something.

Λέγε μας κάτι.
Tell us something.

λέγω κάτι στ' ἀστεῖα=I say something in fun.

Δὲν πρέπει νὰ λέμε πράγματα στ' ἀστεῖα στοὺς γονεῖς μας.
We should not say things in fun to our parents.

λέγω κουταμάρες=I talk nonsense.

Μὴν τὸν προσέχης. Λέει κουταμάρες.
Don't pay any attention to him. He talks monsense.

λέω νὰ...=I am thinking of...

Λέω νὰ κάνω ἕνα ταξίδι στὸ ἐξωτερικὸ αὐτὸ τὸ καλοκαίρι.
I am thinking of taking a trip abroad this summer.

λέω τὴν ἀλήθεια=I tell the truth.

Πές μας τὴν ἀλήθεια καὶ εἶσαι ἐλεύθερος νὰ φύγης.
Tell us the truth and you are free to go.

λέω τὴν γνώμη μου=I express my opinion, I speak my mind.

Λέγε τὴν γνώμη σου, μὴν διστάζης.
Don't hesitate. Express your opinion.

φερ' εἰπεῖν=for example.

Ὁ Γιῶργος, φερ' εἰπεῖν, θὰ μποροῦσε νὰ τὸ κάνη.
George, for example, could do it.

λείπω

ἂς μοῦ λείπη=I would rather not.

Θὰ ἔλθης στὴν ἐκδρομή;
Ἂς μοῦ λείπη.

Will you come on the excursion?
I would rather not.

λίγο ἔλειψε νά...=he nearly got...

Λίγο ἔλειψε νὰ σκοτωθῶ.
I nearly got killed.

μοῦ λείπει κάποιος=I am missing him much.

Ὁ γιός της σπουδάζει εἰς τὴν Ἀμερικὴ καὶ τῆς λείπει πολύ.
Her son is studying in America and she misses him very much.

τῆς λείπει=she is slow-witted.

Μὴν τὴν παίρνης στὰ σοβαρά, τῆς λείπει (μυαλό).
Don't take her seriously. She is slow-witted.

λέξις, ἡ

κατὰ λέξιν=word by word, verbatim.

Εἶπε κατὰ λέξιν τὰ ἑξῆς.
He said, word by word, the following.

λέξι πρὸς λέξι=word for word.

Ἐπανέλαβε τὴν πρότασι λέξι πρὸς λέξι.
He repeated the sentence word for word.

οὔτε μιὰ λέξι γι' αὐτὸ σὲ κανένα=not a word of it to anybody.

Μοῦ εἶπε νὰ μὴν πῶ οὔτε μιὰ λέξι γι' αὐτὸ σὲ κανένα.
He told me not to say a word of it to anybody.

λεπτά, τὰ (τὰ χρήματα)

βγάζω λεπτὰ (κερδίζω χρήματα)=I make money.

Πόσα λεπτὰ βγάζει ὁ πατέρας σου τὸ μῆνα;
How much money does your father make every month?

κάνω λεπτά=I make money.

Ἔκανε λεπτὰ γιατὶ ἦταν ἔξυπνος.
He made much money because he was clever.

κολυμπῶ στὰ λεπτὰ=I am rolling in money.

Ἡ οἰκογένειά του κολυμπᾶ στὰ λεπτά.
His family is rolling in money.

πόσα λεπτὰ κάνει;=how much does it cost?

Πόσα λεπτὰ κάνει αὐτὸ τὸ σπίτι;
How much does this house cost?

λεπτό, τὸ (τὰ λεπτὰ)

σὲ λίγα λεπτὰ=in a few minutes.

Θὰ τὸ ἔχω ἔτοιμο σὲ λίγα λεπτά.
I'll have it ready in a few minutes.

150

στὸ λεπτὸ=in a minute, in a moment.

Μπορεῖ νὰ ἑτοιμασθῆ στὸ λεπτό;
Can she be ready in a minute?

λερώνομαι

λερώνομαι=I get dirty.

Ὁσάκις παίζει εἰς τὸ δρόμο, λερώνεται.
Whenever he plays in the street he gets dirty.

λευκόν, τὸ

λευκὸν παρελθὸν=a spotless past.

Τὸ παρελθόν του εἶναι πράγματι λευκόν.
His past is spotless indeed.

λευκός, ὁ

ἐν λευκῷ=carte blanche

Τὸν ἐξουσιοδότησα ἐν λευκῷ νὰ κάνη ὅ,τι χρειάζεται.
I gave him carte blanche to do what is needed.

λεωφορεῖον, τὸ

μὲ τὸ λεωφορεῖον=by bus.

Ἔρχεται μὲ τὸ λεωφορεῖον ἀπόψε.
He is coming by bus tonight.

λίγο

κάθε λίγο καὶ λιγάκι=every now and then.

Μὴν μὲ ἐνοχλῆς κάθε λίγο καὶ λιγάκι.
Don't disturb me every now and then.

λίγο ἔλειψε νὰ=nearly got...

Λίγο ἔλειψε νὰ σκοτωθῶ.
I nearly got killed.

Λίγο ἔλειψε νὰ πνιγῶ.
I nearly got drowned.

λίγο-λίγο=little by little.

Λίγο-λίγο θὰ μάθης Ἑλληνικὰ πολὺ καλά.
Little by little you will learn Greek very well.

σὲ λιγάκι=in a while, in a little while.

Ὁ γιατρὸς θὰ σᾶς δῆ σὲ λιγάκι.
The doctor will see you in a while.

σὲ λίγο=soon, in a short time.

Θὰ σᾶς δῶ σὲ λίγο.
I will see you soon.

λίθος, ὁ

δὲν ἔμεινε λίθος ἐπὶ λίθου=everything was turned into ruins, everything was destroyed.

Ὁ σεισμὸς ἦταν δυνατός. Δὲν ἔμεινε λίθος ἐπὶ λίθου.
The earthquake was strong. Everything was destroyed.

ὁ ἀναμάρτητος πρῶτος τὸν λίθον βαλέτω=let him who is without sin, cast the first stone.

Ὁ Ἰησοῦς εἶπεν: «Ὁ ἀναμάρτητος πρῶτος τὸν λίθον βαλέτω».
Jesus said: "Let him who is without sin, cast the first stone."

λογαριάζω

λογαριάζω νὰ... = I am thinking of + ...ing, I intend to.

Λογαριάζω νὰ τοὺς ἐπισκεφθῶ τὴν ἑπομένη ἑβδομάδα.
I am thinking of visiting them next week.

δὲν λογαριάζω κάποιον=I don't count him in, I have no respect for him, I do not think much of him, I do not take him into consideration.

Αὐτὸν μὴν τὸν λογαριάζης, δὲν θὰ ἔλθη.
Don't count him in. He will not come.

Αὐτὸν ποιὸς τὸν λογαριάζει.
Nobody respects him. Nobody takes him into consideration.

λογαριασμός, ὁ

δὲν δίδω λογαριασμὸ σὲ κανένα=I am responsible to no one, I am not accountable to anyone.

Κάνει ὅ,τι θέλει. Δὲν δίνει λογαριασμὸ σὲ κανένα.
He does what he wants. He is not accountable to anybody.

εἶναι δικός μου λογαριασμός=it is my concern, my business.

Ἐὰν θὰ πάω ἢ ὄχι, εἶναι δικός μου λογαριασμός.
Whether I go or not is my concern.

ἔχω νὰ κανονίσω ἕνα λογαριασμὸ μὲ κάποιον=I have a bone to pick with him.

Ψάχνω νὰ τὸν βρῶ. Ἔχω νὰ κανονίσω ἕνα λογαριασμὸ μαζί του.
I am looking for him. I have a bone to pick with him.

οἱ καλοὶ λογαριασμοὶ κάνουν τοὺς καλοὺς φίλους=short reckonings make long friends.

Πάντα πιστεύω ὅτι οἱ καλοὶ λογαριασμοὶ κάνουν τοὺς καλοὺς φίλους.
I always believe that short reckonings make long friends.

πέφτω ἔξω στὸ λογαριασμὸ=I am far out in my reckoning.

Ἦλθαν περισσότεροι ἐπισκέπτες ἀπ' ὅσους περίμενα. Ἔπεσα ἔξω στὸ λογαριασμό.
More visitors came than I expected. I was far out in my reckoning.

φέρνω σὲ λογαριασμὸ κάποιον=I bring to account.

Μὴν ἀνησυχῆς. Θὰ τὸν φέρω ἐγὼ σὲ λογαριασμό.
Don't worry. I will bring him to account.

λόγια, τὰ

λόγια παχειὰ=big words.

Αὐτὸς εἶναι ὅλο λόγια παχειὰ ἀλλὰ δὲν κάνει τίποτε.
He is all big words, but does nothing.

λόγια τοῦ ἀέρα=idle talk, nonsense, hot air.

Ὅ,τι λὲς εἶναι λόγια τοῦ ἀέρα.
What you say is hot air.

δὲν παίρνω ἀπὸ λόγια=I am deaf to reason.

Ὅ,τι καὶ νὰ πῆς δὲν παίρνει ἀπὸ λόγια (συμβουλές).
Whatever you tell him he is deaf to reason.

μὲ ἄλλα λόγια=that is to say, in other words.
(Πρβλ. σὰν νὰ ποῦμε δηλαδὴ=the same meaning).

Ἐπλήρωσε δύο χιλιάδες δολλάρια, μὲ ἄλλα λόγια ἑξῆντα χιλιάδες δραχμές.
He paid two thousand dollars, that is to say, sixty thousand drachmas.

μὲ λίγα λόγια=to put it in a nutshell.

Μὲ λίγα λόγια: Ἀπέτυχε.
To put it in a nutshell, he has failed.

πᾶνε χαμένα τὰ λόγια μου=I am wasting my words.

Πᾶνε χαμένα τὰ λόγια σου. Αὐτὸς (εἶναι κουφὸς στὴ λογικὴ) δὲν παίρνει ἀπὸ λόγια.
You are wasting your words. He is deaf to reason.

λόγος, ὁ

ἀθετῶ τὸ λόγο μου=I break my word.

Δὲν μοῦ ἀρέσει νὰ ἀθετῶ τὸ λόγο μου.
I don't like to break my word.

βγάζω λόγο=I make, I deliver a speech.

Ἔβγαλε λόγο εἰς τοὺς φοιτητὰς τοῦ Πανεπιστημίου.
He made a speech to the students of the University.

δὲν τοῦ πέφτει λόγος=he hasn't got a say in the matter, he has no say in the matter.

Μὴν προσέχης τὶ λέγει. Δὲν τοῦ πέφτει λόγος.
Don't pay attention to him. He has no say in the matter.

δίδω τὸ λόγο μου=I give my word (of honour).

Μᾶς ἔδωσε τὸ λόγο του, ὅτι δὲν θὰ τὸ ξανακάνη.
He gave us his word that he will never do it again.

ἐπ' οὐδενὶ λόγῳ=by no means, on no account.

Θὰ πᾶς; Ἐπ' οὐδενὶ λόγῳ.
Will you go? By no means!

ζητῶ τὸν λόγον=I ask for an explanation. May I have the floor please?

Ἄργησε στὴ δουλειὰ καὶ ὁ διευθυντὴς τοῦ ζήτησε τὸ λόγο.
He was late for work and his director asked for an explanation.

Τοῦ ἐδόθη ὁ λόγος.
He was given the floor.

μὴν κάνης λόγο σὲ κανένα=don't mention it to anybody.

Εἶναι μυστικό. Μὴν κάνης λόγο σὲ κανένα.
It is a secret. Don't mention it to anybody.

ὁ περὶ οὗ ὁ λόγος=the person we are talking about, the person in question.

Ὁ περὶ οὗ ὁ λόγος θὰ ἔλθη αὔριον.
The person we are talking about will come tomorrow.

παίρνω πίσω τὸ λόγο μου=I go back on my word.

Οὐδέποτε παίρνει πίσω τὸ λόγο του.
He never goes back on his word.

ποὺ λέει ὁ λόγος=for example.

Ἐσεῖς μπορεῖτε νὰ πᾶτε ποὺ λέει ὁ λόγος.
You can go, for example.

τηρῶ τὸ λόγο μου=I am a man of my word.

Τὸν σέβονται πάρα πολὺ διότι τηρεῖ τὸ λόγο του.
They respect him very much, because he is a man of his word.

φυσικῷ τῷ λόγῳ=naturally, of course.

Φυσικῷ τῷ λόγῳ, δὲν θὰ τὸ δώσω πίσω.
Naturally, I will not give it back.

λοιπὸν

πές το λοιπὸν=out with it!

Πές το λοιπόν. Μίλησε. Τὸ ἔκανες;
Out with it! Speak up! Have you done it?

λοιποῦ

τοῦ λοιποῦ=from now on.

Τοῦ λοιποῦ ἀρχίζομε ἐργασία στὶς ἑπτά.
From now on we start working at seven.

-M-

μαγαζί, τὸ

«κερνάει τὸ μαγαζὶ»=on the house.

Δῶσε στὸ κύριο Σμὶθ μία μπύρα, ἀλλὰ μὴν τοῦ πάρης λεπτά, «κερνάει τὸ μαγαζὶ».
Give Mr. Smith a glass of beer, but don't take any money from him. It's on the house.

μαζὶ

μαζὶ μὲ κάποιον=along with someone.

Ἔλα μαζί μας στὸ σινεμά.
Come along with us to the cinema.

μαθαίνω

μαθαίνω=I find out.

Πότε τὸ ἔμαθε;
When did she find out about it?

μαθαίνω Ἑλληνικὰ=I learn Greek.

Ἡ Μαρία μαθαίνει Ἑλληνικά.
Mary learns Greek
(Πρβλ. Αὐτὴ μαθαίνει Ἑλληνικὰ ἢ μαθαίνει Ἑλληνικά).

N.B. The subject (Μαρία) or personal pronoun (αὐτὴ) can easily be omitted

μάθημα, τὸ

αὐτὸ νὰ τῆς γίνη μάθημα=let it be a lesson to her.

Τὸ ἔχασε; Αὐτὸ νὰ τῆς γίνη μάθημα.
Did she lose it? Let it be a lesson to her.

ἑτοιμάζω τὸ μάθημα=I do my lesson.

Ἑτοιμάζει ὅλα τὰ μαθήματά του μόνος του.
He does all his lessons by himself.

Πῶς ἑτοιμάζει τὰ μαθήματά του τόσο γρήγορα;
How does he do his lessons so fast?

παθήματα μαθήματα=misfortune gives lessons, to learn by my own mistakes.

Τώρα ξέρεις. Παθήματα-μαθήματα.
Now you know. You learn by your own mistakes.

πηγαίνω στὸ μάθημα=I go to class (lit.=I go to lesson).

Ποῦ πάει;
Where is he going?

Πηγαίνει στὸ μάθημα.
He is going to class.

Πηγαίνει στὸ ἰδιαίτερο μάθημα.
He is going to a private lesson.

μάθησις, ἡ

ἀνεπίδεκτος μαθήσεως=incapable of learning, unable to learn.

Κανεὶς δὲν εἶναι ἀνεπίδεκτος μαθήσεως.
No man is incapable of learning.

μακρὸν

διὰ μακρῶν=at length.

Μιλήσαμε περὶ αὐτοῦ διὰ μακρῶν.
We spoke about it at length.

ἐπὶ μακρὸν (γιὰ πολὺ χρόνο)=for a long time.

Δὲν τὴν ἔχω δεῖ γιὰ πολὺ χρόνο (ἐπὶ μακρόν). Νομίζω εἶναι εἰς τὴν Ἑλλάδα.
I have not seen her for a long time. I think she is in Greece.

μάλιστα

μάλιστα, εἶναι=yes, he (she, it) is.

Εἶναι ὁ Γιῶργος ἐδῶ; Μάλιστα εἶναι.
Is George here? Yes, he is.

Εἶναι ἡ Μαρία ἐκεῖ; Μάλιστα εἶναι.
Is Mary there? Yes, she is.

μαλλί, τὸ (τὰ μαλλιὰ)

γίναμε μαλλιὰ κουβάρια=we disagreed, we got into a hot argument.

Μόλις συναντηθήκαμε γίναμε μαλλιά-κουβάρια.
As soon as we met, we got into a hot argument.

κόβω τὰ μαλλιά μου=I have my hair cut.

Πρέπει νὰ κόψης τὰ μαλλιά σου.
You must have your hair cut.

ὁ πνιγμένος ἀπὸ τὰ μαλλιά του πιάνεται=a drowning man clutches at a straw.

Τὸ κάνει ἐπειδὴ ἔχασε κάθε ἐλπίδα. Ξέρεις ὁ πνιγμένος ἀπὸ τὰ μαλλιά του πιάνεται.
He does it because he has lost all hope. You know a drowning man clutches at a straw.

πῆγε γιὰ μαλλὶ καὶ βγῆκε κουρεμένος=to expect something and get the opposite.

Ἐζήτησε αὔξηση καὶ τὸν ἀπέλυσαν. Πῆγε γιὰ μαλλὶ καὶ βγῆκε κουρεμένος.
He asked for an increase and they fired him. He got the opposite of what he expected.

πιαστήκανε μαλλιὰ μὲ μαλλιὰ=they came to blows.

Χωρὶς νὰ ὑπάρχη αἰτία πιαστήκανε μαλλιὰ μὲ μαλλιά.
They came to blows for no reason at all.

χρωστάω τὰ μαλλιὰ τῆς κεφαλῆς μου (τὰ μαλλοκέφαλά μου)=I am deep in debt.

Δὲν μπορῶ νὰ σοῦ δώσω χρήματα. Χρωστάω τὰ μαλλιὰ τῆς κεφαλῆς μου.
I cannot give you any money. I am deep in debt.

μαλλοκέφαλα, τὰ

ξοδεύω τὰ μαλλοκέφαλά μου=I spend almost all that I have, I spend a fortune.

Άρρώστησε σοβαρὰ ἡ γυναίκα του καὶ ξόδευσε τὰ μαλλοκέφαλά του.
His wife got seriously ill and he spent a fortune.

μάρτυς, ὁ

μάρτυς μου ὁ Θεὸς=so help me God!

Σᾶς λέγω τὴν ἀλήθεια. Μάρτυς μου ὁ Θεός.
I am telling you the truth. So help me God!

μασάω

δὲν τὰ μασάω ἐγὼ αὐτὰ=I don't accept it, I don't buy it.

Μὴν προσπαθῆς νὰ δικαιολογηθῆς. Δὲν τὰ μασάω ἐγὼ αὐτά.
Don't try to find excuses. I don't buy it.

μασάει τὰ λόγια του=he stutters, he stammers, he is humming and hawing.

Μασάει τὰ λόγια του. Δὲν μπορῶ νὰ καταλάβω τί λέει.
He stammers. I cannot understand what he says.

μασημένα, τὰ

μασημένα λόγια=talk not made clear, ambiguous words.

Δὲν μοῦ ἀρέσουν τὰ μασημένα λόγια. Πές μου τὴν ἀλήθεια.
I don't like ambiguous words. Talk straight. Tell me the truth.

μάτι, τὸ (τὰ μάτια)

ἀνοίγω τὰ μάτια κάποιου=I make him understand something, I open his eyes to...

Εὐτυχῶς ποὺ τοῦ ἄνοιξε τὰ μάτια ὁ Γιῶργος.
Happily George made him understand it.

αὐγὰ μάτια=fried eggs.

Πῶς θέλετε τὰ αὐγά σας;
Τὰ θέλω μάτια.

How do you want your eggs?
I want them fried.

βλέπω μὲ καλὸ μάτι=I look favourably upon.

Ὁ δάσκαλός μου μὲ βλέπει μὲ καλὸ μάτι.
My teacher looks favourably upon me.

γιὰ τὰ μάτια τοῦ κόσμου=for appearance's sake, to save appearance.

Ἔλα, τουλάχιστον γιὰ τὰ μάτια τοῦ κόσμου.
Come, at least for appearance's sake.

δὲν ἔκλεισα μάτι ὅλη τὴν νύκτα χθὲς βράδυ=I didn't get a wink of sleep all night long last night.

Ἔκανε τόση ζέστη, ὥστε δὲν ἔκλεισα μάτι ὅλη τὴν νύκτα χθὲς βράδυ.
It was so hot that I didn't get a wink of sleep last night.

δὲν ἔχω μάτια νὰ δῶ κάποιον=I am ashamed to meet him.

Ἔχοντας κάμει τέτοιο πρᾶγμα δὲν ἔχει μάτια νὰ μὲ δῆ.
Having done such a thing he is ashamed to meet me.

ἔχε τὰ μάτια σου τέσσαρα=keep your eyes open, be very careful.

Ὑπάρχουν πορτοφολάδες. Ἔχε τὰ μάτια σου τέσσαρα.
There are pickpockets. Keep your eyes open.

ἐπῆρε κάποιον τὸ μάτι μου=I caught sight of him.

Τὸν ἐπῆρε τὸ μάτι μου τὸ πρωῒ στὴν ἐκκλησία.
I caught sight of him this morning at the church.

ἔχω κάποιον στὸ μάτι=I hate him.

Μὲ ἔχει στὸ μάτι. Δὲν ξέρω γιατί.
He hates me. I don't know why.

ἔχω κάτι στὸ μάτι=I want to have it, I covet it.

Ἐκεῖνο τὸ δακτυλίδι τὸ ἔχω στὸ μάτι, ἀλλὰ δὲν ἔχω ἀρκετὰ λεπτά.
I want to have that ring but I do not have enough money.

κάποιος δὲν μοῦ γεμίζει τὸ μάτι=I do not think highly or much of him.

Ἄν καὶ δὲν μοῦ γεμίζει τὸ μάτι, θὰ τὸν προσλάβω.
Though I don't think highly of him I will employ him.

κάτι μοῦ χτύπησε στὸ μάτι=it made a very good impression on me, it impressed me, it caught my eye.

Αὐτὸ τὸ δακτυλίδι μοῦ χτύπησε στὸ μάτι καὶ τὸ ἀγόρασα ἀμέσως.
This ring caught my eye, so I bought it at once.

κάνω γλυκὰ μάτια σὲ κάποιον ἢ σὲ κάποια=I make eyes at, I make sheep's eyes at, I look at lovingly or flirtatiously.

Τῆς κάνει γλυκὰ μάτια ἀλλὰ αὐτὴ δὲν τὸν προσέχει.
He makes eyes at her but she does not pay attention to him.

κλείνω τὰ μάτια μου=I die.

Ὅταν θὰ κλείση τὰ μάτια του θὰ λυπηθοῦμε ὅλοι.
When he dies, we will all be sorry.

κυττάζω κάποιον μὲ στραβὸ μάτι=I give him a sour look, I look black at.

Μὲ κύτταξε μὲ στραβὸ μάτι καὶ πέρασε χωρὶς νὰ σταματήση.
He gave me a sour look and passed by without stopping.

μάτια πού δὲν φαίνονται γρήγορα λησμονιοῦνται=out of sight out of mind.

Ἔχω καιρὸ νὰ τὸν δῶ. Ξέρετε, μάτια πού δὲν φαίνονται γρήγορα λησμο-νιοῦνται.
I have not seen him for a long time. You know, out of sight out of mind.

μάτια μου!! = my dearest one, my darling.

Μόλις τὴν συνήντησε αὐτὴ ἀνεφώνησε: «Μάτια μου».
As soon as he met her she exclaimed: "My darling."

ρίχνω στάχτη στὰ μάτια=I pull the wool over someone's eyes.

Τὸ γράμμα τὸ ἔγραψε γιὰ νὰ ρίξη στάχτη στὰ μάτια της.
He wrote the letter in order to pull the wool over her eyes.

μαύρη, ἡ

ζῶ μαύρη ζωὴ=I lead a miserable life.

Ὁ πατέρας δὲν ἐργάζεται καὶ ἡ οἰκογένεια ζεῖ μαύρη ζωή.
The father does not work and the family leads a miserable life.

ἡ μαύρη ἀλήθεια=the unpleasant, sad truth.

Ἡ μαύρη ἀλήθεια εἶναι ὅτι εἶναι πολὺ πιὸ μεγάλη ἀπ' ὅ,τι λέγει.
The unpleasant truth is that she is much older than she says.

μαῦρος, ὁ

κάνω κάποιον μαῦρο στὸ ξύλο=I beat him black and blue, I beat the life out of him.

Εἶπε κάτι ἐναντίον τους καὶ αὐτοὶ τὸν ἔκαναν μαῦρο στὸ ξύλο.
He said something against them and they beat him black and blue.

μαῦρα, τὰ

τὰ βάφω μαῦρα=I am deeply disappointed, I am sad.

Ἀπέτυχε εἰς τὶς ἐξετάσεις καὶ τὰ ἔβαψε μαῦρα.
He failed in the examinations and was deeply disappointed.

τὰ βλέπω μαῦρα=I look at things pessimistically.

Μετὰ τὸ δυστύχημα τὰ βλέπει ὅλα μαῦρα.
Since the accident he has been looking at all things pessimistically.

μαχαίρι, τὸ

βάζω τὸ μαχαίρι στὸ λαιμὸ κάποιου=I make him do something, I force him.

Ὑπόσχομαι νὰ τὸ κάνω, ἀλλὰ μὴν μοῦ βάζης τὸ μαχαίρι στὸ λαιμό.
I promise to do it but don't force me to.

εἶμαι στὰ μαχαίρια μὲ κάποιον=I am at daggers drawn with, or we are at daggers drawn...

Δὲν νομίζω ὅτι ἡ ἑταιρεία ἔχει μέλλον. Οἱ συνέταιροι εἶναι στὰ μαχαίρια.
I don't think that the company has any future. The partners are at daggers drawn.

ἔφθασε τὸ μαχαίρι στὸ κόκκαλο=things cannot go any farther.

Ἔφθασε τὸ μαχαίρι στὸ κόκκαλο. Πρέπει νὰ ἀποφασίσῃς τὶ θὰ σπουδάσῃς.
Things cannot go any farther. You should decide what you are going to study.

μὲ

μὲ πέντε δραχμὲς=for five drachmas.

Μὲ πέντε δραχμὲς ἀγοράζεις μόνον μία ἐφημερίδα.
For five drachmas you can buy only a newspaper.

μὲ τὰ πόδια=on foot.

Πᾶμε μὲ τὰ πόδια. Δὲν εἶναι μακρυά.
Let's go on foot. It is not far away.

μὲ τὴ βία (διὰ τῆς βίας)=by force.

Τῆς πῆραν τὸ μωρό της διὰ τῆς βίας.
They took her baby away by force.

μὲ τὴν ὥρα=by the hour.
μὲ τὴν ἡμέρα=by the day.
μὲ τὸ μῆνα=by the month.

Ὁ διδάσκαλος πληρώνεται μὲ τὴν ὥρα.
The teacher is paid by the hour.

Ὁ ἐργάτης πληρώνεται μὲ τὴν ἡμέρα.
The workman is paid by the day.

Ὁ ὑπάλληλος πληρώνεται μὲ τὸν μῆνα.
The employee is paid by the month.

μὲ τὸ ἀεροπλάνο=by air, in an airplane.

Τὸ ἔστειλε μὲ τὸ ἀεροπλάνο.
He sent it by air.

μὲ τὸ κομμάτι=by the piece, piece rate.

Πληρώνεται μὲ τὸ κομμάτι.
He gets paid by the piece.

Πληρώνεται δέκα δραχμὲς τὸ κομμάτι.
He gets paid ten drachmas a piece.

μὲ τὸ λεωφορεῖο=by bus, on a bus.

Μπορεῖς νὰ πᾶς ἐκεῖ μὲ τὸ λεωφορεῖο.
You can go there by bus.

μὲ τὸ χέρι=by hand.

Νὰ εἶναι γραμμένο μὲ τὸ χέρι ὄχι μὲ τὴ γραφομηχανή.
It should be written by hand, not typed.

μὲ τὸν καιρὸ=in the process of time, in the course of time.

Μὲ τὸν καιρὸ ἔγινε ἐντελῶς καλά.
In the process of time he became quite well.

μεγάλο, τὸ

τὸ μεγάλο ψάρι τρώει τὸ μικρὸ=the survival of the fittest, the fittest survive.

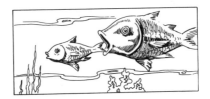

Βεβαίως εἶναι ἀληθὲς ὅτι τὸ μεγάλο ψάρι τρώγει τὸ μικρό.
Certainly it is true that the fittest survive.

μέγας, ὁ (ἢ ὁ μεγάλος)

Μέγας εἶσαι Κύριε=Good God! Great God! Good Lord!

Μέγας εἶσαι Κύριε. Μὴν λὲς τέτοια πράγματα.
Good Lord! Don't say such things.

μελάνι, τὸ

γραμμένο μὲ μελάνι=in ink.

Τὸ ἔγραψα μὲ μελάνι.
I wrote it in ink.

μελέτη, ἡ

ἡ κατ' οἶκον μελέτη=homework.

Ἡ κατ' οἶκον μελέτη σας εἶναι νὰ γράψετε αὐτὰς ἐδῶ τὰς δύο προτάσεις.
Your homework is to write these two exercises.

μελετῶ

μελετῶ τὰ μαθήματά μου=I do my homework.

Ὁ δάσκαλος μᾶς ὑποχρεώνει νὰ μελετοῦμε τὰ μαθήματά μας κάθε μέρα.
The teacher makes us do our homework every day.

μέλει

βεβαίως μέ μέλει καὶ μὲ σφάζει=of course I care, it is of great importance to me.

Βεβαίως, τὸ μέλλον της, μὲ μέλει καὶ μὲ σφάζει.
Certainly, her future is of great importance to me.

δὲν μὲ μέλει=I don't care.

Δὲν μὲ μέλει, δὲν θὰ πάω.
I don't care, I will not go.

λίγο μὲ μέλει=I care little for.

Λίγο μὲ μέλει τί θὰ πῆ ὁ κόσμος.
I care little for what the people will say.

μὴ σὲ μέλει=do not trouble, never mind, mind your own business.

Μὴν σὲ μέλει. Θὰ τὸ φροντίσω ἐγώ.
Do not trouble. I will take care of that.

πῶς δὲ μὲ μέλει;=certainly I care.

Πῶς δὲ μὲ μέλει; Εἶναι γιός μου.
Certainly I care. He is my son.

τί σὲ μέλει;=what is that to you?

Τί σὲ μέλει; Δὲν εἶναι δικό σου παιδί.
What is that to you? It is not your child.

μέλι, τὸ

μέλι-γάλα=on good, peaceful terms, they don't disagree or fight any more.

Ἐφέτος εἶναι μέλι-γάλα. Δὲν τσακώνονται.
This year they are on peaceful terms. They do not quarrel.

μὴν τοῦ μέλιτος=honeymoon.

Θὰ περάσουν τὸ μῆνα (τους) τοῦ μέλιτος στὴν Κέρκυρα.
They will spend their honeymoon in Corfu.

μέλλω

τί μέλλει γενέσθαι;=what is to be done?

Κανεὶς δὲν ξέρει τί μέλλει γενέσθαι.
Nobody knows what is to be done.

μένω

μένω στὴν ὁδό...=I live on... street.

Μένουν στὴν ὁδὸ Πατησίων.
They live on Patission Street.

μένω στὴν ὁδό... ἀριθμός...
I live at... number + name of the street.

Μένουν Πατησίων 42.
They live at 42, Patission Street.

N.B. In English we put the number and then the street. In Greek we do the opposite. We put the street first and then the number.

μέρος, τὸ

εἶναι στὸ μέρος=he is in the water-closet, in the toilet.

Δὲν μπορεῖ νὰ ἔλθη στὸ τηλέφωνο, εἶναι στὸ μέρος.
He cannot come to the phone. He is in the toilet.

ἐκ μέρους κάποιου=on one's behalf.

Ἔρχομαι ἐκ μέρους τοῦ κυρίου Σμίθ.
I am coming on Mr. Smith's behalf.

ἐν μέρει=partly, in a measure.

Αὐτὸ τὸ ὁποῖον λέτε εἶναι ἐν μέρει ἀληθές.
What you say is partly true.

κατὰ μέρος=apart, aside.

Ἄφησε τὸ βιβλίο κατὰ μέρος καὶ πρόσεχέ με.
Put the book aside and pay attention to me.

λαμβάνω μέρος=I take part in.

Ποτὲ δὲν λαμβάνει μέρος σὲ ὅ,τι κάνομε.
He never takes part in whatever we do.

λαμβάνω τὸ μέρος κάποιου=I side with him.

Ἡ μητέρα του λαμβάνει πάντοτε τὸ μέρος του.
His mother always sides with him.

μέσα

περάστε μέσα=come in, please.

Μὴν στέκεσθε ἔξω, περάστε μέσα παρακαλῶ.
Don't stay out there, come in please.

τὸν βάλανε μέσα=they locked him up.

Μὴν τὸ κάνης αὐτό. Θὰ σὲ βάλουν μέσα.
Do not do this. They will lock you up.

μεσάνυκτα, τὰ

τὰ μεσάνυκτα=at midnight.

Ὁ κινηματογράφος τελειώνει τὰ μεσάνυκτα.
The cinema finishes at midnight.

μέση, ἡ

βγάζω κάποιον ἀπὸ τὴ μέση=I do away with him, I put him out of the way.

Δὲν εἶναι εὔκολο νὰ τὸν βγάλης ἀπὸ τὴ μέση.
It is not an easy thing to do away with him.

μὲς στὴ μέση=right in the middle.

Μὴν ἀφήνης τὴν καρέκλα μὲς στὴ μέση τοῦ δωματίου.
Don't leave the chair right in the middle of the room.

μπαίνω στὴ μέση=I intercede.

Μπῆκα στὴ μέση γιὰ νὰ σταματήσουν τὸν καυγᾶ.
I interceded so that they would stop quarrelling.

μεσημβρία, ἡ

μετὰ μεσημβρίαν (μ.μ.)=p.m. (post meridiem).

πρὸ μεσημβρίας (π.μ.)=a.m. (ante meridiem).

μεσημέρι, τὸ

τὸ μεσημέρι=at noon.

Σταματοῦμε τὴν ἐργασία μας τὸ μεσημέρι.
We stop our work at noon.

μέσον, τὸ

ἔχει τὰ μέσα=a) he can pull wires, he can pull strings, b) he has the means, he can afford...

Ἐπῆρε τὴ θέσι γιατὶ ὁ πατέρας του ἔβαλε τὰ μέσα.
He got the post because his father pulled strings.

στὰ μέσα καὶ στὰ ἔξω=a «persona grata», a well accepted person that exercises power and influence, a friend in court.

Ὁ κύριος Σμὶθ εἶναι στὰ μέσα καὶ στὰ ἔξω στὸ ὑπουργεῖο.
Mr. Smith is a persona grata at the Ministry.

μέσῳ

μέσῳ=by way of, via.

Ταξιδεύσαμε ἀπὸ τὴν Ἀθήνα στὸ Λονδίνο μέσῳ Ἰταλίας καὶ Γαλλίας.
We travelled from Athens to London by way of Italy and France.

μετά

μετὰ θάνατον=after death, posthumously, post-mortem.

Ἐτιμήθη ὑπὸ τῆς πολιτείας μετὰ θάνατον.
He was honored by the state posthumously.

μετ᾽ ὀλίγον=after a while.

Μετ᾽ ὀλίγον ἐνεφανίσθη ὁ ἀδελφός του.
After a while his brother appeared.

μετὰ προσοχῆς=with care.

Κράτησέ το μετὰ προσοχῆς.
Handle it with care.

μετὰ ταῦτα=after that, here after.

Μετὰ ταῦτα μετέβημεν εἰς τὴν ἐκκλησίαν.
After that we went to the church.

μετὰ χαρᾶς=with pleasure.

Θὰ τὸ γράψω μετὰ χαρᾶς.
I will write it with pleasure.

μετὰ Χριστὸν (μ. Χ.)=A.D. (Anno Domini).

μεταξὺ

ἐν τῷ μεταξὺ=in the meantime, meanwhile.

Σὺ πήγαινε νὰ πάρῃς ψωμί, ἐγὼ ἐν τῷ μεταξὺ θὰ τηλεφωνήσω.
You go to buy bread. In the meantime I will make a telephone call.

μεταξὺ ζωῆς καὶ θανάτου=between life and death.

Ὅταν τὸν ἐπῆγαν εἰς τὸ νοσοκομεῖον ἦτο μεταξὺ ζωῆς καὶ θανάτου.
When they drove him to the hospital he was between life and death.

μεταξύ μας (δύο)=between you and me.

μεταξύ μας (πολλοὶ)=among us.

Μεταξύ μας, δὲν τὸν πιστεύω.
Between you and me, I don't believe him.

Μεταξύ μας ὑπάρχει ἕνας κλέφτης.
There is a thief among us.

μεταξὺ σφύρας καὶ ἄκμονος=between the devil and the deep blue sea.

Εἶμαι σὲ πολὺ δύσκολη θέσι, εἶμαι μεταξὺ σφύρας καὶ ἄκμονος.
I am in a very difficult situation, I am between the devil and the deep blue sea.

μετρημένα, τὰ

μετρημένα εἶναι τὰ ψωμιά του=he is about to die, his days are numbered.

Εἶναι μετρημένα τὰ ψωμιά του. Εἶναι βαρειὰ ἄρρωστος.
His days are numbered. He is seriously ill.

μέτρον, τὸ

ἔν τινι μέτρῳ=to some extent, in some way.

Ἔν τινι μέτρῳ ἔχετε δίκαιον.
To some extent you are right.

λαμβάνω τὰ μέτρα μου=I take the necessary precautions, I take the necessary steps.

Λάβετε τὰ μέτρα σας προτοῦ εἶναι πολὺ ἀργά.
Take the necessary precautions before it is too late.

μὲ τὸ μέτρο=by the meter.

Τὰ πουλᾶμε μὲ τὸ μέτρο.
We sell them by the meter.

ὁ ράπτης παίρνει τὰ μέτρα κάποιου=he takes his measurements.

Ὁ ράπτης μου παίρνει τὰ μέτρα μου πάντοτε μὲ προσοχή.
My tailor always takes my measurements carefully.

«πᾶν μέτρον ἄριστον»=moderation in all things.

Χρησιμοποιεῖ συχνὰ τὸ ρητόν: «πᾶν μέτρον ἄριστον».
He usually uses the motto: «moderation in all things».

στὰ μέτρα μου=made to measure.

Τὰ νέα μου παπούτσια τὰ ἔκανα στὰ μέτρα μου.
My new shoes are made to measure.

μέχρι

μέχρι (χρόνος)=till.

Εἴμεθα ἀνοικτοὶ ἀπὸ τὶς 8 ἕως (μέχρι) τὶς 12.
We are open from 8 till 12.

μέχρι (τόπος)=as far as.

Ἐπῆγε μέχρι τὴν ἐκκλησία.
He went as far as the church.

μέχρις ἐδῶ=as far as here.

Μποροῦμε νὰ πᾶμε μὲ τὰ πόδια μόνο μέχρις ἐδῶ.
We can go on foot only as far as here.

μέχρις ἑνός=to the last (man).

Ἐπολέμησαν καὶ ἐφονεύθησαν μέχρις ἑνός.
They fought and were killed to the last man.

μέχρι θανάτου=to the death.

Ἐπολέμησαν μέχρι θανάτου.
They fought to the death.

μέχρι τέλους=to the end.

Ἐμείναμε ἐκεῖ μέχρι τέλους.
We stayed there to the end.

μέχρι τοῦδε=so far, until now.

Μέχρι τοῦδε δὲν ἐπῆρα νέα του.
So far I have not received news from him.

μέχρι τώρα=so far.

Μέχρι τώρα ὑπῆρξε τυχερός.
So far, he has been lucky.

μὴ

μὴ=don't.

Μὴν τὸ κάνης. Δὲν ἐπιτρέπεται.
Don't do that. It is not allowed.

μὴ γένοιτο=God forbid!
μὴ θορυβῆτε=don't make a noise, be quiet.

Ὁ δάσκαλος εἶπε: «μὴ θορυβῆτε».
The teacher said: «be quiet».

μὴ μου ἄπτου=touch me not, very delicate.ʹ

Ἡ Μαρία εἶναι μὴ μου ἄπτου.
Mary is very delicate.

μὴ στενοχωρῆσαι=don't worry.

Μὴν στενοχωρῆσαι, θὰ γυρίσω ἀμέσως.
Don't worry. I will come back at once.

πρὸς θεοῦ, μὴ=for God's sake, don't do that.

Πρὸς Θεοῦ, μή. Δὲν εἶναι σωστό.
For God's sake. Don't do that. It is not right.

μηδέν, τὸ

ἐκ τοῦ μηδενὸς=out of nothing.

Ἔκανε μεγάλη περιουσία ἐκ τοῦ μηδενός.
He made a fortune out of nothing.

μηδὲν ἄγαν=moderation in all things.

«Μηδὲν ἄγαν» εἶναι ἡ πλέον καλὴ τακτική.
Moderation in all things is the best policy.

μῆνας, ὁ

ἀπὸ μῆνα σὲ μῆνα=from month to month.

Μπορεῖ νὰ δῆς τὴν διαφορὰ ἀπὸ μῆνα σὲ μῆνα.
You may see the difference from month to month.

ὁ μῆνας τοῦ μέλιτος=honeymoon.

Περάσανε τὸν μῆνα τοῦ μέλιτος στὴν Κέρκυρα.
They spent their honeymoon in Corfu.

ὁ **περασμένος μῆνας**=last month.

Τὴν συνήντησα τὸν περασμένο μῆνα.
I met her last month.

ὁ **προπερασμένος μῆνας**=the month before last.

Δὲν ἦταν ὁ προπερασμένος μῆνας ὁ πιὸ ζεστὸς μῆνας τοῦ ἔτους;
Wasn't the month before last the hottest month of the year?

μηχανή, ἡ

ὁ **ἀπὸ μηχανῆς Θεὸς**=Deus ex Machina.

μία

μία γιὰ πάντα (ἢ μιά...)=once and for all, definitively.

Ἀπηλλάγην ἀπ' αὐτὸν μιὰ γιὰ πάντα.
I got rid of him once and for all.

μία καὶ καλὴ=once and for all.

Τοῦ εἶπα ὅ,τι νόμιζα μιὰ καὶ καλή.
I told him what I thought once and for all.

μιὰ φορὰ κι' ἕνα καιρὸ=once upon a time.

Μιὰ φορὰ κι' ἕνα καιρὸ ζοῦσε μιὰ φτωχὴ οἰκογένεια.
Once upon a time there lived a poor family.

μικτό, τὸ

μικτὸ βάρος=gross weight.

Τὸ μικτὸ βάρος του εἶναι 835 κιλά.
Its gross weight is 835 kilos.

μικτὸ σχολεῖο=mixed school, co-op school.

Ὅλα τὰ σχολεῖα εἶναι μικτὰ εἰς τὴν Ἑλλάδα.
In Greece all schools are mixed.

μισά, τὰ

μισὰ-μισὰ=fifty-fifty, half and half.

Βάλανε τὰ λεπτὰ μισὰ-μισά.
They put the money fifty-fifty.

στὰ μισὰ τοῦ δρόμου=mid-way, half-way.

Τὸ σκέφθηκα στὰ μισὰ τοῦ δρόμου πρὸς τὸ σπίτι μου.
I thought of it when I was half-way to my home.

μισή, ἡ

στὴ μισὴ τιμὴ=at half price.

Τὸ ἀγόρασα στὴ μισὴ τιμή.
I bought it at half price.

μνήμη, ἡ

αἰωνία του ἡ μνήμη=may his memory be eternal.

Ἦταν καλὸς ἄνθρωπος, αἰωνία του ἡ μνήμη.
He was a good man. May his memory be eternal.

ἂν δὲν μὲ ἀπατᾶ ἡ μνήμη μου=to the best of my recollection, if my memory does not fail me.

Ἂν δὲν μὲ ἀπατᾶ ἡ μνήμη μου σᾶς ἔχω δεῖ κάπου.
If my memory does not fail me, I have seen you before.

ἀπὸ μνήμης=from memory.

Δὲν μπορῶ νὰ πῶ τὸν ἀριθμὸ ἀπὸ μνήμης.
I cannot tell the number from memory.

εἰς μνήμην=in memory of.

Ἐπλήρωσε ἕνα ποσὸ χρημάτων εἰς μνήμην τοῦ πατέρα του.
He paid a sum of money in memory of his father.

μόδα, ἡ

ὄχι τῆς μόδας πλέον (δὲν εἶναι τῆς μόδας πλέον)=it is out of date.

Δὲν εἶναι πλέον τῆς μόδας νὰ φορῇ κανεὶς τέτοιο καπέλλο.
It is out of date to wear such a hat.

Αὐτὸ τὸ φόρεμα δὲν εἶναι τῆς μόδας πλέον.
This dress is out of date.

μοῖρα, ἡ

δὲν ἔχει μοῖρα=he is unfortunate.

Ἂν καὶ εἶναι ἔξυπνος δὲν ἔχει μοῖρα.
Though he is clever, he is unfortunate.

δὲν ἔχει μοῖρα στὸν ἥλιο=he has no place in the sun, he is very unfortunate.

Αὐτὸς ὁ ἄνθρωπος δὲν ἔχει μοῖρα στὸν ἥλιο.
This man has no place in the sun.

δὲν ξέρει τὰ δυὸ κακὰ τῆς μοίρας του=he is totally ignorant, he does not know anything at all.

Λέγει ὅτι τελείωσε τὸ γυμνάσιο, ἀλλὰ δὲν ξέρει τὰ δυὸ κακὰ τῆς μοίρας του.
He says that he has finished high school, but he is totally ignorant.

εἰς ἴσην μοῖραν=on the same level.

Δὲν τοὺς βάζω εἰς ἴσην μοῖραν.
I do not put them on the same level.

μοιράζω

μοιράζω τὴν διαφορὰ=I split the difference.

῍Ας μοιραστοῦμε τὴν διαφορὰ γιὰ νὰ τὸ ἀγοράσω.
Let's split the difference so that I can buy it.

μοιράζω (χαρτιὰ)=I deal (cards).

Αὐτὴ τὴ φορὰ μοιράζει ἡ Μαρία χαρτιά.
This time Mary is dealing the cards.

μόλις

μόλις (εὐθὺς ὡς)=as soon as.

Μόλις φθάσω θὰ συ̃ τηλεφωνήσω.
As soon as I arrive I will call you.

μόλις (μετὰ δυσκολίας)=hardly.

Εἶναι τόσο σκοτεινὰ ποὺ μόλις βλέπω.
It is so dark, that I can hardly see.

μόλις (δὲν πρόλαβα καλὰ-καλὰ νά... καὶ)=no sooner had I... than...

Μόλις ἀνέφερα τὸ ὄνομά του (Δὲν πρόλαβα καλὰ-καλὰ νὰ ἀναφέρω τὸ ὄνομά του) καὶ ἐμφανίσθηκε.
No sooner had I mentioned his name than he appeared.

μόλις ἔφθασε=he has just arrived.

Ἐδῶ εἶναι, μόλις ἔφθασε. Θέλετε νὰ τοῦ μιλήσετε;
He is here. He has just arrived. Do you want to speak to him?

μόλις ἔφυγε=he has just left.

Δὲν εἶναι ἐδῶ. Μόλις ἔφυγε.
He is not here. He has just left.

μόλις καὶ μετὰ βίας=with great difficulty.

Μόλις καὶ μετὰ βίας βρῆκα ἕνα εἰσιτήριον.
I found a ticket with great difficulty.

μόλις τώρα (ἢ τώρα μόλις)=just now.

Μόλις τώρα φεύγει.
He is just leaving.

μολύβι, τὸ

γραμμένο μὲ μολύβι=in pencil.

Ἔγραψα τὸ γράμμα μὲ μολύβι.
I wrote the letter in pencil.

μόνον

μόνον καὶ μόνον=just to, only.

Ἐπῆγε στὴν Ἀθήνα μόνο καὶ μόνον γιὰ νὰ μάθη Ἑλληνικά.
He went to Athens just to learn Greek.

Ἐξαρτᾶται μόνον ἀπὸ σᾶς.
It depends only on you.

μουλάρι, τὸ

πεισματάρης σὰν μουλάρι=as stubborn as a mule.

Εἶναι πράγματι πεισματάρης σὰν μουλάρι.
He is really as stubborn as a mule.

μούσκεμα

γίνομαι μούσκεμα=I am wet (drenched) to the skin.

Ξέχασα τὴν ὀμπρέλλα μου καὶ ἔγινα μούσκεμα.
I had forgotten my umbrella and I got wet to the skin.

τἄκανε μούσκεμα (τὰ ἔκανε...)=he made a mess of things.

Λέγοντας αὐτὸ τὰ ἔκανε μούσκεμα.
By saying that he made a mess of things.

μοῦτρο, τὸ

δὲν ἔχω μοῦτρα νὰ δῶ κάποιον=I am ashamed to meet him, I do not dare see him.

Μετὰ ἀπὸ αὐτὸ ποὺ ἔκανε δὲν ἔχει μοῦτρα νὰ μὲ δῆ.
After what he has done he is ashamed to meet me.

κάνω μοῦτρα σὲ κάποιον=I look black at him, I pull a long face.

Μοῦ κάνει μοῦτρα δύο μέρες τώρα.
He has been looking black at me for two days now.

πέφτω μὲ τὰ μοῦτρα στὴ δουλειὰ=I fall to work.

Ἔπεσε μὲ τὰ μοῦτρα στὴ δουλειά γιὰ νὰ ξεχάση τὸν πόνο του.
He fell to work in order to forget his sorrow.

μπαίνω

μπαίνω μέσα=I go into.

Μπῆκε (μέσα) στὴν τράπεζα νὰ ἀλλάξη χρήματα.
He went into the bank in order to change money.

μπαίνω στὴ μύτη κάποιου=I irritate him intentionally.

Μὴν μοῦ μπαίνης στὴ μύτη. Θὰ σὲ κτυπήσω.
Don't irritate me. I will beat you.

μπαϊράκι, τὸ

σηκώνω μπαϊράκι=I rebel, I revolt.

Ἡ μικρὴ ὑπηρέτρια σήκωσε μπαϊράκι.
The little maid rebelled.

μπαλώνω

μπαλώνω (παπούτσια)=I repair, I mend shoes.

μπαλώνω (κάλτσες), (μαντάρω...)=I darn socks.

Τὶς κάλτσες θὰ τὶς μαντάρη μόνη της.
She will darn the socks by herself.

Τὰ παπούτσια θὰ τὰ μπαλώση ὁ παπουτσῆς.
The shoes will be mended by the shoe-maker.

μπάνιο, τὸ

κάνω μπάνιο (στὴ θάλασσα)=I go swimming, I bathe.

κάνω μπάνιο (στὸ σπίτι)=I take a bath, I take a shower.

Δὲν ἔχω τὶ νὰ κάνω τὸ ἀπόγευμα· πᾶμε γιὰ μπάνιο;
I haven't got anything to do in the afternoon; shall we go swimming?

Τοὺς εἶδα ποὺ κάνανε τὸ μπάνιο τους στὴ θάλασσα.
I saw them bathing.

Μοῦ ἀρέσει τὸ λουτρὸ (στὴν μπανιέρα) πιὸ πολὺ ἀπ' ὅ,τι ἕνα γρήγορο ντούς.
I like taking a bath better than a quick shower.

μπαστούνι, τὸ (τὰ μπαστούνια)

τὰ βρίσκω μπαστούνια=I find something very difficult, I run up against difficulties.

Ἔδωσε ἐξετάσεις καὶ ἀπέτυχε. Τὰ βρῆκε μπαστούνια.
He took the examinations and failed, he found it very difficult.

μπελᾶς, ὁ

βρίσκω τὸ μπελᾶ μου=I get into trouble.

Ἐὰν τὸ κάνης αὐτὸ θὰ βρῆς τὸ μπελά σου.
If you do it, you will get into trouble.

μπορεῖ

μπορεῖ=perhaps, may, it is possible.

Μπορεῖ νὰ πάω.
I may go.

Μπορεῖ νὰ τὸ ξέχασε.
Perhaps he has forgotten it.

Μπορεῖ νὰ ἔλθη καὶ αὐτή;
May she come too?

μπορῶ

μπορεῖς νὰ μοῦ πῆς;=can you tell me?

Μπορεῖς νὰ μοῦ πῆς ποῦ εἶναι αὐτὸς ὁ δρόμος;
Can you tell me where this street is?

Δὲν μπορῶ νὰ σοῦ πῶ διότι δὲν ξέρω.
I cannot tell you because I do not know.

μπορῶ νὰ τὸ κάνω ἀμέσως=I can do it at once.

Δὲν μπορῶ νὰ πάω ἀπόψε.
I cannot go to-night.

Μπορεῖ νὰ διαβάζη Ἑλληνικά;
Can he read Greek?

μποτίλια, ἡ (ἢ μπουκάλα)

ἀνοίγω μποτίλια=I uncork a bottle.

Ἄνοιξε τὴν μποτίλια τῆς σαμπάνιας πολὺ προσεκτικά.
He uncorked the champagne bottle very carefully.

μπούσουλας, ὁ

χάνω τὸ μπούσουλα=I don't know what to do next, I lose my wits, I get confused.

Σὲ τέτοιες περιστάσεις χάνει κανεὶς τὸ μπούσουλα.
In such circumstances one loses one's wits.

μπρὸς ἢ μπροστὰ (ἰδὲ ἐμπρὸς)

μυαλό, τὸ (τὰ μυαλὰ)

δὲν μοῦ πέρασε ἀπὸ τὸ μυαλὸ=it did not occur to me.

μοῦ πέρασε ἀπὸ τὸ μυαλὸ=it flashed through my mind.

Δὲν τὸ ἔκανα γιατὶ δὲν μοῦ πέρασε ἀπὸ τὸ μυαλό.
I did not do it because it did not occur to me.

Ξαφνικὰ μοῦ πέρασε ἀπὸ τὸ μυαλὸ ἡ σκέψι νὰ τοῦ γράψω ἕνα γράμμα.
All of a sudden the thought of writing a letter to him flashed through my mind.

ἔχει θηλυκὸ μυαλὸ=he is very clever, he is ingenious.

Θὰ πάη μπροστὰ εἰς τὴ ζωή. Ἔχει θηλυκὸ μυαλό.
He will go far in life. He is ingenious.

ἦταν νὰ σοῦ φύγη τὸ μυαλὸ=you were nearly driven crazy.

Καυγάδιζαν τόση ὥρα ποὺ ἦταν νὰ σοῦ φύγη τὸ μυαλό.
They quarrelled for such a long time that you were nearly driven crazy.

πῆγε νὰ μοῦ φύγη τὸ μυαλὸ=it was enough to drive me wild.

Ὁ πόνος ἦταν τόσο δυνατὸς ὥστε πῆγε νὰ μοῦ φύγη τὸ μυαλό.
The pain was so strong that it was enough to drive me wild.

πῆραν τὰ μυαλά της ἀέρα=she got a swelled head.

Τῆς εἶπαν ὅτι εἶναι ὡραία καὶ πῆραν τὰ μυαλά της ἀέρα.
She was told that she is beautiful and she got a swelled head.

χάνω τὸ μυαλό μου=I lose my wits, I lose my head.

Ὁ θάνατος τοῦ γιοῦ της τὴν ἔκανε νὰ χάση τὸ μυαλό της.
The death of her son made her lose her head.

μυστικό, τὸ

κρατάω ἕνα μυστικὸ=I keep a secret.

Μπορεῖτε νὰ κρατήσετε ἕνα μυστικό;
Βεβαίως μπορῶ.
Τὸ ἴδιο καὶ ἐγώ.

Can you keep a secret?
Certainly I can!
So can I.

μύτη, ἡ

ἄνοιξε ἡ μύτη της=her nose is bleeding.

Ἔπεσε κάτω καὶ ἄνοιξε ἡ μύτη της.
She fell down and her nose is bleeding.

μοῦ τὸ ἔβγαλε (ξυνὸ) ἀπὸ τὴ μύτη=I paid through the nose.

Μὲ ἄφησε νὰ τὸ πάρω ἀλλὰ τελικὰ μοῦ τὸ ἔβγαλε (ξυνὸ), ἀπὸ τὴ μύτη.
He let me take it but finally I paid through the nose.

τὸν σέρνει ἀπὸ τὴν μύτη=she leads him by the nose.

Ἡ γυναίκα του τὸν σέρνει ἀπὸ τὴν μύτη.
His wife leads him by the nose.

τρέχει ἡ μύτη μου=my nose bleeds.

Τρέχει ἡ μύτη της, δὲν εἶναι τίποτε τὸ σοβαρό.
Her nose bleeds, it is nothing serious.

ψήλωσε ἡ μύτη της=she gave herself airs.

Ἀπὸ τότε ποὺ παντρεύτηκε ψήλωσε ἡ μύτη της.
Since she has been married she has given herself airs.

χώνω τὴ μύτη μου=I poke my nose into, I am very curious.

Εἶναι περίεργη, χώνει τὴ μύτη της παντοῦ.
She is curious, she pokes her nose into everything.

χωρὶς νὰ ματώση μύτη=without bloodshed.

Ἡ ἀλλαγὴ ἔγινε χωρὶς νὰ ματώση μύτη.
The change took place without bloodshed.

-N-

νὰ

νὰ=here is.
νὰ τὸ βιβλίο σας=here is your book.

νά το=here it is.
νά σας=here you are.

νὰ=in order to, to.

Θέλω νὰ μάθω Ἑλληνικά.
I want to learn Greek.

Ἔλα νὰ μᾶς δῆς.
Come to see us.

Ἔλα νὰ τὸ πάρῃς.
Come and get it.

νέα, τὰ

τὶ νέα;=what's the news?

Ἡσυχία· ὅλα καλά.
No news is good news.

νερό, τὸ

βάζω νερὸ στὸ κρασί μου=I ask for less, I moderate my demands.

Ἔβαλε νερὸ στὸ κρασί του καὶ παντρεύτηκε μία ποὺ εἶχε λιγώτερη προῖκα.
He moderated his demands and married someone who had less dowry.

βάζω τὸ νερὸ στ' αὐλάκι=I manage things well, I get the matter in hand.

Μόλις ἔβαλε τὸ νερὸ στ' αὐλάκι παντρεύτηκε.
As soon as he had the matter in hand he got married.

κάνω μία τρύπα στὸ νερὸ=I beat the air, I dig a well in the river.

Τὶ πετύχαμε; Τίποτε. Ἐκάναμε μία τρύπα στὸ νερό.
What have we succeeded in?
Nothing. We have dug a well in the river.

ναύτης τοῦ γλυκοῦ νεροῦ=a fresh water sailor.

Ὁμιλεῖ περὶ γεγονότων εἰς τὴν θάλασσα κατὰ τὴν διάρκεια τοῦ πολέμου. Στὴν πραγματικότητα ὅμως εἶναι ναύτης τοῦ γλυκοῦ νεροῦ.
He talks about events in the sea during the war, but in reality he is a fresh water sailor.

ξέρω τὸ μάθημα νεράκι, (τὸ παίζω στὰ δάκτυλα)=I have it at my finger tips.

Ξέρω τὸ Ἑλληνικό μου μάθημα νεράκι.
I have my Greek lesson at my finger tips.

τὸ αἷμα νερὸ δὲν γίνεται=blood is thicker than water.

Εἶναι ἀδέλφια. Δὲν μπορεῖ νὰ στραφῇ ὁ ἕνας ἐναντίον τοῦ ἄλλου. Τὸ αἷμα νερὸ δὲν γίνεται.
They are brothers. One cannot turn against the other. Blood is thicker than water

χάνω τὰ νερά μου=I am at a loss.

Εἰς τὸ νέο σχολεῖο ἔχασε τὰ νερά της.
She is at a loss in the new school.

ψαρεύω σὲ θολὰ νερὰ=I fish in troubled waters.

Αὐτὸς πάντα ψαρεύει σὲ θολὰ νερά.
He always fishes in troubled waters.

νεῦμα, τὸ

κάνω νεῦμα σὲ κάποιον (μὲ τὸ κεφάλι)=I nod to.
κάνω νεῦμα σὲ κάποιον (μὲ τὸ χέρι)=I beckon to, I wave at.
κάνω νεῦμα σὲ κάποιον (πρὸς χαιρετισμόν)=I wave to.

Τοῦ ἔκανα νεῦμα χωρὶς νὰ πῶ τίποτε.
I nodded to him without saying anything.

Μόνον τοῦ ἔκανα νεῦμα μὲ τὸ χέρι.
I only beckoned to him.

Τὸν χαιρέτισα (τοῦ ἔκανα νεῦμα), ἀπὸ μακρυά.
I waved to him from a distance.

νεῦρα, τὰ

κράτα τὰ νεῦρα σου=keep cool.

Δὲν μπορεῖ νὰ κρατήσῃ τὰ νεῦρα του, εἶναι πάντοτε θυμωμένος.
He cannot keep cool. He is always angry.

μοῦ δίνει στὰ νεῦρα=he gets on my nerves.

Μιλάει τόσο πολὺ ποὺ μοῦ δίνει στὰ νεῦρα.
She talks so much that she gets on my nerves.

νίπτω

νίπτω τὰς χεῖρας μου=I wash my hands of.

Δὲν θέλω νὰ εἶμαι ὑπεύθυνος, νίπτω τὰς χεῖρας μου.
I don't want to be responsible, I wash my hands of.

νόημα, τὸ

κενὸς νοήματος=empty of meaning.

Τὸ νέο ποίημά του εἶναι πράγματι κενὸ νοήματος.
His new poem is really empty of meaning.

νοιάζω

δὲν μὲ νοιάζει=I don't care.

Δὲν μὲ νοιάζει τί λέει ὁ κόσμος γιὰ μένα.
I don't care what people are saying about me.

μὴ σὲ νοιάζει=don't bother, don't trouble with it.

Μὴ σὲ νοιάζει. Θὰ τὸ φροντίσω ἐγώ.
Don't bother. I will take care of it.

τὶ σὲ νοιάζει;=what does it matter to you?

Τὶ σὲ νοιάζει τὶ ἄλλοι ἄνθρωποι κάνουν ἢ λένε;
What does it matter to you what other people do or say?

νοιώθω

δὲν νοιώθει ἀπὸ=he has no idea of, he has no notion about, he has no knowledge of, he has no experience of.

Δὲν νοιώθει ἀπὸ μαθηματικά.
He has no idea of mathematics.

νόμισμα, τὸ

πληρώνω κάποιον μὲ τὸ ἴδιο νόμισμα=I repay someone in his own coin, I return evil for evil, I give tit for tat, I serve someone with the same sauce. **(Πρβλ. κακὸν ἀντὶ κακοῦ**=the same meaning).

(Πρβλ. ὀδόντα ἀντὶ ὀδόντος=the same meaning).

Πληρώθηκε μὲ τὸ ἴδιο νόμισμα.
He was repaid in his own coin.

νόμος, ὁ

κατὰ τὸν νόμον=according to law.

Κατὰ τὸν νόμον δὲν πρέπει νὰ πληρώσετε τίποτε.
According to law you should not pay anything.

παρὰ τὸν νόμον (παράνομα)=against the law, illegal.

Ὅ,τι κάνετε εἶναι παρὰ τὸν νόμον.
What you are doing is against the law.

παραβιάζω τοὺς νόμους=I break the law.

Εἶναι πενήντα ἐτῶν καὶ οὐδέποτε παρεβίασε τοὺς νόμους.
He is fifty years old and has never broken the law.

νοῦς, ὁ

ἄβουλος ὁ νοῦς διπλὸς ὁ κόπος=if I do not think of something in time, I will have to do it twice.

βγάλτο ἀπὸ τὸ νοῦ σου=forget about it, don't think about it.

Βγάλτο α. ε τὸ νοῦ σου. Δὲν πρόκειται νὰ σοῦ δώσω περισσότερα χρήματα.
Forget about it. I am not going to give you more money.

ἐπῆρε ὁ νοῦς του ἀέρα=he got a swelled head, he became conceited, he thinks too much of himself.

Ἀπέκτησε χρήματα καὶ ἐπῆρε ὁ νοῦς του ἀέρα.
He acquired money and became conceited.

ἔχε τὸ νοῦ σου (σὲ κάτι)=mind the..., keep your eyes open.

Ἔχε τὸ νοῦ σου στὸ μωρὸ ἐνῶ θὰ λείπω.
Mind the baby while I am gone.

κόβει ὁ νοῦς του=he is very clever, he thinks in a quick way, his perception is high.

Θὰ πετύχη στὴ ζωή. Κόβει ὁ νοῦς του.
He will succeed in life. He is very clever.

κοινὸς νοῦς=common sense.

Ὁ κοινὸς νοῦς ἐπέβαλε μίαν τοιαύτην λύσιν.
Common sense imposed such a solution.

κρατῶ στὸ νοῦ μου (δὲν ξεχνῶ)=I keep in mind.

Τοῦ εἶπα νὰ κρατᾶ εἰς τὸ νοῦ του ὅτι κάθε Δευτέρα θὰ ἔρχεται μία ὥρα ἐνωρίτερα.
I told him to keep in mind that every Monday he must come an hour earlier.

τὸ νοῦ σου=mind! be careful!

Τὸ νοῦ σου. Ἕνα αὐτοκίνητο ἔρχεται.
Be careful! A car is coming!

ντόπιος, ὁ

σὰν ντόπιος=like a native.

Ὁ κύριος Σμὶθ ὁμιλεῖ Ἑλληνικὰ σὰν ντόπιος Ἕλληνας.
Mr. Smith speaks Greek like a native Greek.

Ὁμιλεῖ Ἀγγλικὰ σὰν ντόπιος Ἄγγλος.
He speaks English like a native Englishman.

ντρέπομαι

ντρέπομαι γιὰ κάτι=I feel shame at, I am ashamed of, I show shame for.

Δὲν ντρέπονται καθόλου γιὰ ὅ,τι κάνουν.
They show no shame at all for what they are doing.

ντροπὴ (ἰδὲ ἐντροπὴ)

νύκτα, ἡ

τὴν νύκτα=at night.

Ἐργάζεται τὴν νύκτα καὶ κοιμᾶται τὴν ἡμέρα.
He works at night and sleeps during the day.

οἱ πρῶτες ὥρες τῆς νύκτας=the after dark hours.

Συνέβη τὶς πρῶτες ὥρες τῆς νύκτας.
It happened during the after dark hours.

νυκτώνω

ἀφοῦ νυκτώση=after dark.

Θὰ εἴμεθα ἐκεῖ ἀφοῦ νυκτώση.
We shall be there after dark.

νῦν

ἀπὸ τοῦ νῦν=from now on, henceforth.
νῦν καὶ ἀεὶ=now and ever.

νύχια, τὰ

ἀπὸ τὴν κορυφὴ ὣς τὰ νύχια=from tip to toe, from head to foot.
(Πρβλ. ἀπὸ κεφαλῆς μέχρις ὀνύχων=the same meaning).

Πονῶ παντοῦ, ἀπὸ τὴν κορυφὴ ὣς τὰ νύχια.
I ache all over (my body) from head to foot.

γλυτώνω ἀπὸ τὰ νύχια κάποιου=I have a narrow escape, I get out of his
    clutches.

Ἤσουν τυχερὸς ποὺ γλύτωσες ἀπὸ τὰ νύχια της.
You were lucky to get out of her clutches.

περπατῶ στὰ νύχια=I walk on tiptoe.

Ὁ κλέπτης μπῆκε στὸ δωμάτιο περπατώντας στὰ νύχια.
The thief came into the room on tiptoe.

ξαπλώνω

ξαπλώνω=I lie down.

Κατὰ τὴν διάρκεια τῆς ἡμέρας εἶναι πολὺ ἀπησχολημένος, ποτὲ δὲν ξαπλώνει.
During the day he is very busy, he never lies down.

ξαφνικὰ

ὅλως ξαφνικὰ=all of a sudden.

Γύριζα στὴ στροφὴ ὅταν ὅλως ξαφνικὰ ἤκουσα τρεῖς πυροβολισμοὺς καὶ εἶδα μιὰ γυναῖκα νὰ πέφτη κάτω.
I was turning the corner when all of a sudden I heard three shots and I saw a woman falling down.

ξεβάφω

ξεβάφει (ὕφασμα κλπ)=it fades.
(Πρβλ. ἀμετάβλητα χρώματα=fast colours).

Πιστέψατέ με, δὲν ξεβάφει. Τὰ χρώματά του εἶναι ἀμετάβλητα.
Believe me, it does not fade, its colours are fast.

ξεκουμπίζω

ξεκουμπίσου ἀπ' ἐδῶ=get lost, go away, clear out of here.

Τοῦ εἶπα: «Ξεκουμπίσου ἀπ' ἐδῶ», ἀλλὰ αὐτὸς δὲν ἔφυγε.
I said to him: «Go away», but he did not.

ξεμπερδεύω

ξεμπέρδευε=get through with it, finish it up quickly, hurry up.

Ξεμπέρδευε, πρέπει νὰ φύγωμε.
Get through with it, we must leave.

ξεμυτίζω

μὴ ξεμυτίσης καθόλου=stay where you are, don't go out, don't poke your nose out.

Κάνει πολὺ κρύο. Μὴν ξεμυτίσης καθόλου.
It is very cold. Don't poke your nose out of doors.

ξερός, ὁ

ἔμεινε ξερὸς=he became stupefied.

Ἐνῶ ἄκουε τὸ ραδιόφωνο ἔμεινε ξερός.
While listening to the radio he became stupefied.

ξερά, τὰ

κάτω τὰ ξερά σου=take your hands off.

Μοῦ εἶπε θυμωμένα: «κάτω τὰ ξερά σου».
She said to me angrily: "take your hands off."

ξερός, ὁ

ξερὸ κεφάλι=stubborn, obstinate.
(Πρβλ. ξεροκέφαλος=stubborn).

Δὲν ἀλλάζει εὔκολα γνώμη. Εἶναι (ξεροκέφαλος) ξερὸ κεφάλι.
He does not change opinion easily. He is stubborn.

ξέρω

δὲν θέλω νὰ ξέρω τίποτε=I don't want to know anything about it, I would not listen.

Εἶναι πολὺ ἐπικίνδυνον. Δὲν θέλω νὰ ξέρω τίποτε.
It is very dangerous. I don't want to know anything.

Τῆς εἶπα νὰ προσέχῃ, ἀλλὰ αὐτὴ δὲν ἤθελε νὰ ξέρῃ τίποτε.
I told her to be careful but she would not listen.

δὲν ξέρεις ὅτι... = Don't you know that...

Δὲν ξέρεις ὅτι ἀγόρασα καινούργιο αὐτοκίνητο;
Don't you know that I have bought a new car?

δὲν ξέρει τὶ τοῦ γίνεται=he has no idea about, he is totally unaware of it, he does not know what he is about.

Δὲν ξέρει τὶ τοῦ γίνεται. Κάποιος πρέπει νὰ τοῦ πῇ τὴν ἀλήθεια.
He is totally unaware of it. Someone should tell him the truth.

ἐγὼ ξέρω τὶ λέω=I know what I am talking about.

Ἐγὼ ξέρω τὶ λέω, ἀλλὰ ἐσὺ δὲν μπορεῖς νὰ καταλάβῃς.
I know what I am talking about but you are not able to understand.

ἕνας Θεὸς ξέρει (πῶς)=God knows (how).

Ἕνας Θεὸς ξέρει πῶς κατωρθώσαμε νὰ ἐπιζήσωμε.
God knows how we managed to survive.

καθ' ὅσον ξέρω=as far as I know.

Καθ' ὅσον ξέρω δὲν θὰ γυρίσῃ πρὸ τῶν ἕξ.
As far as I know he will not come back before six.

μήπως ξέρετε...; = do you happen to know?

Μήπως ξέρετε πότε φεύγει τὸ ἐπόμενο τραῖνο;
Do you happen to know when the next train leaves?

ξέρω ὅτι (πὼς)=I know that...

Ξέρω ὅτι δὲν μπορεῖ νὰ ἔλθῃ.
I know that he cannot come.

Ξέρω πὼς ὁμιλεῖ Ἑλληνικά.
I know that he speaks Greek.

ξέρω (πῶς) νά... = I know how to do...

Ξέρω πῶς νὰ τὸ γράψω.
I know how to write it.

Δὲν ξέρω πῶς νὰ τὸ κάνω.
I do not know how to do it.

ξέρω κι' ἐγώ=how should I know? I don't know either.

Ποῦ εἶναι ὁ Γιῶργος;
Ξέρω κι' ἐγώ;

Where is George?
How should I know?

ποιὸς νὰ τὸ 'ξερε=who would have thought of it.

Ποιὸς νὰ τὸ 'ξερε νὰ ἀγόραζε οἰκόπεδα τότε.
Who would have thought of buying building sites then.

τὸ ξέρω=I know that.

Αὐτὸ τὸ ξέρω. Πὲς κάτι ἄλλο.
I know that. Say something else.

τώρα ξέρω=I now know.

Τώρα ξέρω πῶς νὰ πάω ἐκεῖ.
I now know how to get there.

χωρὶς νὰ τὸ ξέρῃ κανεὶς=without anybody knowing about it, without any-
body's knowledge of it.

Ταξίδεψε στὸ ἐξωτερικὸ χωρὶς νὰ τὸ ξέρῃ κανείς.
He travelled abroad without anybody knowing about it.

χωρὶς νὰ τὸ ξέρω=without being aware of it, I am unaware of...

Ἐπῆγα ἐκεῖ χωρὶς νὰ ξέρω ὅτι ἀνεχώρησαν.
I went there being unaware of their departure.

ξέχωρα

ξέχωρα (ξεχωριστὰ)=apart from.

Ὁ πρόεδρος κάθησε ξεχωριστὰ ἀπὸ μᾶς.
The president sat apart from us.

ξυνά, τὰ

τοῦ ἀρέσουν τὰ ξυνὰ=he likes flirting, he likes to chase women.

ξυνό, τὸ

μοῦ βγῆκε ξυνὸ=I paid through the nose.

Ἐπῆγα μαζί τους στὴν ἐκδρομή, ἀλλὰ μοῦ βγῆκε ξυνό.
I went with them on the excursion, but I paid through the nose.

ξύλο, τὸ

δίνω ξύλο=I beat someone.

Ἐὰν τὸ ξανακάνης θὰ σοῦ δώσω ξύλο.
If you do it again I will beat you.

θὰ τὸν σπάσω στὸ ξύλο=I will beat the life out of him.

Τὸν ἔσπασαν στὸ ξύλο, γι' αὐτὸ ἐπῆγε εἰς τὴν ἀστυνομία.
They had beaten the life out of him, that is why he went to the police station.

σκοτώνω στὸ ξύλο κάποιον=I beat the daylights out of someone, I beat him without mercy.

Ἄργησε χθὲς τὸ βράδυ καὶ ὁ πατέρας της τὴν σκότωσε στὸ ξύλο.
She was late last night and her father beat her without mercy.

τὸ ξύλο βγῆκε ἀπὸ τὸν παράδεισο=spare the rod and spoil the child.

Ὁ πατέρας του πιστεύει ὅτι τὸ ξύλο βγῆκε ἀπὸ τὸν παράδεισο.
His father believes that if you spare the rod you will spoil the child.

τρώγω ξύλο=I am beaten.

Κάθησε καλά. Ἀλλοιῶς θὰ φᾶς ξύλο.
Behave yourself, otherwise you will be beaten.

ξυπνῶ

ξυπνῶ (ἐγὼ ἢ ἄλλον)=I wake up.

Ἦταν δέκα ὅταν ξύπνησε.
It was ten when he woke up.

Ξύπνα, εἶναι ὥρα γιὰ τὸ γραφεῖο.
Wake up. It is time to go to your office.

-O-

ὁδός, ἡ

καθ' ὁδόν=on the way.

Τὸν συνήντησα καθ' ὁδὸν πρὸς τὴν ἐκκλησίαν.
I met him on the way to church.

ὀδούς, ὁ

ὀδόντα ἀντὶ ὀδόντος=tooth for tooth.

Ὀδόντα ἀντὶ ὀδόντος σημαίνει ἀντεκδίκησιν.
Tooth for tooth means retaliation.

ὡπλισμένος μέχρις ὀδόντων=armed to the teeth.

Οἱ στρατιῶτες ἦσαν ὡπλισμένοι μέχρις ὀδόντων.
The soldiers were armed to the teeth.

οἶδα

ἓν οἶδα ὅτι οὐδὲν οἶδα=I know one thing, that I know nothing.

Ὁ Σωκράτης ἔλεγε: «ἓν οἶδα ὅτι οὐδὲν οἶδα».
Socrates used to say: "I know one thing, that I know nothing."

Κύριος οἶδε=God knows.
οὐκ οἶδα τὸν ἄνθρωπον=I do not know the man.
οὐκ οἴδασι τὶ ποιοῦσι=they do not know what they are doing.
τὶς οἶδε;=who knows? One never can tell.

Σκέπτεται νὰ ἐπιστρέψῃ;
Τὶς οἶδε;
Is he thinking of coming back?
Who knows!

οἰκονομάω

τὰ οἰκονομάω μιὰ χαρὰ=I get along financially quite well, I meet my needs, I make both ends meet.

Δὲν εἶναι πλούσιοι, ἀλλὰ τὰ οἰκονομᾶνε μιὰ χαρά.
They are not rich but they get along financially quite well.

τὰ οἰκονόμησε=he got a lot of money.

Τὰ οἰκονόμησε ἀλλὰ κανεὶς δὲν ξέρει πῶς.
He got a lot of money but nobody knows how.

οἶον

ὅσον οἶον τε τάχιστα=as soon as possible.
(ὅσον τὸ δυνατὸν γρηγορώτερα).

186

Ἐπιστρέψατε εἰς τὴν βάσιν σας ὅσον οἷον τε τάχιστα.
Return to your base as soon as possible.

ὀλίγος, ὁ (ἡ ὀλίγη, τὸ ὀλίγον)

δι' ὀλίγον (χρόνον)=for a while, for a short time.

Ἐσταμάτησε δι' ὀλίγον.
He stopped for a short time.

δι' ὀλίγων (λέξεων)=briefly, in a few words, to put it in a nutshell.

Πές μας δι' ὀλίγων τί συνέβη.
Tell us in a few words what has happened.

μετ' ὀλίγον (χρόνον)=after a while, shortly after.

Μετ' ὀλίγον ἐνεφανίσθη μόνος του.
After a while he appeared alone.

ὀλίγον κατ' ὀλίγον=little by little.

Ὀλίγον κατ' ὀλίγον ἔμαθε νὰ γράφῃ Ἑλληνικὰ πολὺ καλά.
Little by little he learned to write Greek very well.

παρ' ὀλίγον=nearly got, almost got.

Παρ' ὀλίγον νὰ σκοτωθῶ.
I nearly got killed.

Παρ'ὀλίγον νὰ πνιγῶ.
I nearly got drowned.

(**Πρβλ.** for two pins I would have + **μετοχὴ**=the same meanimg).
πρὸ ὀλίγου=a little while ago.

Ἔφυγε πρὸ ὀλίγου.
He left a little while ago.

ὀλόκληρος, ὁ

ἐξ ὀλοκλήρου=totally, entirely, fully.

Τὸ ὄνομα μοῦ εἶναι ἐξ ὀλοκλήρου ἄγνωστο.
The name is entirely unknown to me.

τρώγω κάτι ἐξ ὀλοκλήρου=I eat up.

Ἦταν πεινασμένος καὶ ἔφαγε ἕνα καρβέλι ψωμὶ ἐξ ὀλοκλήρου.
He was hungry and ate up a whole loaf of bread.

ὅλος, ὁ (ἡ ὅλη, τὸ ὅλον)

εἶναι ἱκανὸς γιὰ ὅλα=he can do anything, he is a jack of all trades.
(**Πρβλ.** τοῦ πιάνει τὸ χέρι=the same meaning).

Θὰ τὸ φτιάξῃ ὁ Γιῶργος. Εἶναι ἱκανὸς γιὰ ὅλα.
George will fix it. He can do anything.

εἶναι ἱκανὸς γιὰ ὅλα=he can go to extremes, he is capable of sticking at nothing.

Δὲν πιστεύω ὅτι εἶναι ἱκανὸς γιὰ ὅλα.
I do not believe that he can go to extremes.

ἐν ὅλῳ=in all.

Πρέπει νὰ πληρώσετε ἐν ὅλῳ χιλίας δραχμάς.
You must pay in all one thousand drachmas.

ὅλη τὴν ἡμέρα=all day long.

Χθὲς ἔβρεχε ὅλη τὴν ἡμέρα.
Yesterday it rained all day long.

ὅλη τὴν νύκτα=all night long.

Ἦτο ἐδῶ ὅλη τὴν νύκτα.
He was here all night long.

ὅλοι-ὅλοι=all together, in all.

Ὅλοι-ὅλοι ἦσαν εἴκοσι πέντε.
There were twenty-five of them all together.

παρ' ὅλα ταῦτα=despite all these, in spite of all these, nevertheless.

Παρ' ὅλα ταῦτα εἶναι καλὸς ἄνθρωπος.
Nevertheless he is a good man.

τὰ παίζω ὅλα γιὰ ὅλα=I stake everything.

Τὰ ἔπαιξαν ὅλα γιὰ ὅλα ἀλλὰ ἔχασαν.
They staked everything but they lost all.

τρώγω ἀπ' ὅλα=I eat everything, there is no restriction to what I eat.

Ὁ γιατρὸς τοῦ εἶπε νὰ τρώγη ἀπ' ὅλα.
The doctor told him to eat everything.

ὁλοταχῶς

ὁλοταχῶς=at full speed.

Τὸ πλοῖον ἔπλεεν ὁλοταχῶς ὅταν συνέβη τὸ ἀτύχημα.
The ship was sailing at full speed, when the accident happened.

ὅλως

ὅλως ὑμέτερος=yours truly, yours faithfully.

ὁμιλῶ

ὁμιλῶ γιὰ κάτι=I talk about something, I speak of...

Ὁμιλεῖ γιὰ τὸ ταξίδι του εἰς τὴν Ἑλλάδα.
He talks about his trip to Greece.

Ὁμιλεῖ ποτὲ γιὰ τὴν ἡλικία της;
Does she ever speak of her age?

ὁμιλεῖτε Ἑλληνικά;=do you speak Greek?

Ὁμιλεῖ ἡ Μαρία Ἑλληνικά;
Does Mary speak Greek?

ὁμιλῶ περὶ ἀνέμων καὶ ὑδάτων=I talk about things that have no relation to each other.

Γιὰ τί μιλούσατε;
Μιλούσαμε περὶ ἀνέμων καὶ ὑδάτων.

What were you talking about?
We were talking about irrelevant things.

ὁμιλοῦμαι

αὐτὸς δὲν μιλιέται (δὲν μπορεῖ νὰ μιληθῆ)=he cannot be influenced, he is inaccessible.

Δὲν μπορῶ νὰ σᾶς βοηθήσω. Αὐτὸς δὲν μιλιέται.
I cannot help you. He cannot be influenced.

δὲν μιλιοῦνται=they are not on speaking terms, they do not speak to each other.

Δὲν μιλιοῦνται. Δὲν ξέρω γιατί.
They do not speak to each other. I do not know why.

ὅμοιον, τὸ

ὅμοιο μὲ=similar to.

Αὐτὸ τὸ βιβλίον εἶναι ὅμοιο μὲ ἐκεῖνο.
This book is similar to that.

ὅμοιος, ὁ

ὅμοιος ὁμοίῳ ἀεὶ πελάζει=birds of a feather flock together.

ὄν, τὸ

τῷ ὄντι (ἐπίρρημα)=really, in fact, indeed.

Τῷ ὄντι. Εἶναι θαυμάσιος ἄνθρωπος.
Indeed. He is a fine man.

ὄνομα, τὸ

ἀποκτῶ καλὸ ὄνομα=I achieve a reputation, I become famous.

Ὡς γιατρὸς εἰς τὴν Ἀθήνα ἀπέκτησε καλὸ ὄνομα.
As a doctor in Athens he achieved a reputation.

βγάζω κακὸ ὄνομα=I get a bad reputation.

Δὲν εἶναι δύσκολο νὰ βγάλη κανεὶς κακὸ ὄνομα.
It is not a difficult thing for one to get a bad reputation.

γιὰ ὄνομα τοῦ Θεοῦ=for God's sake.

Γιὰ ὄνομα τοῦ Θεοῦ μὴν λέτε τέτοιο πρᾶγμα.
For God's sake don't say such a thing.

γνωστὸς ὑπὸ τὸ ὄνομα=known by the name of.

Δὲν εἶναι γνωστὸς ὑπ' αὐτὸ τὸ ὄνομα.
He is not known by that name.

ἐν ὀνόματι τοῦ... = in the name...

Σᾶς συλλαμβάνω ἐν ὀνόματι τοῦ νόμου.
I arrest you in the name of the law.

ἐν ὀνόματι τοῦ βασιλέως=in the name of the king.

ἐν ὀνόματι τοῦ λαοῦ=in the name of the people.

ἐξ ὀνόματος τοῦ=on behalf of.

Σᾶς ὁμιλῶ ἐξ ὀνόματος τοῦ ὑπουργοῦ.
I am speaking to you on behalf of the minister.

ὀνόματι=named, by name, of the name of.

Ἄτομόν τι ὀνόματι Γεώργιος...
A person named George...

πλῆρες ὄνομα=full name.

Τὸ πλῆρες ὄνομά μου εἶναι Ἀθανάσιος Ι. Δεληκωστόπουλος.
My full name is Athanasios J. Delicostopoulos.

τί (ποιὸ) εἶναι τὸ ὄνομά σας;=what is your name?

μικρὸ ὄνομα=first name.

ἐπώνυμο=last name, surname.

Τὸ μικρό της ὄνομα εἶναι Ρίτα.
Her first name is Rita.

Τὸ ἐπώνυμό της εἶναι Δεληκωστοπούλου.
Her last name is Delicostopoulou.

τὰ ἀρχικὰ=the initials.

Τὰ ἀρχικά μου εἶναι Α. Ι. Δ.
My initials are A.J.D.

ὀνομάζομαι (λέγομαι)

πῶς ὀνομάζεσαι;=what is your name?

πῶς σὲ λένε;=what is your name?

Πῶς τὸν λένε;
What is his name?

ὄνος, ὁ (ἰδὲ γάϊδαρος)

περὶ ὄνου σκιᾶς=about a donkey's shadow, about things of no importance, about trifling things.

Ἐρίζουν περὶ ὄνου σκιᾶς.
They argue about trifling things.

ὄνυξ, ὁ

ἐξ ἀπαλῶν ὀνύχων=from childhood.

Ἐδιδάχθη τὴν ἀλήθεια ἐξ ἀπαλῶν ὀνύχων.
He was taught the truth from childhood.

ὅπερ

ὅπερ ἔδει δεῖξαι (ὅ. ἔ. δ.)=which was to be proved.
(Πρβλ. Q. E. D. =quod erat demonstrandum**).**

ὀπίσθια, τὰ

στρέφω τὰ ὀπίσθια σὲ κάποιον=I give him the cold shoulder, I turn my back upon him.

Μόλις μὲ εἶδε μοῦ ἔστρεψε τὰ ὀπίσθιά του.
As soon as he saw me he gave me the cold shoulder.

ὀπίσω

ὕπαγε ὀπίσω μου σατανᾶ=get thee behind me Satan!

ὀργή, ἡ

δίδω τόπο στὴν ὀργὴ=I give way to it, I let it go, I keep my temper.

Μὴν τοῦ ἀπαντᾶς. Δῶσε τόπο στὴν ὀργή.
Don't answer him. Let it go.

νὰ πάρη ἡ ὀργὴ=damn it!

ὄρεξις, ἡ

ἔχω ὄρεξι γιὰ κάτι=I have an appetite for.

Δὲν ἔχω ὄρεξι γιὰ ψάρι.
I have no appetite for fish.

καλὴ ὄρεξι=good appetite.

κάτι ἀνοίγει τὴν ὄρεξι=it sharpens the appetite.

Τὰ ὀρεκτικὰ μοῦ ἀνοίγουν τὴν ὄρεξι.
Appetizers sharpen my appetite.

κάτι κόβει τὴν ὄρεξι=it takes the edge off one's appetite.

Ἕνα ποτήρι νερὸ πρὸ τοῦ φαγητοῦ μοῦ κόβει τὴν ὄρεξι.
A glass of water before my meal takes the edge off my appetite.

περὶ ὀρέξεως οὐδεὶς ὁ λόγος=there is no disputing about taste, taste is something quite personal.
(Πρβλ. de gustibus non est disputandum**).**

τρώγοντας ἔρχεται ἡ ὄρεξι=eating sharpens the appetite.

Εἶναι γνωστὸ ὅτι τρώγοντας ἔρχεται ἡ ὄρεξι.
It is known that eating sharpens the appetite.

ὁρίζω

καλῶς νὰ ὁρίσετε=you will be welcome.

Θὰ σᾶς ἐπισκεφθοῦμε τὴν ἑπομένη ἑβδομάδα.
Καλῶς νὰ ὁρίσετε.

We will visit you next week.
You will be welcome.

καλῶς ὡρίσατε=welcome.
ὁρίστε=here is...

ὁρίστε τὸ βιβλίο σας=here is your book!
ὁρίστε μας=what next! what is your next wish? what do you wish more?

Πάλι ζητᾶς λεπτά; Ὁρίστε μας.
You are asking for money again? What next!

ὁρίστε μέσα=come in.

Μὴν στέκεσθε στὴν πόρτα, ὁρίστε μέσα.
Don't stand at the door, come in.

ὁρκίζομαι

ὁρκίζομαι εἰς τὸ ὄνομα τοῦ Θεοῦ=I swear by the name of God.

Ὁρκίζομαι εἰς τὸ ὄνομα τοῦ Θεοῦ νὰ πῶ τὴν ἀλήθεια καὶ μόνον τὴν ἀλήθεια.
I swear by the name of God to tell the truth and nothing but the truth.

ὅρκος, ὁ

καταθέτω μεθ' ὅρκου=I testify under oath.

Συναισθάνομαι ὅτι καταθέτω μεθ' ὅρκου.
I realize that I am testifying under oath.

κάμνω ὅρκο (ἢ παίρνω ὅρκο)=I swear, I take an oath.

Κάμνω ὅρκο ὅτι σᾶς λέγω τὴν ἀλήθεια.
I swear that I am telling you the truth.

παίρνω ψεύτικο ὅρκο (ὁρκίζομαι ψευδῶς)=I commit perjury.

Ἐὰν πάρῃς ψεύτικο ὅρκο θὰ πᾶς φυλακή.
if you commit perjury you shall go to prison.

ὅρυς, ὁ

ἄνευ ὅρων=unconditionally.

Παρεδόθησαν ἄνευ ὅρων.
They surrendered unconditionally.

ἐφ' ὅρου ζωῆς=for life.

Ἐστερήθη τῶν δικαιωμάτων του ἐφ' ὅρου ζωῆς.
He was deprived of his rights for life.

ὑπὸ τὸν ὅρον=under the condition.

Μπορεῖτε νὰ τὸ πάρετε ὑπὸ τὸν ὅρον ὅτι θὰ τὸ ἐπιστρέψετε συντόμως.
You may take it under the condition that you will return it soon.

οὐρά, ἡ

ἔχει λεπτὰ μὲ οὐρὰ=he is rolling in money.

Ἔχει λεπτὰ μὲ οὐρὰ ἀλλὰ εἶναι τσιγγούνης.
He is rolling in money but he is stingy.

μὴ χώνῃς παντοῦ τὴν οὐρά σου=do not meddle in everyone's affairs.

Δὲν εἶναι εὐγενικὸ νὰ χώνῃς παντοῦ τὴν οὐρά σου.
It is not polite to meddle in everyone's affairs.

πίσω ἔχει ἡ ἀχλάδα τὴν οὐρὰ=difficulties will follow later on.

Μὴν ξεχνᾶς ὅτι πίσω ἔχει ἡ ἀχλάδα τὴν οὐρά.
Don't forget that difficulties will follow later on.

ψέματα μὲ οὐρὰ=a pack of lies.

Μᾶς εἶπε ψέματα μὲ οὐρά.
He told us a pack of lies.

οὐρανός, ὁ

καθαρὸς οὐρανὸς ἀστραπὲς δὲν φοβᾶται=a clear conscience fears nothing

Ἔκανα τὸ καθῆκον μου. Καθαρὸς οὐρανὸς ἀστραπὲς δὲν φοβᾶται.
I have done my duty. A clear conscience fears nothing.

οὔτε

οὔτε λέξι=not a word.

Οὔτε λέξι γι' αὐτὸ σὲ κανένα.
Not a word about it to anybody.

οὔτως

καὶ οὕτω καθ' ἑξῆς (κ.ο.κ.)=and so on, and so forth.
οὕτως ἤ ἄλλως=one way or another, in any case.

Οὕτως ἤ ἄλλως θὰ πρέπει νὰ πληρώσετε.
One way or another you should pay.

ὄφελος, τὸ

τὶ τὸ ὄφελος;=what's the use of it?

Τὶ τὸ ὄφελος; Εἶναι ἀργὰ πλέον.
What's the use? It is already late.

ὀφθαλμός, ὁ

ἐν ριπῇ ὀφθαλμοῦ=in the twinkling of an eye.

Ἐν ριπῇ ὀφθαλμοῦ κατάλαβα περὶ τίνος ἐπρόκειτο.
In the twinkling of an eye I understood what it was all about.

ὀφθαλμὸν ἀντὶ ὀφθαλμοῦ=an eye for an eye.

Ὀφθαλμὸν ἀντὶ ὀφθαλμοῦ σημαίνει ἀντεκδίκησιν.
An eye for an eye means retaliation.

χάρμα ὀφθαλμῶν=a delight to the eyes.

Ἡ κόρη τους εἶναι χάρμα ὀφθαλμῶν.
Their daughter is a delight to the eyes.

ὄχι (ἰδὲ δὲν)

ὄχι, δὲν εἶναι=No, he (she, it) is not..., No this is not...
ὄχι=no

δὲν=not.

Εἶναι αὐτὸ βιβλίο; Ὄχι, δὲν εἶναι.
Is this a book? No, it is not.

Εἶναι ὁ Γιῶργος ἐδῶ; Ὄχι, δὲν εἶναι.
Is George here? No, he is not.

ὄψις, ἡ

ἐκ πρώτης ὄψεως=at first glance, at first sight.

Ἐκ πρώτης ὄψεως ἐφαίνετο σὰν πίναξ τοῦ Πικάσσο, ἀλλὰ δὲν ἦτο.
At first glance it looked like a painting by Picasso, but it was not.

ἐξ ὄψεως=by sight.

Τὸν γνωρίζω μόνον ἐξ ὄψεως.
I know him only by sight.

λαμβάνω ὑπ' ὄψιν=I take into consideration.

Παρακαλῶ νὰ τὸ λάβετε ὑπ' ὄψιν.
Please take it into consideration.

τὸ ἔχω ὑπ' ὄψιν μου=I have it in mind.

Θὰ σοῦ τὸ φέρω. Τὸ ἔχω ὑπ' ὄψιν μου.
I will bring it to you. I have it in mind.

-Π-

παγίς, ἡ (ἡ παγίδα)

στήνω παγίδα=I set a trap for.
πέφτω στὴν παγίδα=I fall into a trap.

Τὸν χειμῶνα στήνει παγίδες γιὰ ἄγρια ζῶα.
In the winter he sets traps for wild animals.

Ἕνας λύκος ἔπεσε σὲ μία ἀπὸ τὶς παγίδες ποὺ στήσανε οἱ χωρικοί.
A wolf fell into one of the traps that the villagers had set.

παθαίνω

καλὰ νὰ πάθη=it serves him right.

Τοῦ εἶπα νὰ μὴν τὸ κάνη. Καλὰ νὰ πάθη.
I told him not to do it. It serves him right.

τί πάθατε;=what is the matter with you?

Τί πάθατε; Χρειάζεσθε βοήθεια;
What is the matter with you? Do you need help?

Δὲν πάθαμε τίποτε.
Nothing is the matter with us.

παίζω

παίζω=I am at play.

Τὰ παιδιὰ παίζουν αὐτὴ τὴ στιγμή.
The children are at play right now.

παίρνω

δὲν μὲ παίρνει ἡ ὥρα=I don't have enough time.

Θὰ ἐρχόμουν εὐχαρίστως γιὰ καφὲ ἀλλὰ δὲν μὲ παίρνει ἡ ὥρα.
I should gladly have come with you for coffee but I don't have enough time.

δὲν παίρνω ἀπὸ ἀστεῖα (δὲν σηκώνω ἀστεῖα)=I cannot take a joke.

Πρόσεχε. Δὲν παίρνει ἀπὸ ἀστεῖα.
Be careful. He cannot take a joke.

ἐπῆρε ὁ νοῦς της ἀέρα=she became swollen-headed.

Τῆς εἶπαν ὅτι εἶναι ὡραία καὶ ἐπῆρε ὁ νοῦς της ἀέρα.
She was told that she is beautiful and she became swollen-headed.

παίρνει...=it takes + duration of time.

Παίρνει μία ὥρα νὰ πάη (κανεὶς) ἐκεῖ.
It takes an hour (for one) to go there.

Τοὺς παίρνει μία ὥρα νὰ πᾶνε στὸ σχολεῖο.
It takes them an hour to go to school.

παίρνω ἀπὸ λόγια=I accept advice.

Εἶναι καλὸ παιδί, παίρνει ἀπὸ λόγια.
He is a good child, he accepts advice.

παίρνω δρόμο=I run away.

Μόλις ἄκουσε τὸν πυροβολισμὸ ἐπῆρε δρόμο.
As soon as he heard the shot, he ran away.

παίρνω κάποιον ἀπὸ πίσω=I follow him.

Κάποιος ἄγνωστος τὴν ἐπῆρε ἀπὸ πίσω χθὲς βράδυ.
An unknown man followed her last night.

παίρνω κάποιον γιὰ ἄλλον=I take him for somebody else.

Λυποῦμαι. Σᾶς πῆρα γιὰ τὴν ἀδελφή σας.
Sorry! I took you for your sister.

παίρνω κάτι κατάκαρδα=I take it to heart.

Τοῦ εἶπε ὅτι δὲν τὸν ἀγαπᾶ καὶ αὐτὸς τὸ ἐπῆρε κατάκαρδα.
She told him that she does not love him and he took it to heart.

παίρνω κάτι πίσω=I take it back.

Μοῦ τὸ ἔδωσε ἀλλὰ τελικὰ τὸ ἐπῆρε πίσω.
He had given it to me but finally he took it back.

παίρνω μὲ καλὸ μάτι=I am well disposed towards someone.

Νομίζω ὅτι δὲν μὲ ἐπῆρε μὲ καλὸ μάτι.
I think he is not well disposed towards me.

παίρνω μὲ τὸ καλὸ=I treat kindly, I handle someone gently.

Πάντοτε τὸν παίρνω μὲ τὸ καλό.
I have always treated him kindly.

παίρνω ὅρκον=I swear, I take an oath.

Παίρνω ὅρκο ὅτι λέγω τὴν ἀλήθεια.
I swear that I am telling the truth.

παίρνω + φαγητὸν=I have + meal.
παίρνω τὸ πρωϊνό μου=I have (my) breakfast.
παίρνω τὸ μεσημεριανό μου=I have lunch.
παίρνω τὸ βραδυνό μου=I have dinner.

Ἐπήρατε κι ὅλας τὸ πρωϊνό σας;
Have you had breakfast already?

παίρνω μέρος σὲ κάτι=I participate in something, I take part in, I have a share in.

Ἐπῆρε μέρος εἰς τὸ διαγωνισμὸ ὀμορφιᾶς.
She took part in the beauty contest.

παίρνω τὸ μέρος κάποιου=I take his part, I side with him, I take sides with him.

Πάντα παίρνει τὸ μέρος τοῦ συζύγου της.
She always sides with her husband.

παίρνω φωτιὰ=I catch fire.

Τὸ καλοκαίρι τὰ δένδρα παίρνουν φωτιὰ εὔκολα.
In the summer the trees catch fire easily.

τὴν πῆρε τὸ μάτι μου=I caught sight of her.

Τὴν πῆρε τὸ μάτι μου χθὲς βράδυ στὸν κινηματογράφο.
I caught sight of her last night in the cinema.

τὸ παίρνω ἐπάνω μου=I take on airs.

Ὁ πατέρας της εἶναι ὑπουργὸς καὶ αὐτὴ τὸ παίρνει ἐπάνω της.
Her father is a Minister and she takes on airs.

πανεπιστήμιο, τὸ

πηγαίνω στὸ Πανεπιστήμιο=I go to the University, I attend the University.

Ἡ Μαρία πηγαίνει στὸ Πανεπιστήμιο.
Mary goes to the University.

πανί, τὸ

γίνομαι σὰν τὸ πανὶ=I turn pale.

Τρόμαξε τόσο πολὺ ὥστε ἔγινε σὰν τὸ πανί.
He got so terrified that he turned pale.

εἶμαι πανὶ μὲ πανὶ=I am broke, I have no money at all, I am penniless.

Μὴ μοῦ ζητᾶς λεπτά. Εἶμαι πανὶ μὲ πανί.
Don't ask me for money. I'm broke.

πάντα

γιὰ πάντα=for ever, for good.

Πῆγαν εἰς τὴν Ἑλλάδα γιὰ πάντα.
They have gone to Greece for ever.

μιὰ γιὰ πάντα=once and for all.

Τελείωσα μαζί του μιὰ γιὰ πάντα.
I finished with him once and for all.

πάντοτε

πάντοτε (σὲ κάθε περίπτωσι)=at all times, always.

Συμπεριφέρεται καλὰ πάντοτε.
He behaves well at all times.

πάνω (ἰδὲ ἐπάνω)

πάνω ἀπὸ=over.

Ἡ Μαρία εἶναι πάνω ἀπὸ δέκα χρονῶν.
Mary is over ten years old.

παρὰ

κάλλιο ἀργὰ παρὰ ποτὲ=better late than never.

Παντρεύτηκε στὰ πενήντα της. Κάλλιο ἀργὰ παρὰ ποτέ.
She got married in her fifties. Better late than never.

παρὰ λίγο νὰ...=he was nearly...

Παρὰ λίγο νὰ σκοτωθῶ χθὲς βράδυ.
I was nearly killed last night.

πάρα πολὺ=very much.

Ἐργάζεται πάρα πολύ.
He works very much.

Σᾶς εὐχαριστῶ πάρα πολύ.
I thank you very much.

παρὰ ταῦτα=in spite of everything.

Παρὰ ταῦτα τὴν παντρεύτηκε.
In spite of everything he married her.

παρὰ τὴν θέλησίν του=against his will.

Ὑπεχρεώθη νὰ τὸ κάμη παρὰ τὴν θέλησίν του.
He was made to do it against his will.

παρὰ τὸν νόμον=against the law.

Τὸν ἔβαλαν στὴν φυλακὴ παρὰ τὸν νόμον.
They locked him up against the law.

παραγγελία, ἡ

κάνω κάτι κατὰ παραγγελίαν (ροῦχα ἢ παπούτσια)=I make something to order.

Ποτὲ δὲν ἀγοράζει ἕνα ἕτοιμο κοστούμι. Παραγγέλνει ὅλα τὰ κουστούμια του.
He never buys a ready-made suit. He has all his suits made to order.

παράδειγμα, τὸ

παραδείγματος χάριν (π.χ.)=e.g. (exampli gratia), for example.

Ξέρω πολλοὺς ἰδιωματισμούς, π.χ. «χθὲς βράδυ».
I know many idioms, for example "last night."

παραδίδω

παραδίδω μαθήματα=I give lessons.

Παραδίδει μαθήματα Ἑλληνικῆς (γλώσσης) κάθε ἀπόγευμα.
She gives Greek lessons every afternoon.

παραδίδω τὸ πνεῦμα=I die.

Παρέδωσε τὸ πνεῦμα ἐν εἰρήνῃ.
He died in peace.

παράδοσις, ἡ

αἴθουσα παραδόσεων=classroom.

Αὐτὴ ἡ αἴθουσα παραδόσεων εἶναι γιὰ πενήντα μαθητάς.
This classroom is for fifty pupils.

πληρωτέον ἐπὶ τῇ παραδόσει=payable on delivery.
(Πρβλ. C.O.D. = cash on delivery**).**

παρακάνω

παρακάνει ζέστη=it is extremely hot.

Σήμερα παρακάνει ζέστη.
Today it is extremely hot.

τὸ παράκανε=he went too far, he overdid it, he went beyond the limits.

Μὴν τὸ παρακάνης. Θὰ λυπηθῆς.
Don't go too far. You will be sorry.

Φθάνει. Τὸ παράκανες.
That's enough. You have overdone it.

Τὸ παράκανε. Πάντα ζητάει περισσότερα λεπτά.
He overdid it. He always asks for more money.

παραπάνω

ὄχι παραπάνω ἀπὸ=no more than.

Δὲν κοστίζει παραπάνω ἀπὸ τριάντα δραχμές.
It costs no more than thirty drachmas.

μὲ τὸ παραπάνω=more than...

Μὲ ἐπλήρωσε μὲ τὸ παραπάνω.
He paid me more than enough.

παρατῶ

παράτα με=leave me alone.

Μὴ μοῦ λὲς τίποτε. Παράτα με.
Don't tell me anything. Leave me alone.

πάραυτα

πάραυτα=at once.

Παρακαλῶ νὰ τὸ στείλετε πάραυτα.
Please send it at once.

παρόν, τὸ

μέχρι τοῦ παρόντος=up to the present time.

Μέχρι τοῦ παρόντος τὰ κατάφερε καλά.
Up to the present time he has done well.

πρὸς τὸ παρὸν=for the time being.

Πρὸς τὸ παρὸν δὲν θὰ ταξιδεύσω πουθενά.
For the time being I will not travel anywhere.

παρουσία, ἡ

ἐπὶ παρουσίᾳ (του)=in the presence (of).

Αὐτὰ ὅλα ἐλέχθησαν ἐπὶ παρουσίᾳ τοῦ κατηγορουμένου.
All these things were said in the presence of the accused.

ἡ δευτέρα παρουσία=the second coming of the Lord.

Πιστεύετε εἰς τὴν δευτέραν παρουσίαν;
Do you believe in the second coming of the Lord?

πᾶς, ὁ (ἡ πᾶσα, τὸ πᾶν)

ἅπαξ διὰ παντός=once and for all.

Τελείωσα μαζί της ἅπαξ διὰ παντός.
I finished with her once and for all.

διὰ παντός=for ever.

Ἀπεβλήθη τοῦ σχολείου διὰ παντός.
He was expelled from the school for ever.

πάσῃ θυσίᾳ=at any cost.

Πρέπει νὰ εἶσθε ἐκεῖ πάσῃ θυσίᾳ.
You must be there at any cost.

πρὸ παντός=first of all.

Πρὸ παντὸς μὴν ἀμφιβάλλετε διὰ τὴν εἰλικρίνειά της.
First of all you should not doubt her sincerity.

πρὸ πάντων=above all.

Πρὸ πάντων νὰ ἀγαπᾶτε ὁ ἕνας τὸν ἄλλον.
Above all you should love each other.

τέλος πάντων=anyway, at last.

Τέλος πάντων, πές μας τὶ ἔγινε.
Anyway, tell us what happened.

πάτερο, τὸ

κολοκύθια στὸ πάτερο=nonsense, stuff and nonsense.

Ὅ,τι λέει εἶναι κολοκύθια στὸ πάτερο.
What he says is nonsense.

πατῶ

πατεῖς με πατῶ σε=very crowded.

Χθὲς στὸ γάμο ἦταν πατεῖς με πατῶ σε.
Yesterday at the wedding it was very crowded.

πατῶ πόδι=I put my foot down.

Ἡ μητέρα της πάτησε πόδι καὶ ἡ Μαρία δὲν τὸν παντρεύτηκε τελικά.
Her mother put her foot down and Mary did not finally marry him.

πατῶ τὸν ὅρκο μου=I break my oath.

Πάτησε τὸν ὅρκο του χωρὶς σοβαρὰ αἰτία.
He broke his oath for no serious reason.

τῆς πάτησε ἕνα ξύλο=he beat her soundly.

Τοῦ εἶπε ψέματα καὶ αὐτὸς τῆς πάτησε ἕνα ξύλο.
She lied to him and he beat her soundly.

τὸ πάτησε τὸ αὐτοκίνητο=it was run over by a car.

Τὸν πάτησε τὸ αὐτοκίνητο ἀλλὰ τελικὰ ἐπέζησε.
He was run over by a car but he survived in the end.

πεθαίνω

πέθανε ἀπὸ (+ ἀρρώστεια)=he died of + disease.

Πέθανε ἀπὸ πνευμονία.
He died of pneumonia.

πεθαίνω ἀπὸ τὴν πεῖνα=I am dying of hunger, I die of starvation.

Πεθαίνει ἀπὸ τὴν πεῖνα γιατὶ δὲν ἔχει φάει τίποτε γιὰ δύο μέρες.
He is dying of hunger, because he has not eaten anything for two days

πέθανα ἀπὸ τὴν κούρασιν=I am exhausted with fatigue.

Ἀφοῦ περπατήσαμε τρεῖς ὧρες, πεθαίνουμε ἀπὸ τὴν κούρασιν.
After walking for three hours, we are exhausted with fatigue.

πειράζω

δὲν πειράζει=it doesn't matter, never mind.

Δὲν πειράζει. Τὸ πληρώνετε μιὰ ἄλλη φορά.
It doesn't matter. You may pay for it some other time.

θὰ σᾶς πείραζε...=would you mind if I...?

Θὰ σᾶς πείραζε ἂν κάπνιζα;
Would you mind if I smoked?

πειρασμός, ὁ

ἐνδίδω εἰς πειρασμὸν=I give in to a temptation, I yield to a temptation.

Ὁ ἄνθρωπος πρέπει νὰ μὴν ἐνδίδη εἰς τὸν πειρασμόν.
Man should not give in to temptation.

πενθῶ

πενθῶ=I am mourning, I am in mourning.

Πενθοῦν γιὰ τὸ θάνατο τοῦ γιοῦ τους.
They are in mourning because of their son's death.

πέρα

πέρα βρέχει=he has no interest for, he doesn't care.

Ἐγὼ τοῦ ὁμιλῶ καὶ αὐτὸς πέρα βρέχει.
I am talking to him and he doesn't care what I am saying.

πέρα γιὰ πέρα=all the way through, through and through, entirely.

Αὐτὸς εἶναι πέρα γιὰ πέρα ἀγράμματος.
He is entirely ignorant.

πέραν τοῦ δέοντος=too far, more than necessary.

Μὴν ὁμιλῆτε εἰς τὸν ἀσθενῆ πέραν τοῦ δέοντος.
Don't talk to the patient more than is necessary.

πέρας, τὸ

μετὰ τὸ πέρας...=after finishing.

Θὰ συναντηθοῦμε μετὰ τὸ πέρας τῶν ἐξετάσεων.
We shall meet after finishing the examinations.

φέρω εἰς πέρας=I bring to an end.

Ἔφερε τὴν ἀποστολήν του εἰς πέρας.
He brought his mission to an end.

περασμένα, τὰ

περασμένα ξεχασμένα=let bygones be bygones.

Ἄς γίνωμε φίλοι. Περασμένα ξεχασμένα.
Let's become friends. Let bygones be bygones.

περασμένη, ἡ

τὴν περασμένη ἑβδομάδα=last week.

Δὲν ἤμουν στὴν Ἀθήνα τὴν περασμένη ἑβδομάδα.
I was not in Athens last week.

(Πρβλ. τὸν περασμένο μῆνα=last month).

περὶ

ἔχω κάποιον περὶ πολλοῦ=I think highly of him, I think much of him.

Οἱ φοιτηταὶ ἔχουν τὸν νέον καθηγητὴ περὶ πολλοῦ.
The students think highly of the new professor.

περιμένω

περιμένω κάποιον ἢ κάτι=I wait for...

Περιμένω τὸν πατέρα μου.
I am waiting for my father.

Τί περιμένεις;
What are you waiting for?

περίμενε μία στιγμὴ=wait a minute.

Ἐὰν δὲν βιάζεσαι, περίμενε μιὰ στιγμή.
If you are not in a hurry, wait a minute.

περίπατος, ὁ

κάνω περίπατο=I take a walk.

Κάθε ἀπόγευμα κάνει περίπατο.
He takes a walk every afternoon.

πηγαίνω περίπατο=I go for a walk.

Πηγαίνει περίπατο κάθε ἀπόγευμα ὅταν ὁ καιρὸς εἶναι καλός.
He goes for a walk every afternoon when the weather is good.

περιπίπτω

περιπίπτω εἰς ἔνδειαν=I am reduced to poverty, I become poor.

Δὲν ἦτο δύσκολον νὰ περιπέσῃ κανεὶς εἰς ἔνδειαν.
It was not difficult for one to become poor.

περιπίπτω εἰς δυσμένειαν=I fall into disfavour, I fall into disgrace.

Περιέπεσεν εἰς δυσμένειαν χωρὶς λόγον.
He fell into disfavour for no reason.

περιπίπτω εἰς σφάλμα=I fall into error.

Πιστεύει ὅτι δὲν εἶναι δυνατὸν νὰ περιπέσῃ εἰς σφάλμα.
He believes that it is not possible for him to fall into error.

περίπου

περίπου=about.

Ἦσαν περίπου εἴκοσι ἄτομα.
There were about twenty people.

περίπτωσις, ἡ

εἰς περίπτωσιν (+ γενικὴ) βροχῆς=in case of rain.

Εἰς περίπτωσιν βροχῆς τὸ πάρτυ θὰ γίνῃ εἰς τὸ σπίτι μου καὶ ὄχι εἰς τὸν κῆπον της.
In case of rain the party will take place in my house and not in her garden.

εἰς περίπτωσιν ποὺ=in the event.

Εἰς περίπτωσιν ποὺ θὰ ἔλθη ἐνωρίτερα, θὰ ἤθελα νὰ μὲ πληροφορήσητε.
In the event of his coming earlier, I should like to be informed.

ἐν οὐδεμιᾷ περιπτώσει=in no case.
(Πρβλ. ἐπ' οὐδενὶ λόγῳ=the same meaning).

'Εν οὐδεμιᾷ περιπτώσει δὲν πρέπει αὐτὸς νὰ μάθη τι περὶ αὐτοῦ.
In no case should he learn about it.

ἐν πάσῃ περιπτώσει=in any case, at all events.

'Εν πάσῃ περιπτώσει κάνετε ὅ,τι νομίζετε δίκαιον.
At all events do whatever you think right.

ἐν τοιαύτῃ περιπτώσει=in that case.

'Εν τοιαύτῃ περιπτώσει δὲν θὰ πρέπει νὰ ἔλθετε.
In that case you should not come.

περίστασις, ἡ

ἐπωφελοῦμαι τῶν περιστάσεων=I avail myself of the opportunity.

'Επωφελήθη τῶν περιστάσεων καὶ ἔγινε πλούσιος.
He availed himself of the opportunity and became rich.

περνῶ

περνῶ=I spend + time.

Περάσαμε ἕνα μῆνα στὴν Ἑλλάδα.
We spent a month in Greece.

περνῶ τὸν καιρό μου=I pass my time.

Περνῶ τὸν καιρό μου διαβάζοντας βιβλία.
I pass my time reading books.

περάστε μου τὸ ἁλάτι παρακαλῶ=Pass me the salt please.

πεταχτὰ

κάνω κάτι στὰ πεταχτὰ (γρήγορα)=I make something snappy.

Γκαρσόν, ἕνα ποτὸ παρακαλῶ στὰ πεταχτά.
Waiter, a drink please, and make it snappy.

πετῶ

πέταξε τὸ πουλὶ=the opportunity is lost.

Τώρα εἶναι πολὺ ἀργά. Πέταξε τὸ πουλί.
Now it is too late. The opportunity is lost.

πέταξε τὰ μυαλά του στὸν ἀέρα=he blew his brains out.

Εἶχε μία ἀνίατη ἀσθένεια. Μόλις τὸ ἔμαθε πέταξε τὰ μυαλά της στὸν ἀέρα.
She had an incurable disease. As soon as she found out about it she blew her brains out.

πετῶ μιὰ κουβέντα σὲ κάποιον=I drop a hint.

Πέταξα μιὰ κουβέντα στὸν ἄνδρα της ἡ ὁποία τὸν ἀνεστάτωσε.
I dropped a hint to her husband which stirred him up.

πετῶ τὰ λεφτά μου=I waste my money.

Αὐτὸ τὸ αὐτοκίνητο δὲν ἀξίζει τόσο. Μὴν πετᾶς τὰ λεφτά σου.
This car is not worth that much. Don't waste your money.

πέφτω

δὲν τοῦ πέφτει λόγος=he has no say in the matter.

Ἐσὺ κάνε ὅ,τι νομίζῃς σωστό. Αὐτοῦ δὲν τοῦ πέφτει λόγος.
Do what you think is right. He has no say in the matter.

πάω νὰ πέσω=I am going to bed.

Δὲν αἰσθάνομαι καλά. Πάω νὰ πέσω.
I don't feel well. I am going to bed.

πέφτω ἀπὸ πλοῖο=I fall overboard.

Ζαλίστηκε καὶ ἔπεσε ἀπὸ τὸ πλοῖο εἰς τὴν θάλασσα.
He became dizzy and fell overboard.

πέφτω ἔξω=I am wrong, I am mistaken.
(Πρβλ. κάνω λάθος=the same meaning).

Πέφτεις ἔξω ἐὰν πιστεύῃς ὅτι ἐγὼ τὸ ἔκανα.
You are wrong if you believe that I have done it.

πηγαίνω

κάτι μοῦ πάει καλὰ=it is very becoming, it fits me well.
(Πρβλ. μοῦ ἔρχεται=it fits me well).

Τὸ νέο σας φόρεμα σᾶς πάει πολὺ καλά.
Your new dress is very becoming to you.

Αὐτὸ τὸ κοστούμι δὲν μοῦ πάει (δὲν μοῦ ἔρχεται) καλά.
This suit does not fit me well.

πηγαίνω (σ' ἕνα μέρος)=I go (to a place).

Σὲ ποιὸ νησὶ ἐπῆγες;
To what island did you go?

τὰ πηγαίνω καλὰ μὲ κάποιον=I get along with.

Δὲν τὰ πάει καλὰ μὲ τὸ ἀφεντικό της.
She does not get along with her boss.

πιάνω

μὲ πιάνει ἡ θάλασσα=I get seasick.

Δὲν ταξιδεύω μὲ καράβι. Μὲ πιάνει ἡ θάλασσα.
I don't travel by boat. I get seasick.

πιάνω ἀπό...=I seize by.

Ὁ ἀστυνομικὸς τὸν ἔπιασε ἀπὸ τὸ σακκάκι.
The police officer seized him by the coat.

πιάνω δουλειά=I begin work.

Ἔπιασε δουλειὰ τὴν πρώτη αὐτοῦ τοῦ μηνός.
He began work on the first of this month.

τὴν ἔπιασαν τὰ γέλια=she began to laugh.

Τὴν ἔπιασαν τὰ γέλια χωρὶς λόγο.
She began to laugh without cause.

πιστεύω

πιστέψατέ με=take my word for it.

Δὲν θὰ ἔλθη, πιστέψατέ με.
He will not come, take my word for it.

πίστις, ἡ

καλῇ τῇ πίστει=in good faith.

Τὸ ὑπέγραψα καλῇ τῇ πίστει.
I signed it in good faith.

πίστωσις, ἡ

ἐπὶ πιστώσει=on credit.
(Πρβλ. βερεσὲ=the same meaning).

Ἀγόρασε ἕνα ζευγάρι παπούτσια ἐπὶ πιστώσει (βερεσὲ).
He bought a pair of shoes on credit.

πίσω

παίρνω κάποιον ἀπὸ πίσω=I follow him, I shadow him.

Κάποιος μὲ ἐπῆρε ἀπὸ πίσω σήμερα τὸ πρωΐ. Πιθανὸν νὰ ἦταν ἕνας ἰδιωτικὸς ἀστυνομικός.
Someone followed me this morning. Perhaps he was a private detective.

πλάτη, ἡ

γυρίζω τὴν πλάτη σὲ κάποιον=I give him the cold shoulder.

Τοῦ γύρισα τὴν πλάτη γιὰ νὰ δείξω περιφρόνησι.
I gave him the cold shoulder in order to show disdain.

κάποιος ἔχει γερὲς **πλάτες**=he can pull strings.
(Πρβλ. ἔχει τὰ **μέσα**=the same meaning).

Μὴν ἀνησυχῆς γι' αὐτόν. Αὐτὸς ἔχει γερὲς πλάτες.
Don't worry about him. He can pull strings.

πλεῖστον, τὸ

ὡς ἐπὶ τὸ πλεῖστον=for the most part, mostly, as a rule.

Ὡς ἐπὶ τὸ πλεῖστον ἔρχεται ἐνωρίς.
As a rule he comes early.

πλέον

ἐπὶ πλέον=besides, in addition.

Ἐπὶ πλέον μοῦ ζήτησε νὰ τὸν βοηθήσω.
In addition to that he asked me to help him.

πλέον ἢ ἅπαξ=more than once.

Τὸν ἐβοήθησα πλέον ἢ ἅπαξ.
I helped him more than once.

ποτὲ πλέον=never again.

Θὰ ξανακάνετε τὸ ταξίδι αὐτὸ μὲ αὐτοκίνητο;
Ποτὲ πλέον.

Are you going to make this trip again by car?
Never again.

πλῆθος, τὸ

πλῆθος ἀπὸ=plenty of, a lot of, lots of.

Καὶ αἱ δυό τους ἔχουν πλῆθος ἀπὸ θαυμαστάς.
They both have plenty of admirers.

πλησίον, ὁ

ἀγάπα τὸν πλησίον σου=love your neighbour.
πλησίον (τόπος ἢ χρόνος)=at hand.
(Πρβλ. **κοντὰ**=the same meaning).

Ἐὰν μὲ χρειάζεσθε εἶμαι πλησίον (κοντά) σας.
If you need me. I am close at hand.

πλοῖο, τὸ

ἐπάνω σὲ ἕνα πλοῖο=on board a ship.

Ἦταν ἐπάνω στὸ πλοῖο «Ὀλύμπια» ὅταν ἄκουσε τὰ εὐχάριστα νέα.
He was on board the «Olympia» when he heard the happy news.

ρίπτω ἀπὸ πλοῖο εἰς τὴ θάλασσα=I throw overboard.

Ἀφοῦ ἄναψε τὸ τελευταῖο τσιγάρο, πέταξε (ἔρριψε) τὸ κουτὶ στὴν θάλασσα.
After lighting the last cigarette, he threw the box overboard.

πνέω

πνέει τὰ λοίσθια=he breathes his last, he is about to die.

Ἀναμένεται νὰ ἀποθάνη συντόμως. Πνέει τὰ λοίσθια.
He is expected to die soon. He is breathing his last.

πνίγω

ὁ πνιγμένος ἀπὸ τὰ μαλλιά του πιάνεται=a drowning man clutches at a straw.

Δὲν ὑπῆρχε ἄλλη λύσις, ὅπως ξέρεις ὁ πνιγμένος ἀπὸ τὰ μαλλιά του πιάνεται.
There was no other solution. As you know a drowning man clutches at a straw.

πνίγομαι στὰ χρέη=I am up to my neck in debt.

Πνίγεται στὰ χρέη ἀλλὰ δὲν σταμάτησε νὰ διασκεδάζη.
He is up to his neck in debt but he has not stopped amusing himself.

πνοή, ἡ

μέχρι τελευταίας του πνοῆς=till his last breath.

Ἠγωνίσθη μέχρι τελευταίας του πνοῆς.
He fought till his last breath.

πόδι, τὸ (ὁ ποὺς)

ἀβρόχοις ποσὶ=without getting wet.

Διέβη τὸν ποταμὸν ἀβρόχοις ποσί.
He crossed the river without getting ·wet.

ἐπὶ ποδὸς πολέμου=ready for war.

Ὅλη ἡ χώρα ἦτο ἐπὶ ποδὸς πολέμου.
The whole country was ready for war.

ἤμουνα στὸ πόδι ὅλη τὴν νύκτα=I was up all night long.

Ὁ μικρὸς Γιάννης ἦτο ἄρρωστος καὶ ἡ μητέρα του ἦτο στὸ πόδι ὅλη τὴν νύκτα.
Little John was sick and his mother was up all night long.

μὲ τὰ πόδια=on foot.

Πηγαίνει εἰς τὸ γραφεῖο του μὲ τὰ πόδια.
He goes to his office on foot.

μοῦ κόπηκαν τὰ πόδια=I am very tired, I am exhausted.

Περπατῶ δύο ὧρες. Μοῦ κόπηκαν τὰ πόδια.
I have been walking for two hours. I am exhausted.

πατῶ πόδι (ἀπαιτῶ ἢ ἀπαγορεύω κάτι)=I put my foot down, I set my foot down.

Ἡ μητέρα μου πάτησε πόδι καὶ τελικὰ ἡ ἄδεια γιὰ τὴν ἐκδρομὴ ἐδόθη
My mother put her foot down and finally permission for the excursion w
granted.

πατῶ πόδι κάπου (πηγαίνω κάπου)=I set foot there.

Δὲν ἔχω πατήσει ποτὲ στὸ σπίτι τους.
I have never set foot in their home.

πέφτω στὰ πόδια κάποιου=I fall at his feet, I implore him.

Ἔπεσε στὰ πόδια τοῦ γιατροῦ καὶ τὸν παρεκάλεσε νὰ σώση τὸν γιό τη
She fell at the doctor's feet and implored him to save her son.

σηκώνω στὸ πόδι=I stir up.

Σήκωσε στὸ πόδι ὅλη τὴ γειτονιά.
He stirred up the whole neighborhood.

στὸ πόδι μου=in my position, in my place, I step into someone's shoe

Τὸν παρεκάλεσα νὰ μείνη στὸ πόδι μου στὸ γραφεῖο διὰ τὸ διάστημα ποὺ
λείπω.
I asked him to take over my position at the office while I am gone.

τὸ βάζω στὰ πόδια=I take to my heels, I run away.

Μόλις ἄκουσαν τὸν πυροβολισμὸ τὸ ἔβαλαν στὰ πόδια.
As soon as they heard the shot they took to their heels.

ποινή, ἡ

ἐπὶ ποινῇ θανάτου=under penalty of death.

Κατὰ τὴν διάρκεια τοῦ πολέμου ἡ κατασκοπεία ἀπαγορεύεται ἐπὶ ποινῇ θ
νάτου.
During the war spying is forbidden under penalty of death.

ἡ ἐσχάτη τῶν ποινῶν=capital punishment.

Ἀντιμετωπίζει τὴν ἐσχάτην τῶν ποινῶν.
He is facing capital punishment.

πόλεμος, ὁ

κατὰ τὸν πόλεμο=in wartime.

Κατὰ τὸν πόλεμο ἡ ζάχαρι ἦταν σπάνια.
In wartime sugar was scarce.

τολεμῶ

πολεμῶ γιὰ=I fight for.

Οἱ Ἕλληνες πολεμοῦν πάντοτε γιὰ τὴν ἐλευθερία.
Greeks always fight for liberty.

τόλις, ἡ

εἶμαι ἀπὸ ἄλλη πόλι=I am from out of town.

Εἶμαι ἀπὸ ἄλλη πόλι. Δὲν ξέρω τὴν ὁδὸ ποὺ ζητᾶτε.
I am from out of town. I don't know the street you are looking for.

ἐκτὸς πόλεως=out of town.

Ὁ κ. Σμὶθ εἶναι ἐκτὸς πόλεως (ἀπουσιάζει σὲ ταξίδι).
Mr Smith is out of town.

τολύς, ὁ (ἡ πολλή, τὸ πολὺ)

δουλεύω πολὺ=I work hard.

Μὴν δουλεύης πολύ, θὰ ἀρρωστήσης.
Don't work hard, you will get sick.

εἶναι μέγας καὶ πολὺς=he is a very influential man.

Νὰ παρακαλέσωμε αὐτόν. Εἶναι μέγας καὶ πολύς.
We should ask him. He is a very influential man.

ἐπὶ πολὺ=for a long time.

Δὲν ἔμειναν μαζί μας ἐπὶ πολύ.
They did not stay with us for a long time.

μετὰ πολλῆς χαρᾶς=with great joy, with great pleasure.

Τὸ ἔπραξε μετὰ πολλῆς χαρᾶς.
He did it with great joy.

μετ' οὐ πολὺ=in a little while, shortly afterwards, shortly after, after a while, a little later, soon after.

Μετ' οὐ πολὺ ἐνεφανίσθη ὁ πατέρας της.
Shortly afterwards her father appeared.

πολλὰ ἀπὸ=many of (neuter).

Πολλὰ ἀπὸ τὰ μῆλα δὲν εἶναι καλά.
Many of the apples are not good.

πολλοὶ ἀπὸ=many of (masc.).

Πολλοὶ ἀπὸ τοὺς μαθητὰς δὲν εἶναι ἐδῶ.
Many of the students are not here.

πολλὲς ἀπὸ=many of (fem.).

Πολλὲς ἀπὸ τὶς μαθήτριες δὲν εἶναι ἐδῶ.
Many of the (girls) students are not here.

πολὺ καλὰ=very well.

Ὁμιλεῖ Ἑλληνικὰ πολὺ καλά.
He speaks Greek very well.

Δὲν θὰ ἔλθετε; Πολὺ καλά.
You are not coming? Very well. (It is O.K.).

οὐκ ἐν τῷ πολλῷ τῷ εὖ=it is quality that counts more than quantit
ὅπου λαλοῦν πολλοὶ κοκόροι ἀργεῖ νὰ ξημερώση=too many cooks s
the broth.

*Ἐσὺ μὴ μπερδεύεσαι σ' αὐτό. Ὅπου λαλοῦν πολλοὶ κοκόροι ἀργεῖ νὰ ξημ-
ρώση.*
You keep out of this. Too many cooks spoil the broth.

πονῶ

μὲ πονάει τὸ πόδι μου=my foot aches.

Δὲν θὰ πάω στὸ γραφεῖο σήμερα. Μὲ πονάει τὸ πόδι μου.
I shall not go to the office today. My foot aches.

μὲ πονοῦν τὰ μάτια μου=I have sore eyes.

Μὲ πονοῦν τὰ μάτια μου. Πιθανὸν νὰ χρειάζωμαι νέα γυαλιά.
I have sore eyes. I may need a new pair of glasses.

πόρτα, ἡ

κτυπῶ τὴν πόρτα=I knock at the door.

Κάποιος κτυπᾶ τὴν πόρτα. Εἶναι ὁ Γιῶργος;
Someone is knocking at the door. Is it George?

πόσος (πόση, πόσο)

πόσο;=how much (sing.)?

Πόσο κοστίζουν τὰ πορτοκάλια;
How much do oranges cost?

πόσο ἔχει;=how much does it cost?
πόσο κοστίζει;=how much does it cost?
πόσο κάνει;=how much does it cost?

Πόσο ἔχει ἕνα κιλὸ πατάτες;
How much does a kilo of potatoes cost?

σοι (πόσες, πόσα)

πόσοι, πόσες, πόσα=how many (pl.)

Πόσοι φοιτητὲς εἶναι εἰς τὴν αἴθουσα;
How many students are there in this room?

Πόσες ἀδελφὲς ἔχεις;
How many sisters have you?

Πόσα μῆλα ὑπάρχουν στὸ τραπέζι;
How many apples are there on the table?

σότης, ἡ

κατὰ ποσότητας=in quantity.

Ἀγοράζει ζάχαρι καὶ ρύζι κατὰ ποσότητας.
He buys sugar and rice in quantity.

τε

δὲν μὲ ἐνδιαφέρει πότε=I don't care when, no matter when.

Πρέπει νὰ μοῦ τὸ ἐπιστρέψετε. Δὲν μὲ ἐνδιαφέρει πότε.
You should return it to me, no matter when.

ἕως πότε;=till when? how long?

Ἕως πότε μπορεῖτε νὰ μὲ περιμένετε;
Till when can you wait for me?

κάθε πότε;=how often?

Κάθε πότε πρέπει νὰ παίρνω τὸ φάρμακο;
How often should I take the medicine?

τὲ

κάλλιο ἀργὰ παρὰ ποτὲ=better late than never.

Παντρεύτηκε στὰ πενήντα της. Κάλλιο ἀργὰ παρὰ ποτέ.
She married in her fifties. Better late than never.

ῦ

ἀπὸ ποῦ καὶ ὡς ποῦ=how come? by what right?

Σᾶς χρεωστῶ τόσα χρήματα; Ἀπὸ ποῦ καὶ ὡς ποῦ;
Do I owe you that much money? How come?

γιὰ ποῦ;=where to?

Γιὰ ποῦ;
Πᾶμε στὸ κινηματογράφο.
Where to?
We are going to the cinema.

ποῦ καὶ ποῦ=now and then.

(Πρβλ. **πότε-πότε, κάπου-κάπου**=the same meaning).

Μᾶς ἐπισκέπτεται ποῦ καὶ ποῦ.
He visits us now and then.

πρᾶγμα, τὸ (τὰ πράγματα)

δὲν εἶναι μικρὸ πρᾶγμα=it is no small matter.

Δὲν εἶναι μικρὸ πρᾶγμα νὰ σὲ ἀγαπᾶ μιὰ τέτοια θαυμάσια καὶ ὡραία γυνα κα.
It is no small matter to be loved by such a wonderful and beautiful woma

ἔρχομαι στὰ πράγματα=I come into power.

Ἐὰν ἔλθουν καμμιὰ φορὰ στὰ πράγματα θὰ κάνουν πολλὰ γιὰ τὴν χώ τους.
If they ever come into power, they will do a lot of things for their count

κάθε πρᾶγμα στὸν καιρό του κι ὁ κολιὸς τὸν Αὔγουστο=there is a ti and place for everything.

Μὴν τὸ ἀναφέρης αὐτὸ τώρα. Κάθε πρᾶγμα στὸν καιρό του κι ὁ κολιὸς τ Αὔγουστο.
Don't mention it now. There is a time and place for everything.

ὅπως καὶ ἂν ἔχη τὸ πρᾶγμα=in any case.

Ὅπως καὶ ἂν ἔχη τὸ πρᾶγμα πρέπει νὰ τὸν προσκαλέσωμε.
In any case, we have to invite him.

παρέχω πράγματα=I cause trouble.

Τὸ ὄνομά του τοῦ παρέχει πράγματα.
His name causes him trouble.

οἱ ἐν τοῖς πράγμασι=those in power, the men in office.

Τὸ ἐπέβαλον οἱ ἐν τοῖς πράγμασι.
It was imposed by those in power.

πράγματι (τῷ ὄντι, γιὰ νὰ εἶμαι ἀκριβὴς)=in fact.

Σοῦ εἶπα ὅτι τὸν συνήντησα, ἀλλὰ πράγματι δὲν τὸν συνήντησα.
I told you that I met him, but in fact, I didn't.

πρέπει

πρέπει νὰ=must + verb, should + verb.

Πρέπει νὰ φύγω ἀμέσως.
I must leave at once.

Πρέπει νὰ ἔλθης.
You must come.

Πρέπει νὰ διαβάζῃς πιὸ πολύ.
You should study more.

πρὶν

πρὶν νὰ=before + verb.

Σταματᾶμε τὸ σχολεῖο πρὶν νὰ ἔλθη τὸ καλοκαίρι.
We stop school before summer comes.

τρὸ

πρὸ μεσημβρίας (π.μ.)=before noon (a.m.).

πρὸ ὀλίγου=a little while ago.

Ἦσαν ἐδῶ πρὸ ὀλίγου.
They were here a little while ago.

πρὸ πάντων=above all.

Πρὸ πάντων προσπαθῆστε νὰ ἐπιστρέψετε ἐνωρίς.
Above all try to get back early.

προδοσία, ἡ

ἐσχάτη προδοσία=high treason.

Εὑρίσκεται ὑπὸ κατηγορίαν δι' ἐσχάτην προδοσίαν. Θὰ δικασθῆ τὸν ἐπόμενο μῆνα.
He is under the accusation of high treason. He stands trial next month.

πρόθεσις, ἡ

ἐκ προθέσεως=on purpose, intentionally, deliberately.

Τὸ εἶπε ἐκ προθέσεως.
He said it intentionally.

ἔχω τὴν πρόθεσιν νὰ=I intend to, I have the intention of.

Ἔχει τὴν πρόθεσιν νὰ ἀγοράση τὸ αὐτοκίνητό μου.
He intends to buy my car.

μὲ τὴν πρόθεσι=with the intention of.

Ἐπῆγα εἰς τὴν Ἑλλάδα μὲ τὴν πρόθεσι νὰ μάθω Ἑλληνικά.
I went to Greece with the intention of learning Greek.

προϊών, ὁ

προϊόντος τοῦ χρόνου=in the process of time, in the course of time.

(Πρβλ. μὲ τὸν καιρό, σὺν τῷ χρόνῳ=the same meaning).

Προϊόντος τοῦ χρόνου ἡ ἀλήθεια ἔγινε τελικὰ γνωστή.
In the process of time the truth finally came out.

προκείμενον, τὸ

ἂς ἔλθωμεν εἰς τὸ προκείμενον=let us get to the point.

Ἂς ἔλθωμεν εἰς τὸ προκείμενον. Πόσα χρήματα θέλετε;
Let us get to the point. How much money do you want?

πρόκειται

περὶ τίνος πρόκειται;=what is it all about?

Περὶ τίνος πρόκειται;
Μακάρι νὰ ἤξερα.

What is it all about?
I wish I knew.

πρόκειται νὰ=I am going to, I am about to.

Ἡ Μαρία πρόκειται νὰ παντρευτῇ; Ποῖον; Πότε;
Is Mary going to get married? To whom? When?

Ἐπρόκειτο νὰ πάω γιὰ ὕπνο ὅταν τὸ τηλέφωνο κτύπησε.
I was about to go to bed, when the telephone rang.

προσβολή, ἡ

δὲν ἀνέχομαι προσβολὴ=I don't swallow an insult.

Ἡ προσωπική μου ἀξιοπρέπεια δὲν μοῦ ἐπιτρέπει νὰ ἀνεχθῶ τέτοια προσβολή.
My personal dignity does not allow me to swallow such an insult.

προσγειώνομαι

προσγειώνομαι=I land at.

Τὸ ἀεροπλάνο μας προσεγειώθη εἰς τὸ ἀεροδρόμιον τῶν Ἀθηνῶν.
Our plane landed at Athens airport.

προσέγγισις, ἡ

κατὰ προσέγγισιν=approximately.

Πόσα μέτρα εἶναι κατὰ προσέγγισιν;
How many meters is it approximately?

προσευχή, ἡ

κάνω τὴν προσευχή μου=I pray, I say my prayers.

Προτοῦ νὰ πάῃ γιὰ ὕπνο κάνει τὴν προσευχή του.
Before going to bed, he says his prayers.

λέγω τὴν προσευχὴ στὸ τραπέζι=I say grace.

Μοῦ εἶπε νὰ πῶ τὴν προσευχὴ στὸ τραπέζι.
He told me to say grace.

προσέχω

δὲν πρόσεξα κάτι=I did not notice it.

Λυποῦμαι. Δὲν τὸ πρόσεξα. Ὑπόσχομαι τὴν ἐπομένη φορὰ νὰ εἶμαι πιὸ προσεκτικός.

Sorry. I did not notice it. Next time I promise to be more careful.

πρόσεχε=be careful! look out! watch out!

Πρόσεχε, ἕνα αὐτοκίνητο ἔρχεται.
Watch out. A car is coming.

προσέχω=I am careful.

Γιατὶ δὲν προσέχεις;
Why aren't you careful?

προσέχω (κάποιον ἤ κάτι) (δίδω σημασίαν)=I pay attention to.

Εἰς τὴν τάξιν ποτὲ δὲν προσέχει ἐκεῖνο ποὺ ὁ δάσκαλος λέγει.
In class he never pays attention to what the teacher says.

Γιατὶ δὲν προσέχεις αὐτὸ ποὺ σοῦ λέω;
Why don't you pay attention to what I am telling you?

προσθέτω

προσθέτω κάτι σὲ κάτι=I add to.

Ἐὰν προσθέσῃς 4 εἰς τὸ 10 θὰ ἔχῃς 14.
If you add 4 to 10 you will have 14.

προσοχή, ἡ

στέκομαι προσοχὴ=I stand at attention.

Οἱ στρατιῶτες εἶχαν νὰ σταθοῦν προσοχὴ εἰς τὸν ἥλιο γιὰ περισσότερο ἀπὸ μία ὥρα.
The soldiers had to stand at attention in the sun for more than an hour.

προσπάθεια, ἡ

ματαία προσπάθεια=it is a vain attempt.

Ματαία προσπάθεια. Δὲν πρόκειται νὰ τὸν κάμουν δεκτὸν σὲ αὐτὸ τὸ Πανεπιστήμιον.
It is a vain attempt. He is not going to be admitted to that University.

παρ' ὅλας τὰς προσπαθείας της=in spite of all her efforts, despite all her efforts.

Παρ' ὅλας τὰς προσπαθείας της δὲν ἐπέρασε εἰς τὰς ἐξετάσεις.
Despite all her efforts she did not pass the examinations.

προσχήματα, τὰ

σώζω τὰ προσχήματα=I keep up appearances, I save appearances.

Τὸ εἶπα γιὰ νὰ σώσω τὰ προσχήματα.
I said it in order to keep up appearances.

προτοῦ

προτοῦ νὰ=before + past, before + ...ing.

Ἔκλεισα τὸ βιβλίο προτοῦ νὰ φύγω.
I closed the book before I left (before leaving).

πρόφασις, ἡ

ἐπὶ τῇ προφάσει ὅτι=under the pretext that.

Δὲν ἐπῆγα ἐπὶ τῇ προφάσει ὅτι ἤμουν ἀπησχολημένος.
I did not go under the pretext that I was busy.

πρόχειρος, ὁ

ἐκ τοῦ προχείρου=impromptu, extempore.

Ὡμίλησε ἐκ τοῦ προχείρου.
He spoke extempore.

πρόχειρος (χωρὶς προετοιμασία)=off hand.

Ἔδωσε μιὰ πρόχειρη ἀπάντησι ἀλλὰ δὲν ἦταν ἡ σωστή.
He gave an off hand answer, but it was not the right one.

προχθὲς

προχθὲς=the day before yesterday.

Τὴν συνήντησα προχθές.
I met her the day before yesterday.

πρωΐ, τὸ

τὸ πρωΐ ἔχω σχολεῖο=I have school in the morning.

Τὸ πρωΐ δὲν μπορῶ νὰ ἔλθω.
I cannot come in the morning.

πρῶτα

πρῶτα-πρῶτα=first of all.

Πρῶτα-πρῶτα πρέπει νὰ μᾶς πῇς τὴν ἀλήθεια.
First of all you should tell us the truth.

πρωτοβουλία, ἡ

ἐξ ἰδίας πρωτοβουλίας=on my own initiative.

Τὸ ἔστειλα ἐξ ἰδίας πρωτοβουλίας.
I sent it on my own initiative.

πρῶτος, ὁ

ὁ πρῶτος ποὺ=the first man to.

Ἦταν ὁ πρῶτος ποὺ πέταξε ἐπάνω ἀπὸ τὸν Ἀτλαντικό.
He was the first man to fly over the Atlantic.

πῦρ, τό

παρανάλωμα τοῦ πυρός=a prey to the flames.

Τὸ ξύλινο σπίτι ἔγινε παρανάλωμα τοῦ πυρός.
The wooden house became a prey to the flames.

-P-

ραδιόφωνο, τό

εἰς τὸ ραδιόφωνο (ράδιο)=on the radio, over the radio.

Ἀκούω τὰ νέα εἰς τὸ ραδιόφωνο κάθε πρωΐ.
I hear the news on the radio every morning.

ρεζίλι, τό

μ' ἔκανε ρεζίλι=he exposed me to public contempt.

Ἄρχισε νὰ φωνάζῃ εἰς τὴν ἐκκλησία. Μ' ἔκανε ρεζίλι.
He started shouting in the church. He exposed me to public contempt.

ρεπό, τό

ρεπό=a day off.

Αὔριο θὰ κοιμηθῶ πιὸ πολύ. Ἔχω ρεπό.
I shall sleep longer tomorrow, it is my day off.

ρετσινιά, ἡ

κολλάω τὴν ρετσινιὰ σὲ κάποιον=I defame him, I slander him.

Εἶναι εὔκολο νὰ κολλήσῃς τὴν ρετσινιὰ σὲ κάποιον.
It is easy to slander someone.

ρεῦμα, τό

πάω μὲ τὸ ρεῦμα=I move with the times, I know which way the wind blows.

Αὐτὸς πηγαίνει πάντα μὲ τὸ ρεῦμα.
He always moves with the times.

ριπή, ἡ

ἐν ριπῇ ὀφθαλμοῦ=in the twinkling of an eye, as quick as lightning.

Τὸ δυστύχημα συνέβη ἐν ριπῇ ὀφθαλμοῦ.
The accident happened in the twinkling of an eye.

ρίπτω (ἢ ρίχνω)

ρίπτω λάδι στὴ φωτιὰ=I make things worse, I throw oil on the fire.

Λέγοντας αὐτὸ ἔρριψε λάδι στὴ φωτιὰ (χειροτέρευσε τὰ πράγματα).
He made things worse by saying that.

ρίπτω μιὰ ματιὰ εἰς=I cast a glance at, I have a look at.

Μπορῶ νὰ ρίξω μιὰ ματιὰ εἰς τὴν ἐφημερίδα σας;
May I have a look at your newspaper?

τῆς ρίχτηκε=he made a pass at her, he threw himself at her.

Τῆς ρίχτηκε ἔνας ἄγνωστος καὶ αὐτὴ ἄρχισε νὰ φωνάζη βοήθεια.
A stranger made a pass at her and she started crying for help.

ροῦχα, τὰ

ἁπλώνει ροῦχα=she hangs out clothes.

Τὴν βρῆκα νὰ ἁπλώνη ροῦχα εἰς τὴν αὐλή.
I found her hanging out clothes in the courtyard.

ρύμη, ἡ

ἐν τῇ ρύμῃ τοῦ λόγου=in the course of his speech.

Ἐν τῇ ρύμῃ τοῦ λόγου εἶπε πράγματα τὰ ὁποῖα δὲν ἔπρεπε νὰ πῆ.
In the course of his speech he said things he should not have said.

-Σ-

Σάββατο, τὸ

τὸ Σάββατο=on Saturday.
τὰ Σάββατα=on Saturdays.

Τὸ Σάββατο δὲν ἔχομε σχολεῖο.
We don't have school on Saturdays.

There are no classes on Saturdays.

κάθε Σάββατο=every Saturday.
αὐτὸ τὸ Σάββατο=this Saturday.

Κάθε Σάββατο μένω στὸ σπίτι.
Every Saturday I stay at home.

Αὐτὸ τὸ Σάββατο θὰ ἐπισκεφθοῦμε τὴν Ἀκρόπολι.
This Saturday we will visit the Acropolis.

σαλεύω

σαλεύει ὁ νοῦς μου=I lose my wits.

Ἐσάλεψε ὁ νοῦς του ἀπὸ τὸν θάνατο τῆς γυναίκας του.
He lost his wits because of the death of his wife.

σάλιο, τὸ

τρέχουν τὰ σάλια της=her mouth is watering.

Μόλις εἶδα καὶ μύρισα τὸ φρεσκοψημένο κέϊκ ἄρχισαν νὰ τρέχουν τὰ σάλια μου.
As soon as I saw and smelled the newly baked cake my mouth started watering.

σαπίζω

σαπίζω κάποιον στὸ ξύλο=I beat him to death.

Ἐὰν τὸ κάνης ξανὰ θὰ σὲ σαπίσω στὸ ξύλο.
If you do it again I will beat you to death.

σαπίζω στὴ φυλακὴ=I rot in prison.

Σάπισε στὴ φυλακὴ δέκα χρόνια.
He rotted in prison for ten years.

σβήνω

σβήνω (διαγράφω)=I cross out, I delete.

Παρακαλῶ, σβῆστε τὸ ὄνομά μου ἀπὸ τὴν κατάστασι.
Please, cross out my name from the list.

Σβῆσε αὐτὴ τὴν λέξι καὶ γράψε κάποια ἄλλη.
Delete this word and write another one.

σβήνω κερὶ ἢ λάμπα (φυσώντας)=I blow it out.

Ἔσβησε τὸ κερί.
He blew out the candle.

Μὴν σβήνῃς τὴν λάμπα.
Don't blow the lamp out.

σβήνω τὸ (ἠλεκτρικὸ) φῶς=I turn the light out (off), I switch it off.

Ξέχασε νὰ σβήσῃ τὸ φῶς.
He forgot to turn the light out.

σβήνω τὴ δίψα μου=I quench my thirst.

Ἔχετε τίποτε μὲ τὸ ὁποῖο μπορῶ νὰ σβήσω τὴν δίψα μου;
Have you anything with which I can quench my thirst?

σβήνω τὴ φωτιὰ=I put out the fire.

Τὸ νερὸ σβήνει τὴ φωτιὰ γρήγορα.
Water puts out a fire quickly.

σέβας, τὸ (τὰ σέβη)

τὰ σέβη μου=my respects.

Παρακαλῶ διαβιβάσατε τὰ σέβη μου εἰς τοὺς γονεῖς σας.
Please convey my respects to your parents.

σειρὰ, ἡ

ἡ σειρά μου=my turn.

Τώρα εἶναι ἡ σειρά μου νὰ παίξω.
Now it is my turn to play.

κατὰ σειρὰν=in a row.

Βάλε τὶς κάρτες κατὰ σειράν.
Put the cards in a row.

σηκώνομαι

σηκώνομαι ἀπὸ τὸ κρεββάτι=I get up, I get out of bed.

Σηκώνομαι ἀπὸ τὸ κρεββάτι στὶς 6 κάθε πρωΐ.
I get up at six every morning, ἢ

I get out of bed at six every morning.

σημαία, ἡ

στήνω σημαία (ἀνυψῶ σημαία)=I hoist, I raise a flag, I put up a flag.

Μόλις φθάσανε στὴν πιὸ ψηλὴ κορυφή, στήσανε (ἀνύψωσαν) τὴν σημαία τῆς χώρας των.
As soon as they reached the highest peak, they hoisted the flag of their country.

σημαίνω

δὲν σημαίνει ὅτι=it does not mean that...

Αὐτὸ δὲν σημαίνει ὅτι συμφωνῶ μαζί σας.
This does not mean that I agree with you.

τι σημαίνει αὐτό;=what is the meaning of this?

Τί σημαίνει αὐτὴ ἡ πινακίς;
What is the meaning of this sign?

σημαίνων ἄνθρωπος=important man.

Ὁ πατέρας της εἶναι σημαίνων ἄνθρωπος.
Her father is an important man.

σημασία, ἡ

δὲν ἔχει σημασία πῶς=no matter how.

Δὲν ἔχει σημασία πῶς θὰ τὸ γράψη.
He will write it no matter how.

δὲν ἔχει σημασία ποιός=no matter who.

Δὲν ἔχει σημασία ποιὸς τὸ ἔκανε.
It doesn't matter who did it.

δίδω σημασία=I attach importance to.

Δίδει μεγάλη σημασία στὴ λύσι τοῦ προβλήματος αὐτοῦ.
He attaches great importance to the solution of this problem.

μὴν δίνεις σημασία=don't pay attention to.

Μὴν τοῦ δίνεις σημασία, ἀγνόησέ τον.
Don't pay attention to him. Ignore him.

ποία ἡ σημασία του;=what is the meaning of this?
(Πρβλ. τί πάει νὰ πῆ αὐτό; τί σημαίνει;=the same meaning)

Ποία εἶναι ἡ σημασία αὐτῆς τῆς λέξεως παρακαλῶ;
What is the meaning of this word please?

σημεῖον, τὸ (τὰ σημεῖα)

σημεῖα καὶ τέρατα=signs and wonders.

Μιλοῦσαν γιὰ σημεῖα καὶ τέρατα.
They were talking about signs and wonders.

σημείωσις, ἡ (αἱ σημειώσεις)

κρατῶ σημειώσεις=I keep notes.

Μὴν κρατᾶτε σημειώσεις. Τὸ νέο βιβλίο τὰ ἔχει ὅλα ὅ,τι διδάσκω.
Don't keep notes. The new book has everything that I teach.

σκάω

σκάσε=shut up!
(Πρβλ. εὐγενικά: σῶπα=be quiet!).

Εἶπε «σκάσε». Δὲν εἶναι εὐγενής.
He said: «shut up». He is not polite.

σκάω κάποιον=I nag him to death.

Τὸν ἔσκασε μὲ τὶς ἀπαιτήσεις της.
She nagged him to death with her demands.

σκάω ἀπὸ κάτι=I am dying of.

Τὸ καλοκαίρι εἰς τὴν ἔρημο σκᾶνε ἀπὸ τὴν ζέστη καὶ τὴν δίψα.
In the summer in the desert they are dying of heat and thirst.

τὸ σκάω=I take flight, I run away.

Τὸ ἔσκασε γιὰ νὰ μὴν συλληφθῇ.
He ran away so that he might not be caught.

τὸ σκάω ἀπὸ τὸ σχολεῖο=I play truant.

Ὁσάκις δὲν ἔχει διαβάσει τὰ μαθήματά του τὸ σκάει ἀπὸ τὸ σχολεῖο.
Whenever he has not studied his lessons he plays truant.

σκάπτω

σκάπτω τὸ λάκκο κάποιου=I cause him great disaster, I dig his grave, I ruin him.

Μὴν ἀνησυχῇς. Θὰ τοῦ σκάψω τὸ λάκκο.
Don't worry I will ruin him.

σκέπτομαι

σκέπτομαι κάτι καλὰ=I think it over carefully.

Τοῦ εἶπα νὰ τὸ σκεφθῇ καλὰ προτοῦ νὰ τὸ κάνη.
I told him to think it over carefully before doing it.

σκέψις, ἡ

μετὰ ἀπὸ σκέψι=on consideration.

Μετὰ ἀπὸ σκέψι ὁ πατέρας της ἀπεφάσισε νὰ τὴν στείλη εἰς τὸ Κολλέγιο.
On consideration, her father decided to send her to College.

ὑπὸ σκέψιν=under consideration.

Ἔχω τὴν πρότασίν σας ὑπὸ σκέψιν. Δὲν ἀπεφάσισα ἀκόμη.
I have your proposal under consideration. I have not decided yet.

σκιά, ἡ

εἰς τὴν σκιὰ=in the shade.

Ἄς καθήσωμε κάτω εἰς τὴν σκιά.
Let's sit down in the shade.

κιρτῶ

σκιρτῶ ἀπὸ χαρὰ=I am thrilled with joy.

Ἐσκίρτησε ἀπὸ χαρὰ ὅταν ἄκουσε ὅτι ὁ ἄνδρας της ἐπέζησε.
She was thrilled with joy when she heard that her husband had survived.

σκοπίμως

σκοπίμως=on purpose.

Τὸ ἔκανε σκοπίμως γιὰ νὰ στενοχωρηθῶ.
He did it on purpose so that I would worry.

σκοπός, ὁ

ἀπὸ σκοποῦ=intentionally, deliberately, on purpose.

Τὸ εἶπε ἀπὸ σκοποῦ. Ἤθελε νὰ μὲ προσβάλη.
He said it deliberately. He wanted to insult me.

ἔχω σκοπὸν=I intend.

Ἔχω σκοπὸν νὰ τὴν παντρευτῶ.
I intend to marry her.

μὲ τὸ σκοπὸ νὰ=in order to.

Ἦλθα μὲ τὸ σκοπὸ νὰ μείνω.
I have come in order to stay.

Ἐπῆγα μὲ σκοπὸ νὰ τὴν δῶ.
I went in order to see her.

πετυχαίνω τὸ σκοπό μου=I achieve my end.

Τελικὰ ἐπέτυχε τὸ σκοπό του.
Finally he achieved his end.

σκοτάδι, τὸ

πίσσα-σκοτάδι=pitch dark.

Εἶναι μεσάνυκτα, πίσσα-σκοτάδι, κανεὶς δὲν περπατᾶ εἰς τοὺς δρόμους.
It is midnight, it is pitch dark, nobody walks in the streets.

σκοτεινά, τὰ

στὰ σκοτεινὰ=in the dark.

Μείναμε στὰ σκοτεινὰ ὅλη τὴν νύκτα.
We stayed in the dark all night long.

σκοτίζω

μὴ μὲ σκοτίζης=don't bother me.

Δὲν ξέρω τίποτε γι' αὐτόν. Μὴ μὲ σκοτίζης.
I don't know anything about him. Don't bother me.

σκοτώνομαι

σκοτώνομαι στὴ δουλειὰ=I work myself to death.

Ἔχει μεγάλη οἰκογένεια. Σκοτώνεται στὴ δουλειά.
He has a big family. He works himself to death.

σκοτώνω

σκοτώνω κάποιον στὸ ξύλο=I beat him to death.

Τὸν σκότωσαν στὸ ξύλο χωρὶς λόγο.
They beat him to death without reason.

σκοτώνω τὴν ὥρα (τὸν καιρὸ)=I kill time.

Σκοτώνει τὴν ὥρα του διαβάζοντας περιοδικά.
He kills his time by reading magazines.

σκοῦρα, τὰ

τὰ βρίσκω σκοῦρα=I encounter difficulties.

Εἰς τὴν νέα του δουλειὰ τὰ βρῆκε σκοῦρα.
He encountered difficulties in his new job.

σκούφια, ἡ

κρατάει ἡ σκούφια μου (κατάγομαι)=I come from.

Ἀπὸ ποῦ κρατάει ἡ σκούφια του;
Where is he coming from?

πετάω τὴ σκούφια μου γιὰ καυγᾶ=I am looking for trouble, I am aggressive, I am ready to fight.

Μὴν τοῦ μιλᾶς. Πετάει τὴ σκούφια του γιὰ καυγᾶ.
Don't talk to him. He is looking for trouble.

σκυλοτρώγομαι

σκυλοτρώγονται=they fight like cat and dog.

Ἄν καὶ εἶναι ἀδέλφια καὶ ζοῦν εἰς τὸ ἴδιο σπίτι σκυλοτρώγονται.
Though they are brothers and live in the same house, they fight like cat and dog.

σούσουρο, τὸ

ἔγινε σούσουρο=there was a great fuss.

Χθὲς τὸ βράδυ στὴν πλατεῖα τοῦ χωριοῦ ἔγινε σούσουρο. Μία ἄγνωστη γυναίκα τσακώθηκε μὲ τὸν Γιῶργο.
There was a great fuss last night at the village square. An unknown woman quarrelled with George.

σπάγγος, ὁ

εἶναι σπάγγος=he is stingy.

Εἶναι σπάγγος σὰν Σκωτσέζος.
He is as stingy as a Scotsman.

σπασμένο, τὸ

σπασμένο=in pieces.

Ὅταν γύρισα πίσω βρῆκα τὸ ὡραῖο βάζο σπασμένο.
When I came back I found the beautiful vase in pieces.

σπίτι, τὸ

στὸ σπίτι=at home.

Εἶναι ὁ Γιῶργος στὸ σπίτι;
Is George at home?

Πηγαίνω στὸ σπίτι.
I am going home.

Πηγαίνει στὸ σπίτι πάντα μὲ τὰ πόδια.
He always goes home on foot.

μένω στὸ σπίτι (δὲν πάω ἔξω)=I stay at home (I don't go out).

Μετὰ τὸ σχολεῖο μένω στὸ σπίτι.
After school I stay at home.

Δὲν μένει ποτὲ στὸ σπίτι.
He never stays at home.

σὰ στὸ σπίτι σας=make yourself at home.
φθάνω σπίτι=I get home.

Φθάνω σπίτι στὶς τρεῖς.
I get home at three.

σπουδάζω

σπουδάζω ἐργαζόμενος=I work my way through school.

Σπούδασε ἐργαζόμενος καὶ τώρα ἔχει μία πολὺ καλὴ θέσι.
He worked his way through school and now he has a very good position.

στὰ

στὰ Ἑλληνικὰ=in Greek.

Πές το στὰ Ἑλληνικά.
Say it in Greek.
Γράψε το στὰ Ἀγγλικά.
Write it in English.

στάσου

στάσου=wait a minute.

Στάσου, τὸ βρῆκα.
Wait a minute. I have found it.

σταυρός, ὁ

κάνω τὸ σταυρό μου=I cross myself.

Ἔκανε τὸ σταυρό του τρεῖς φορές.
He crossed himself three times.

στέκω

στάσου=stop.
σταθεῖτε=stop.

Στάσου, κάτι ξέχασα.
Stop. I have forgotten something.
Σταθεῖτε. Μὴν πλησιάζετε.
Stop. Don't come any nearer.

στενοχωροῦμαι

στενοχωροῦμαι γιὰ=I worry about...

Μὴν στενοχωρῆσαι γιὰ μένα.
Don't worry about me.

Οὐδέποτε στενοχωρεῖται γιὰ κάτι ποὺ δὲν ἔχει σημασία.
He never worries about something of no importance.

στιγμή, ἡ

ἀνὰ πᾶσαν στιγμὴν=all the time, at every (any) moment.

Εἶμαι εἰς τὴν διάθεσίν σας ἀνὰ πᾶσαν στιγμήν.
I am at your disposal all the time.

ἀπὸ στιγμὴ σὲ στιγμὴ=from one moment to another, any moment now.

Πολλὰ μποροῦν νὰ συμβοῦν ἀπὸ στιγμὴ σὲ στιγμή.
Many things can happen from one moment to another.

μιὰ στιγμὴ=one moment.

Περιμένετε μιὰ στιγμὴ παρακαλῶ.
Wait one moment please.

Just a moment please.

στὴ στιγμὴ=instantly.

Σᾶς ἐξυπηρετοῦν στὴ στιγμή.
They serve you instantly.

μέχρι τῆς στιγμῆς=up to now.

Μέχρι τῆς στιγμῆς δὲν ἔχω νέα.
I have no news up to now.

στὶς

στὶς=at (certain time).

Τὸ σχολεῖο ἀρχίζει στὶς 8.
School begins at eight o'clock.

Στὶς δέκα Ἰουνίου.
On the tenth of June.

Φεύγει στὶς 3 Ἰουλίου.
He is leaving on the 3rd of July.

στὸ

στὸ=at (certain place).

Εἶναι στὸ σχολεῖο ἀκριβῶς τώρα.
He is at school right now.

Εἶναι στὸ γραφεῖο τοῦ πατέρα του.
He is at his father's office.

στοίχημα, τὸ

βάζω στοίχημα=I bet on something, I make bets.

Εἶμαι τόσο βέβαιος περὶ αὐτοῦ, ὥστε μπορῶ νὰ βάλω στοίχημα.
I am so sure about it that I can bet on it.

στολίζω

στολίζω κάποιον γιὰ καλὰ=I give him a good lecture, I fix him properly.

Ἐὰν τὸν δῶ θὰ τὸν στολίσω γιὰ καλά.
If I see him I will fix him properly.

στόμα, τὸ

ἀπὸ τὸ στόμα σου καὶ στοῦ Θεοῦ τ' αὐτὶ=may God grant it.

εν ἑνὶ στόματι=unanimously.

Συνεφώνησαν ἐν ἑνὶ στόματι.
They agreed unanimously.

ἐν στόματι μαχαίρας=with the edge of the sword.

Ὅλοι τους ἐφονεύθησαν ἐν στόματι μαχαίρας.
All of them were killed with the edge of the sword.

στομάχι, τὸ

ἔχω κάποιον στὸ στομάχι=I cannot stomach him.
(Πρβλ. μοῦ κάθεται στὸ στομάχι=the same meaning).

Ὁ νέος διευθυντὴς μοῦ κάθεται στὸ στομάχι.
I cannot stomach the new director.

ἔχει μεγάλο στομάχι=he is tolerant, easygoing.

Εἰς τὴν ζωὴ πρέπει νὰ ἔχη κανεὶς μεγάλο στομάχι.
In life one should be tolerant.

στραβὰ

κάτι ἐπῆγε στραβὰ=something went wrong.

Κάτι ἐπῆγε στραβὰ τὴν τελευταία στιγμὴ καὶ τὸ σχέδιο των ἀπέτυχε ἐξ ὁλο-
κλήρου.
Something went wrong at the last moment and their plan failed entirely

στρατός, ὁ

ἀπαλλάσσομαι ἀπὸ τὸ στρατὸ=I am exempted from army service.

Τὸν ἀπήλλαξαν ἀπὸ τὸ στρατὸ γιατὶ δὲν μποροῦσε νὰ δῆ καλά.
They exempted him from army service because he could not see well.

στρίβω

τοῦ 'στριψε=he got crazy, he went off his head.
(Πρβλ. τοῦ 'στριψε ἡ βίδα=the same meaning).

Μετὰ ἀπὸ τὸ θάνατο τοῦ γιοῦ του τοῦ 'στριψε.
After his son's death, he went off his head.

συγγνώμη, ἡ

συγγνώμην=excuse me.

Συγγνώμη. Τὸ ξέχασα.
Excuse me. I forgot it.

σύγκρισις, ἡ

ἐν συγκρίσει=in comparison with, comparatively.

230

Έν συγκρίσει πρὸς τὸ πρῶτο, τὸ δεύτερο εἶναι καλλίτερον.
In comparison with the first, the second one is better.

συγυρίζω κάποιον

συγυρίζω κάποιον (ἐκδικοῦμαι)=I fix him up.

Μοῦ ἔκανε ἕνα φοβερὸ πρᾶγμα. Ἐὰν ποτὲ τὸν συναντήσω θὰ τὸν συγυρίσω.
He did a terrible thing to me. If I ever meet him I will fix him up.

συγχωρῶ

μὲ συγχωρεῖτε=excuse me.

Μὲ συγχωρεῖτε. Μπορῶ νὰ περάσω;
Excuse me. May I pass?

συλλαμβάνω

συλλαμβάνω ἐπ' αὐτοφόρῳ=to catch in the very act, to catch red-handed.

Ὁ κλέπτης συνελήφθη ἐπ' αὐτοφόρῳ.
The thief was caught red-handed.

συμβαίνει

ὅ,τι καὶ ἂν συμβῆ=whatever may happen.

Ὅτι κι' ἂν συμβῆ μπορεῖτε νὰ τὸν ἐμπιστεύεσθε.
Whatever may happen you can trust him.

σὰν νὰ μὴ συμβαίνει τίποτε=as if nothing has happened.

Αὐτὸς ἦτο τόσον ἀτάραχος σὰν νὰ μὴ συνέβη τίποτε.
He was as calm as if nothing had happened.

συμβαίνει=it happens.

Συμβαίνει νὰ μὴν ἔχω καθόλου λεπτὰ μαζί μου.
It happens that I have no money at all with me.

συνέβη ὡς ἐξῆς...=it happened thus...

μοῦ συνέβη=it happened to me.

συνέβη νὰ...=I happened to...

Συνέβη νὰ εἶμαι ἐκεῖ τὴν νύκτα ἐκείνη.
I happened to be there that night.

τί συμβαίνει;=what is it all about? what is the matter?

(Πρβλ. τί τρέχει;=what is going on?).

Τί συμβαίνει; Γιατὶ δὲν διαβάζεις;
What is it all about? Why don't you study?

τί σᾶς συμβαίνει;=what is the matter with you?

τί τῆς συμβαίνει;=what is the matter with her?

συμβουλή, ἡ

κατὰ συμβουλὴν=on one's advice.

Κάνει δίαιτα κατὰ συμβουλὴν τοῦ ἰατροῦ του.
He is dieting on his doctor's advice.

μία συμβουλὴ γιὰ=a piece of advice on.

Μοῦ ἔδωσε μία σοφὴ συμβουλὴ γιὰ τὸ θέμα.
He gave me a wise piece of advice on the subject.

συμβουλὲς=advice, pieces of advice.

Νὰ δυὸ συμβουλές.
Here are two pieces of advice.

συμπαθῶ

νὰ μὲ συμπαθᾶς=with your permission.

Νὰ μὲ συμπαθᾶς, πρέπει νὰ σοῦ πῶ πὼς δὲν ἔχεις δίκαιο.
With your permission, I must tell you that you are not right.

συμπέρασμα, τὸ

βγάζω συμπέρασμα=I draw a conclusion.

Τώρα ποὺ ξέρεις ὁλόκληρη τὴν ὑπόθεσι μπορεῖς νὰ βγάλης τὰ συμπεράσματά σου.
Now that you know the whole story you can draw your own conclusions.

βγάζω βεβιασμένο συμπέρασμα=I jump to a conclusion.

Μὴν βγάζης βεβιασμένα συμπεράσματα προτοῦ τελειώσω.
Don't jump to conclusions before I finish.

συμπληρώνω

συμπληρώνω (κενὸ σὲ ἔντυπο)=I fill in, I fill out.

Ὁρίστε ἡ αἴτησις. Συμπληρώσατέ την καὶ νὰ τὴν ἐπιστρέψετε εἰς τὸ γραφεῖο.
Here is the application form. Fill it in and return it to the office.

σύμφωνα

σύμφωνα μὲ (ἢ συμφώνως πρὸς)=according to.

Τὸ ἔκανα σύμφωνα μὲ τὴν συμφωνία μας.
I did it according to our agreement.

συμφωνῶ

συμφωνῶ (δὲν ἔχω ἀντίρρησι)=It's all right with me.

Συμφωνῶ. Ἐὰν θέλης νὰ πᾶς εἰς ἐκείνη τὴν ἐκδρομή, πήγαινε.
It's all right with me, if you want to go on that excursion, go.

συμφωνῶ μὲ κάποιον=I agree with.

Συμφώνησε μὲ μένα νὰ πᾶμε (μία) ἐκδρομή.
He agreed with me to go on an excursion.

συμφωνῶ γιὰ κάτι (νὰ...)=I agree to.

Δὲν συμφωνῶ γι' αὐτό.
I do not agree to that.

συμφωνῶ ἐπὶ (ὅρων, ἄρθρων κλπ.)=I agree on.

Ἔχουν συμφωνήσει ἐπὶ τῶν ὅρων τῆς συμφωνίας.
They have agreed on the terms of the agreement.

συναντῶ

συναντῶ (τυχαίως)=I come upon.

Τὴν συνήντησα τυχαίως καθὼς γύρισα στὴ γωνία.
I came upon her as I turned the corner.

συνείδησις, ἡ

ἔνοχος συνείδησις=guilty conscience.

Δὲν κοιμᾶται εὔκολα τὴν νύκτα διότι ἔχει ἔνοχον συνείδησιν.
He does not sleep easily at night because he has a guilty conscience.

ἔχω συνείδησιν...=I am aware of, I am conscious of.

Ἔχετε συνείδησιν τῆς σοβαρότητος τῆς καταστάσεως του;
Are you aware of the seriousness of his condition?

καθαρὰ συνείδησις=clear conscience.

Ἔχω καθαρὰ συνείδησιν. Δὲν φοβοῦμαι τίποτε.
I have a clear conscience. I am afraid of nothing.

τὸ ἔχω βάρος στὴ συνείδησί μου=I have it on my conscience.

Δὲν τὸν βοήθησα ἄν καὶ μποροῦσα. Τὸ ἔχω βάρος στὴ συνείδησί μου.
I did not help him, though I could have. I have it on my conscience.

συνέχεια, ἡ

ἔπεται ἡ συνέχεια=to be continued.

Εἰς τὸ τέλος τῆς σελίδος ἔγραφε: «Ἔπεται ἡ συνέχεια».
At the end of the page was written: «to be continued».

συνήθεια, ἡ

ἀποβάλλω (κακὴ) συνήθεια=I break away from a (bad) habit.

Εἶναι δύσκολο νὰ ἀποβάλῃ κανεὶς μιὰ παλιὰ συνήθεια.
It is difficult to break away from an old habit.

ἀποκτῶ μία συνήθεια=I get a habit, I acquire, I form a habit.

Ἀπέκτησε αὐτὴ τὴ συνήθεια ὅταν ἦταν πολὺ νέος.
He got this habit when he was very young.

ἔχω συνηθίσει (εἰς) (νὰ)=I am used to.

Ἔχει συνηθίσει τὸ ζεστὸ καιρό.
He is used to hot weather.

συνήθιζα νὰ=I used to.

Ὅταν ἤμουν σπουδαστὴς συνήθιζα νὰ σηκώνωμαι ἐνωρὶς τὸ πρωΐ.
When I was a student I used to get up early in the morning.

συνηθίζεται=it is the custom.

Εἰς τὴν Ἑλλάδα συνηθίζεται νὰ τρῶμε ἀρνὶ καὶ κόκκινα αὐγὰ τὸ Πάσχα.
In Greece it is the custom to eat lamb and red eggs at Easter time.

συντέλεια, ἡ

συντέλεια τοῦ κόσμου=the end of the world.

Μὴν κάνεις ἔτσι. Δὲν ἦλθε ἡ συντέλεια τοῦ κόσμου.
Don't behave that way. The end of the world has not come.

συντέλεια τῶν αἰώνων=the end of time.

Αὐτὰ θὰ γίνουν ὅταν ἔλθη ἡ συντέλεια τῶν αἰώνων.
These things will happen at the end of time.

σύστασις, ἡ

ἐπιστολὴ ἐπὶ συστάσει (συστημένη ἐπιστολὴ)=registered letter.

Ἔλαβα σήμερα μία ἐπιστολὴ ἐπὶ συστάσει.
I received a registered letter today.

συχνὰ

συχνότατα=most often.

Ξέρετε ὅτι μᾶς ἐπισκέπτεται συχνότατα;
Do you know that he visits us very often?

σφίγγω

σφίγγω τὸ ζωνάρι μου=I go without food.

Κατὰ τὴν διάρκεια τοῦ πολέμου σφίξαμε ὅλοι τὰ ζωνάρια μας.
During the war we all went without food.

σφίγγω τὰ χέρια=I shake hands.

Συνεφώνησαν ἐπ' αὐτοῦ καὶ ἔσφιξαν τὰ χέρια.
They came to an agreement about it and shook hands.

σφυγμός, ὁ

βρίσκω τὸν σφυγμὸ κάποιου=I find his weak side, I touch the right chord.

Ἡ Μαρία τοῦ βρῆκε τὸν σφυγμὸ καὶ τὸν κάνει ὅ,τι θέλει.
Mary has found his weak side and does with him whatever she wants.

πιάνω τὸ σφυγμὸ=I feel the pulse.

Ὁ γιατρὸς ἔπιασε τὸ σφυγμὸ καὶ ἄρχισε νὰ μετρᾶ.
The doctor felt the pulse and started counting.

σφῦρα, ἡ

μεταξὺ σφύρας καὶ ἄκμονος=between the anvil and the hammer, between the devil and the deep blue sea.

Εὑρίσκεται σὲ πολὺ δύσκολη θέσι, μεταξὺ σφύρας καὶ ἄκμονος.
He is in a very difficult situation, he is between the anvil and the hammer.

σχέσις, ἡ

δὲν ἔχει σχέσιν μὲ=it has nothing to do with.

Αὐτὸ ποὺ λὲς δὲν ἔχει σχέσιν μὲ ἐμένα.
What you are saying has nothing to do with me.

σχετικός, ὁ (ἡ σχετική, τὸ σχετικὸν)

ὅλα τὰ σχετικὰ=all things related to...
ἡ σχετικὴ πληροφορία=the related information.

σχετικός=relative to.
σχετίζεται=it relates to, it is related to.

Αὐτὸ τὸ γράμμα εἶναι σχετικὸ μὲ τὴν αἴτησίν σας.
This letter is relative to your application.

σχολεῖο, τὸ

δὲν ἔχομε σχολεῖο αὔριο=we do not have school tomorrow, there are no classes tomorrow, there is no school tomorrow.

Ἔχετε σχολεῖο τὸ Σάββατο;
Are there any classes on Saturday?

Is there school on Saturday?

Ἔχομε σχολεῖο (μάθημα) σήμερα;
Is there school today?

μετὰ τὸ σχολεῖο=after school.

Τί κάνεις μετὰ τὸ σχολεῖο;
What are you doing after school?

πηγαίνω στὸ σχολεῖο=I go to school.

Δὲν πηγαίνει στὸ σχολεῖο, ἐργάζεται.
He does not go to school. He works.

στὸ σχολεῖο=to school, at school.

Μένω στὸ σχολεῖο μέχρι τὶς 4.
I stay at school till 4.

τὸ σκάζω ἀπὸ τὸ σχολεῖο=I play truant.

Σταμάτησε νὰ τὸ σκάζη ἀπὸ τὸ σχολεῖο.
He has stopped playing truant.

σώζω

ὁ σώζων ἑαυτὸν σωθήτω=every one for himself.

σῶμα, τὸ

ἐν σώματι=in a body.

Οἱ καθηγηταὶ ἐπεσκέφθησαν τὸν διευθυντὴ ἐν σώματι.
The teachers visited the director in a body.

ψυχῇ τε καὶ σώματι=body and soul.

Εἶναι ἀφοσιωμένος ψυχῇ τε καὶ σώματι εἰς τὴν ἐπιστήμην.
He is devoted body and soul to science.

σώνω

ποὺ νὰ μὴν ἔσωνα νὰ...=accursed be the moment when...

Ποὺ νὰ μὴν ἔσωνα νὰ τὸ ἔκανα.
Accursed be the moment when I did it.

σώθηκαν τὰ ψέμματα=things have come to an end, things are serious.

Σώθηκαν τὰ ψέμματα. Αὔριο φεύγουμε.
Things have come to an end. We are leaving tomorrow.

Σώθηκαν τὰ ψέμματα. Πρέπει νὰ μᾶς δώσης τὴν τελικὴ ἀπάντησι.
Things are serious. You must give us your final answer.

σώνει=that's enough, it is sufficient.

Σώνει. Μὴν τοῦ δίδετε περισσότερο. Τὸ ἀπαγορεύει ὁ γιατρός.
That's enough. Don't give him any more. The doctor forbids it.

σῶος, ὁ

σῶος καὶ ἀβλαβὴς=safe and sound.

Ἐπέστρεψε σῶος καὶ ἀβλαβής.
He came back safe and sound.

σωρός, ὁ

ἕνα σωρὸ=a lot of.

Ἔχω νὰ κάνω ἕνα σωρὸ πράγματα.
I have a lot of things to do.

σωστό, τὸ (τὰ σωστὰ)

δὲν εἶναι ἀσφαλῶς μὲ τὰ σωστά του=he is crazy.

Ἐὰν ἔκανε τέτοιο πρᾶγμα δὲν εἶναι ἀσφαλῶς μὲ τὰ σωστά του.
If he has done such a thing, he is certainly crazy.

δὲν εἶναι σωστὸ=it is not right.

Δὲν εἶναι σωστὸ νὰ πληρώσετε σεῖς. Εἴσθε ἐπισκέπτης.
It is not right that you pay. You are a visitor.

πολὺ σωστὰ=quite right.

Πολὺ σωστά, ἂς τὸν ρωτήσωμε ἄλλη μιὰ φορὰ γιὰ νὰ εἴμεθα σίγουροι ἐπ᾽ αὐτοῦ.
Quite right. Let us ask him once more to be sure about it.

τὸ λὲς μὲ τὰ σωστά σου;=are you being serious? do you speak seriously?

Θὰ παντρευτῇ σ᾽ αὐτὴ τὴν ἡλικία; Τὸ λὲς μὲ τὰ σωστά σου;
Is he going to marry at that age? Are you being serious?

τὸ σωστὸ σωστὸ=what is right is right.

Τὸ σωστὸ σωστό. Ἡ ἀλήθεια πρέπει νὰ λέγεται.
What is right is right. The truth should be told.

-T-

τάπα

τάπα στὸ μεθύσι=blind, dead drunk, as drunk as a lord.

(Πρβλ. **σκνίπα στὸ μεθύσι**=the same meaning).

Τὸν βρῆκε ἡ ἀστυνομία τάπα στὸ μεθύσι.
The police found him blind drunk.

τελικὰ

τελικὰ (ἐν τέλει)=after all.

Τελικὰ δὲν ἦλθε.
He did not come after all.

τέλος, τὸ

ἐπὶ τέλους=at last.

Ἐπὶ τέλους. Ποῦ τὸν βρῆκες;
At last. Where did you find him?

μέχρι τὸ τέλος=to the end.

Ἡ ζωὴ εἶναι ἀπολαυστικὴ μέχρι τὸ τέλος.
Life is enjoyable to the end.

μέχρι τέλους=till the end.

Δὲν ἐμείναμε μέχρι τέλους.
We did not stay till the end.

τέλος πάντων=anyway.

Τέλος πάντων ἄφησέ τον νὰ μπῇ μέσα.
Anyway, let him come in.

τηλεφωνῶ

τηλεφωνῶ σὲ κάποιον=I call one by phone, I ring up.

Μιὰ καὶ δὲν μπορεῖς νὰ πᾶς ἐκεῖ γιατὶ δὲν τοῦ τηλεφωνεῖς;
Since you cannot go there, why don't you call him by phone?

Ἐὰν τὸν χρειάζεσθε γιατὶ δὲν τοῦ τηλεφωνεῖτε;
If you need him, why don't you ring him up?

τὴν

τὴν πρώτην=on the first.

Τὸ σχολεῖο ἀρχίζει τὴν πρώτην Σεπτεμβρίου.
School begins on September 1st.

τὴν δεκάτην=on the tenth.
τὴν εἰκοστὴν=on the twentieth.
τὴν τριακοστὴν=on te thirtieth.

τὶ

τὶ εἶναι τοῦτο;=what is this?

Αὐτὸ εἶναι βιβλίο.
This is a book.

N.B. In Greek we ommit the indefinite article.

τί θὰ πάρετε;=what will you have? what would you like to have?

Μὲ ἐρώτησε: «Τὶ θὰ πάρετε;».
Τοῦ ἀπήντησα: «Εὐχαριστῶ, τίποτε».

He asked me: "What would you like to have?"
I answered him: "Nothing, thank you."

τίμιος, ὁ

εἶμαι τίμιος=I am honest, on the lever.

Καὶ οἱ δυό τους εἶναι τίμιοι.
Both are on the lever.

τιμή, ἡ

λαμβάνω τὴν τιμὴν=I have the honour.

Λαμβάνω τὴν τιμὴν νὰ σᾶς πληροφορήσω ὅτι ἡ ἀποστολὴ ἐξετελέσθη.
I have the honour to inform you that the mission has been accomplished.

πρὸς τιμὴν=in honour of.

Ἡ δεξίωσις δίδεται πρὸς τιμὴν τοῦ νέου προέδρου τῆς λέσχης.
The reception is given in honour of the new club president.

σ' αὐτὴ τὴν τιμὴν=at this price.

Δὲν μπορῶ νὰ τὸ ἀγοράσω σ' αὐτὴ τὴν ὑψηλὴ τιμή.
I cannot buy it at this high price.

τίποτε

τίποτε καθ' ὁλοκληρίαν=nothing at all.

Βρῆκες τίποτε;
Τίποτε καθ' ὁλοκληρίαν.

Did you find anything?
Nothing at all.

τὶς

τὶς προάλλες=the other day.

Τὸν συνήντησα τὶς προάλλες.
I met him the other day.

τόσο

τόσο τὸ καλύτερο=so much the better.

τόσο τὸ χειρότερο=so much the worse.

τούλάχιστον

τούλάχιστον=at least.

Τούλάχιστον στέλνε ἕνα γράμμα μιὰ φορὰ τὸν μῆνα.
At least send a letter once a month.

τούναντίον

τούναντίον=on the contrary.

Νομίζεις ὅτι εἶναι ὡραία;
Τούναντίον, δὲν νομίζω.
Do you think she is beautiful?
On the contrary, I don't.

τουλούμι, τό

κάνω κάποιον τουλούμι στὸ ξύλο=I beat him to death, I beat him black and blue, I skin him alive.

Εἶπε κάτι προσβλητικὸ καὶ τὸν ἔκαναν τουλούμι στὸ ξύλο.
He said something insulting and they beat him to death.

τουτ' ἔστι

τουτ' ἔστι (τ.ἔ.)=that is to say (i.e.) (id est).

τραπέζι, τό

εἶμαι στὸ τραπέζι (καὶ τρώγω)=I am at table.

Τώρα εἶναι στὸ τραπέζι. Μὴν τοὺς τηλεφωνῆς.
Now they are at table. Do not call them.

καλῶ σὲ τραπέζι=I invite to dinner, I invite to lunch.

Εἶμαι καλεσμένος σὲ τραπέζι ἀπόψε.
I have been invited to dinner tonight.

σερβίρω εἰς τραπέζι (ἐξυπηρετῶ ὡς σερβιτόρος)=I wait at table.

Γκαρσόν, ποιὸς σερβίρει εἰς αὐτὸ τὸ τραπέζι παρακαλῶ;
Waiter, who is waiting at this table please?

σηκώνω τὸ τραπέζι=I clear the table.

Ἡ κόρη τους σήκωσε τὸ τραπέζι.
Their daughter cleared the table.

στρώνω (βάζω) τραπέζι=I set the table.

Ἡ μητέρα μου στρώνει (βάζει) τραπέζι δέκα λεπτὰ προτοῦ νὰ ἔλθη ὁ πατέρας μου.
My mother sets the table ten minutes before my father comes.

τὸ τραπέζι εἶναι ἕτοιμο=dinner is ready, lunch is ready.

Ἡ ὑπηρέτρια εἶπε: «Τὸ τραπέζι εἶναι ἕτοιμο».
The maid said: "Dinner is ready."

τρελλαίνομαι

τρελλάθηκε=he is crazy, he is mad, he is insane.

Δὲν μπορῶ νὰ κουβεντιάσω μαζί του. Τρελλάθηκε πραγματικά.
I cannot talk with him. He is really crazy.

τρέφομαι

τρέφομαι μὲ=I feed on.

Ὁ μπέμπης τρέφεται μὲ γάλα.
The baby feeds on milk.

τρέχω

τὶ τρέχει;=what is it all about? what goes on here? what is going on here?

Τὶ τρέχει; Γιατὶ δὲν διαβάζεις;
What is it all about? Why don't you study?

Τὶ τρέχει; Γιατὶ φωνάζεις;
What's up? Why are you shouting?

τρίχα, ἡ

κάτι κρέμεται ἀπὸ μία τρίχα=it hangs by a thread.

Ἡ ζωή μου κρέμεται ἀπὸ μία τρίχα.
My life hangs by a thread.

παρὰ τρίχα=nearly got..., within a hair's breadth, by the skin of my teeth.

Παρὰ τρίχα νὰ σκοτωθῶ.
I nearly got killed.

Παρὰ τρίχα νὰ πνιγῶ.
I nearly got drowned.

τρόπος, ὁ

κατὰ τρόπον (κατὰ τέτοιον τρόπον) ὥστε=in a way that, in such a way that.

Τὸ εἶπα κατὰ τέτοιο τρόπο ὥστε νὰ μὴν τὴν προσβάλω.
I said it in such a way that I would not insult her.

τροχάδην

τροχάδην=on the double.

Πήγαινε καὶ πές του νὰ μὲ περιμένη, ἀλλὰ κάντο τροχάδην σὲ παρακαλῶ.
Go and tell him to wait for me, but do it on the double, please.

τρύπα, ἡ

κάνω μία τρύπα στὸ νερὸ=I meet with no success, I labor in vain, I make a useless effort.

Τὶ κερδίσαμε; Τίποτε. Κάναμε μία τρύπα στὸ νερό.
What did we gain? Nothing. We labored in vain.

τρώγω

δὲν τρώγω ἄχυρα=I am not stupid, I am clever.

Μὴν περιμένης νὰ τὸ πιστέψη. Δὲν τρώγει ἄχυρα.
Do not expect him to believe it. He is not stupid.

τρώγεται μὲ τὰ ροῦχα του=he is a grumbler.

Πάντα παραπονεῖται γιὰ κάτι. Τρώγεται μὲ τὰ ροῦχα του.
He always complains about something. He is a grumbler.

τρώγονται μεταξύ τους=they are quarrelling with each other.

Παρὰ τὸ γεγονὸς ὅτι εἶναι ἀδέλφια, τρώγονται μεταξύ τους.
In spite of the fact that they are brothers, they are quarrelling with each other.

τρώγω κάποιον μὲ τὰ μάτια μου=I devour him with my eyes.

Τὴν ἔφαγε μὲ τὰ μάτια του.
He devoured her with his eyes.

τρώγω τὰ λεφτά μου=I spend, I eat up all my money.

Τρώγει τὰ λεφτά του στὰ νυκτερινὰ κέντρα διασκεδάσεως.
He spends his money in night clubs.

τρώγω τὸ ξύλο τῆς χρονιᾶς=I am beaten to death.

Ἄργησε χθὲς βράδυ καὶ ἔφαγε τὸ ξύλο τῆς χρονιᾶς της.
She was late last night and she was beaten to death.

τρώγω τὸν περίδρομο=I eat too much, I eat like a wolf

Περίεργο. Τρώγει τὸν περίδρομο ἀλλὰ δὲν παχαίνει.
It is strange. He eats like a wolf but does not get fat.

τρώγω τὸ κόσμο νὰ βρῶ κάποιον=I search everywhere for him.

Ἔφαγε τὸν κόσμο νὰ τὴν βρῇ ἀλλὰ εἰς μάτην.
He searched all places for her but in vain.

τρώγω (τόσα χρόνια ἢ τόσους μῆνες φυλακὴ)=I am sentenced to... imprisonment, I get... years.

Ἔφαγε δύο χρόνια φυλακή.
He was sentenced to two years' imprisonment.

τυγχάνω

ἔτυχε νὰ...=it happened that...

Έτυχε νὰ διασχίζω τὸ δρόμο ὅταν συνέβη τὸ ἀτύχημα.
It happened that I was crossing the street when the accident occured.

τύχη, ἡ

ἀφήνω κάποιον στὴν τύχη του=I abandon someone without helping him.

Τὴν ἐκτύπησε μὲ τὸ αὐτοκίνητό του καὶ τὴν ἄφησε στὴν τύχη της.
He hit her with his car and abandoned her without helping her.

κατὰ καλὴν τύχην=by good chance, fortunately, luckily.

Κατὰ καλὴν τύχην εὑρήκαμε τὸ γιατρὸ γρήγορα.
Fortunately, we found the doctor soon.

κάμνω τὴν τύχη μου=I make a fortune.

Ἀσχολήθηκε μὲ τὸ ἐμπόριο καὶ ἔκανε τὴν τύχη του.
He went into business and made a fortune.

λέγω σὲ κάποιον τὴν τύχη του=I tell him his fortune.

Λέγει σὲ μένα τὴν τύχη μου μὰ δὲν ξέρει τὴν ἰδική της.
She tells me my fortune but she does not know her own.

τὸ ἔχει ἡ τύχη κάποιου=it is his fate.

Πάλι ἔσπασε τὸ πόδι του. Τὸ ἔχει ἡ τύχη του.
He broke his leg again. It is his fate.

τύχη ἀγαθῇ=by good chance.

τώρα

ἀκριβῶς τώρα=right now.

Ἀπαιτῶ νὰ πληρωθῶ ἀκριβῶς τώρα.
I demand to be paid right now.

ἀπὸ τώρα καὶ εἰς τὸ ἑξῆς=from now on.

Ἀπὸ τώρα καὶ εἰς τὸ ἑξῆς θὰ ἔρχεσαι μία ὥρα ἐνωρίτερα.
From now on you will come an hour earlier.

ἕως τώρα=till now, up to now.

Ἕως τώρα δὲν ἔχω νέα του.
Till now I have not received news from him.

μέχρι τώρα=up to now.

Μέχρι τώρα δὲν ἐτηλεφώνησε.
Up to now he has not called.

ὑγιής, ὁ

νοῦς ὑγιὴς ἐν σώματι ὑγιεῖ=sound mind in a sound body.

ὕπαιθρο, τό

στὸ ὕπαιθρο (ἔξω ἀπὸ τὸ σπίτι)=out of doors, outdoors.

Εἰς τὴν Ἑλλάδα πολλοὶ κοιμοῦνται στὸ ὕπαιθρο ἀπὸ τὸ Μάϊο ἕως τὸν Ὀκτώβριο.
In Greece many people sleep outdoors from May till October.

ὑπάρχω

ὑπάρχει;=is there?

Ὑπάρχει καθόλου ψωμί;
Is there any bread?

Μάλιστα ὑπάρχει.
Yes, there is.

ὑπάρχουν;=are there?

Ὑπάρχουν καθόλου μῆλα;
Are there any apples?

ὑπάρχουν=there are.

Μάλιστα, ὑπάρχουν.
Yes, there are.

ὑπὲρ

τὰ ὑπὲρ καὶ τὰ κατὰ=the pros and cons, the reasons for and against.

Προτοῦ τὸ ἀποφασίσωμε ἂς ὑπολογίσωμε τὰ ὑπὲρ καὶ τὰ κατά.
Before deciding on it let's consider the pros and cons.

ὑπὲρ πίστεως καὶ πατρίδος=for faith and fatherland.

Ἀπέθανε μαχόμενος ὑπὲρ πίστεως καὶ πατρίδος.
He died fighting for faith and fatherland.

ὑπερήφανος, ὁ

εἶμαι ὑπερήφανος γιὰ=I am proud of.

Εἴμεθα ὑπερήφανοι γιὰ τὴν χώρα μας.
We are proud of our country.

ὑπηρετω

ὑπηρετῶ (ὡς ὑπηρέτης κάποιον)=I wait on, upon someone.

Ἔχει ἕναν ὑπηρέτη ποὺ τὸν ὑπηρετεῖ.
He has a servant who waits on him.

ὕπνος, ὁ

αὐτὸς εἶναι ὕπνος=he is not clever.

Αὐτὸς εἶναι ὕπνος. Βρὲς κάποιον ἄλλον.
He is not clever. Find somebody else.

βλέπω εἰς τὸν ὕπνο μου=I dream of.

Τὴν βλέπει εἰς τὸν ὕπνο του κάθε βράδυ.
He dreams of her every night.

πηγαίνω γιὰ ὕπνο=I go to bed.

Κάθε βράδυ πηγαίνει γιὰ ὕπνο στὶς δέκα.
Every evening he goes to bed at ten o'clock.

ὑπόθεσις, ἡ

ὑπόθεσις (ζήτημα)=a matter of, a question of.

Δὲν εἶναι ζήτημα χρημάτων, ἀλλὰ ὑπόθεσις χρόνου.
It is not a question of money, but a matter of time.

ὑποκρίνομαι

ὑποκρίνομαι ὅτι=I pretend to.

Ὑποκρίνεται ὅτι διαβάζει ἐφημερίδα ἀλλὰ δὲν διαβάζει.
He is pretending to read the newspaper, but he isn't.

ὑπόσχεσις, ἡ

δίδω ὑπόσχεσιν=I make a promise.

Ἔδωσε ὑπόσχεσιν ὅτι θὰ γυρίσῃ.
He made a promise to come back.

ὑποφέρω

δὲν μπορῶ νὰ ὑποφέρω κάτι=I cannot bear it.

Δὲν τὸ ὑποφέρω πλέον. Θὰ φύγω.
I cannot bear it any more. I'll go away.

φαεινή, ἡ

φαεινὴ ἰδέα=brilliant idea.

Τί φαεινὴ ἰδέα. Ποιός τό σκέφθηκε;
What a brilliant idea! Who thought of it?

φαίνομαι

καθὼς φαίνεται=as it seems, apparently.

Καθὼς φαίνεται θὰ κάνη ζέστη σήμερα.
Apparently it will be hot today.

μοῦ φαίνεται=it seems to me.

Μοῦ φαίνεται ὅτι δὲν λὲς τὴν ἀλήθεια.
It seems to me that you are not telling the truth.

φαίνεσαι νὰ + ρῆμα=you seem to + verb.
φαίνεται πὼς — εις=you seem to + verb.

Φαίνεται νὰ ξέρης πολλὰ πράγματα.
You seem to know a lot of things.

Φαίνεται πὼς ξέρεις τὴν ἀλήθεια.
You seem to know the truth.

φαίνεται πὼς θά...=it looks like...

Φαίνεται πὼς θὰ βρέξη.
It looks like rain.

φαντάζομαι

εἶμαι φαντασμένος=I am stuck up.

Εἶναι φαντασμένη γιὰ τὴν κοινωνικὴ θέσι τῆς οἰκογένειάς της.
She is stuck up about her family's social position.

φαρμάκι, τὸ

πικρὸ σὰν τὸ φαρμάκι=as bitter as gall.

Αὐτὸ τὸ ποτὸ εἶναι πικρὸ σὰν τὸ φαρμάκι.
This drink is as bitter as gall.

ποτίζω κάποιον φαρμάκια=I cause him sorrow, I cause him bitterness in his life.

Ἡ ζωὴ τὴν πότισε πολλὰ φαρμάκια.
Life caused her sorrow.

τὰ φαρμάκια τῆς ζωῆς=the bitterness of life.

Πίνει κρασὶ γιὰ νὰ ξεχάση τὰ φαρμάκια τῆς ζωῆς.
He drinks wine in order to forget the bitterness of life.

φαρσὶ

μιλάω μία γλῶσσα φαρσὶ=I speak a language perfectly well, fluently, with proficiency.

Ὁμιλεῖ Ἑλληνικὰ καὶ Ἀγγλικὰ φαρσί.
He speaks Greek and English fluently.

φεγγάρι, τὸ

στὴ χάση καὶ στὴ φέξη τοῦ φεγγαριοῦ (σπανίως)=once in a blue moon.

Ζοῦμε στὴν ἴδια πόλι, ἀλλὰ βλεπόμεθα στὴ χάση καὶ στὴ φέξη τοῦ φεγγαριοῦ.
We live in the same city, but we see each other once in a blue moon.

ὑπὸ τὸ φῶς τοῦ φεγγαριοῦ=by moonlight.

Εἶναι ὡραία βραδυὰ καὶ ἐπῆγαν ἕνα περίπατο ὑπὸ τὸ φῶς τοῦ φεγγαριοῦ.
It is a lovely night and they went for a walk by moonlight.

φείδομαι

χρόνου φείδου=do not waste time, make the most of your time.

Χρόνου φείδου. Ὁ χρόνος εἶναι περισσότερο πολύτιμος ἀπὸ τὰ χρήματα.
Make the most of your time. Time is more valuable than money.

φειδώ, ἡ

μετὰ φειδοῦς=sparingly.

Πρέπει νὰ χρησιμοποιοῦμε τὰ χρήματά μας μετὰ φειδοῦς.
We must use our money sparingly.

φέρω

ἄγω καὶ φέρω κάποιον ἀπὸ τὴ μύτη=I lead him by the nose.

Ἡ γυναίκα του τὸν ἄγει καὶ τὸν φέρει ἀπὸ τὴ μύτη.
His wife leads him by the nose.

τὰ σύρ' τα φέρ' τα=going to and fro.

Τὰ σύρ' τα φέρ' τα κόβονται ἀπὸ σήμερα.
These goings to and fro must stop as from today.

τὸ ἔφερε ὁ λόγος=it was in the course of our talk.
(Πρβλ. λόγου συμπεσόντος=the same meaning).

Τὸ ἔφερε ὁ λόγος καὶ συζητήσαμε καὶ γι' αὐτὸ τὸ λεπτὸ θέμα.
It was in the course of our talk that we talked about that delicate subject.

φερ' εἰπεῖν=for example, for instance.

φεύγω

φεύγω ἀπὸ=I leave...

Φεύγω ἀπὸ τὸ σπίτι στὶς δέκα.
I leave home at ten.

Φεύγω ἀπὸ τὸ σχολεῖο στὶς δύο.
I leave school at two.

φύγε ἀπ' ἐδῶ=go away, get away!

φημίζομαι

φημίζομαι γιὰ κάτι=I am famous for.

Ἡ πόλις φημίζεται γιὰ τὰ κλασσικά της κτίρια.
The city is famous for its classical buildings.

φθάνω

ἔφθασα! Μιὰ στιγμὴ παρακαλῶ=I am coming! Just a moment please!
δὲν φθάνει=it's not enough.

2,5Ο μέτρα δὲν θὰ σὲ φθάσει. Καλλίτερα πάρε τρία. Ἐγὼ ἐπῆρα τρία καὶ μοῦ ἔφθασε.
Two and a half meters is not enough. You had better take three. I took three and it was enough.

φθάνει νὰ...=provided that...

Φθάνει νὰ εἶναι ἐκεῖ ἀπόψε.
Provided that he is there tonight.

φθάσαμε=here we are!

Ἐπὶ τέλους φθάσαμε.
At last! Here we are!

φθείρω

ὁμιλίαι κακαὶ φθείρουσιν ἤθη χρηστὰ=bad company corrupts good morals.

φθόνος, ὁ

τὴν τρώγει ὁ φθόνος=she is very envious, jealous.

προκαλῶ τὸν φθόνο κάποιου=I arouse his envy.

Μὴν λὲς ὅτι ἔχεις χρήματα. Θὰ προκαλέσης τὸ φθόνο ὅλων.
Don't say that you have money, you will arouse the envy of all.

προξενῶ φθόνον=I cause envy.

Τὰ χρήματά του προξενοῦν φθόνον.
His money causes envy.

φιλία, ἡ

πιάνω φιλίες=I make friends.

Οἱ Ἕλληνες πιάνουν φιλίες εὔκολα.
Greeks make friends quite easily.

φιλικός, ὁ

φιλικῷ τῷ τρόπῳ=in a friendly way, amically.

Τοῦ τὸ εἶπα φιλικῷ τῷ τρόπῳ.
I told him in a friendly way.

φίλος, ὁ

εἶμαι φίλος μὲ=I am friend with.

Καὶ οἱ δυό τους εἶναι φίλοι μὲ μένα.
Both are friends with me.

φιλοτιμία, ἡ

ἐθίγη ἡ φιλοτιμία της=her pride has been wounded.

Ἔφυγε διότι ἐθίγη ἡ φιλοτιμία της.
She left because her pride has been wounded.

κάμνω τὴν ἀνάγκη φιλοτιμία=I make a virtue of necessity.

φλέγω

τὸ φλέγον ζήτημα=the burning question.

Τὸ φλέγον ζήτημα εἶναι ποιὸς θὰ πληρώση τὰ ἔξοδα.
The burning question is who is going to pay the expenses.

φόβος, ὁ

καταλαμβάνομαι ἀπὸ φόβο=I am frightened.

Μόλις ἄκουσε τὸν πυροβολισμὸ κατελήφθη ἀπὸ φόβο.
As soon as he heard the shot he was frightened.

μὲ πιάνει φόβος=I am seized with fear.

Δὲν μπορῶ νὰ περπατήσω εἰς τὸ σκοτάδι, μὲ πιάνει φόβος.
I cannot walk in the dark, I am seized with fear.

πεθαίνω ἀπὸ φόβο=I die of fear, I am frightened to death.

Τὴν νύκτα ὅταν βλέπω μία ἀστραπὴ καὶ ἀκούω τὸ μπουμπουνητὸ πεθαίνω ἀπὸ φόβο.
At night when I see lightning and I hear thunder I am frightened to death.

τρέμω ἀπὸ τὸ φόβο=I shiver with fear.

Τὴν βρῆκα νὰ τρέμη ἀπὸ τὸ φόβο.
I found her shivering with fear.

χωρὶς φόβο=without fear.

Θὰ πῶ τὴν ἀλήθεια χωρὶς φόβο.
I will tell the truth without fear.

φοβοῦμαι

μὴ φοβᾶσαι=don't be afraid.

Μὴ φοβᾶσαι. Δὲν εἶσαι μόνη, εἶμαι ἐγὼ μαζί σου.
Don't be afraid. You are not alone. I am with you.

φοβοῦμαι κάτι=I am afraid of.

Φοβᾶται τὸ σκυλί.
She is afraid of the dog.

φόρα, ἡ

βγάζω κάτι στὴ φόρα=I reveal something, I let the cat out of the bag.

Τὸν ἐπλήρωσαν καὶ τὰ ἔβγαλε ὅλα στὴ φόρα.
They paid him and he revealed everything.

βγῆκε στὴ φόρα=it came to light.

Ἡ μυστικὴ συμφωνία βγῆκε τελικὰ στὴ φόρα.
The secret agreement finally came to light.

μοῦ ἔκοψε τὴ φόρα=he pulled me up short.

Σοῦ ἔκοψε τὴ φόρα, ἀλλὰ πρέπει νὰ προσπαθήσης ἄλλη μία φορά.
He pulled you up short, but you should try once more.

παίρνω φόρα=I take a run.

Προτοῦ νὰ πηδήση παίρνει πάντα φόρα.
Before he jumps he always takes a run.

φορά, ἡ

ἄλλες φορὲς=at other times.

Ἄλλες φορὲς εἶναι κύριος.
At other times he is a gentleman.

αὐτὴ τὴ φορὰ=this time.

Αὐτὴ τὴ φορὰ ὁ Γιῶργος δὲν μπορεῖ νὰ ἔλθη μαζί μας.
This time George cannot come with us.

γιὰ πρώτη φορὰ=for the first time.

Γιὰ πρώτη φορὰ στὴ ζωή της ἦταν τόσο ἄρρωστη.
For the first time in her life she was so sick.

γιὰ τελευταία φορὰ=for the last time.

Χθὲς ἐπήγαμε στὸ σχολεῖο μας γιὰ τελευταία φορά.
Yesterday we went to our school for the last time.

(Πρβλ. τὴν τελευταῖα φορὰ=last time).

Τὴν τελευταῖα φορὰ ποὺ τὸν συνήντησα ἦταν ἐντελῶς ὑγιής.
Last time I met him he was quite healthy.

εἶναι ἡ φορά σου=it is your turn.

εἶναι ἡ φορά μου=it is my turn.

φορά σου καὶ φορά μου=everyone in his turn.

Εἶναι ἡ φορά μου νὰ παίξω, δὲν εἶναι;
It is my turn to play, isn't it?

καμμιὰ φορὰ=once in a while.

Τὸν συναντῶ καμμιὰ φορά.
I meet him once in a while.

μιὰ φορὰ κ' ἕνα καιρὸ=once upon a time.

Μιὰ φορὰ κ' ἕνα καιρὸ ὑπῆρχε ἕνα δυστυχισμένο μικρὸ κορίτσι.
Once upon a time there was an unhappy little girl.

ὑπάρχουν φορὲς (μερικὲς φορὲς)=at times.

Ὑπάρχουν φορὲς ποὺ δὲν ξέρει τί κάνει.
At times he doesn't know what he is doing.

φορῶ

φορῶ τὰ παπούτσια μου=I put on my shoes.

(Πρβλ. βάζω τὰ παπούτσια μου=the same meaning).

Βγαίνοντας ἀπὸ τὸ τζαμὶ φορᾶμε τὰ παπούτσια μας.
As we leave the mosque we put on our shoes.

φούντα, ἡ

δουλειὲς μὲ φοῦντες=many, great complications, full of negative consequences.

Ἡ ἔλλειψις πείρας τοῦ νέου διευθυντοῦ ἐδημιούργησε δουλειὲς μὲ φοῦντες.
The new director's lack of experience caused many complications.

φοῦρνος, ὁ

φοῦρνος νὰ μὴν καπνίση=after me the deluge, I don't care what happens when I die, when I am gone come what may.

Εἶναι τόσο ἀτομιστὴς ποὺ πάντα λέει: «Ἅμα πεθάνω φοῦρνος νὰ μὴ καπνίση».
He is so selfish that he always says: "After me the deluge."

φρήν, ἡ (αἱ φρένες)

γίνομαι ἔξω φρενῶν=I go mad, I get furious, I fly into a rage.

Ὅταν ἀκούῃ κάτι δυσάρεστο γίνεται ἔξω φρενῶν.
Whenever he hears something unpleasant he gets furious.

κάτι μὲ κάνει ἔξω φρενῶν=it drives me mad.

Ἡ ἀναίδειά του μὲ κάνει ἔξω φρενῶν.
His impudence drives me mad.

πάσχω τὰς φρένας=I am out of my mind, I am crazy.

Ἕνας λογικὸς ἄνθρωπος δὲν θὰ ἔκανε ποτὲ κάτι τέτοιο. Ἀσφαλῶς αὐτὸς πά-
σχει τὰς φρένας.
*A logical man never should have done something like that. Certainly he is out
of his mind.*

φρόνιμα

κάθησε φρόνιμα=behave, behave yourself.

Δὲν κάθεται φρόνιμα.
He does not behave himself.

φταίω

φταίω=I am to blame.

Πρέπει νὰ βροῦμε ποιὸς φταίει.
We must find out who is to blame.

Ποιὸς φταίει;
Who is to blame?

φτειάνω (φκιάνω)

τὰ φτειάνω μὲ κάποιον=we become friends again, to be on good terms again,
to fall in love with, to have intime relations with...

Εἶχε τσακωθῆ μὲ τὸν πεθερό του ἀλλὰ τὰ φτειάσανε ξανά.
He had quarreled with his father in law, but they are on good terms again.

Τὰ ἔφτειασε μὲ τὸν ἄνδρα τῆς φίλης της.
She has fallen in love (she has intimate relations) with her friend's husband.

φυγή, ἡ

τρέπομαι εἰς φυγὴν=I take to flight.
τρέπω εἰς φυγὴν=I put to flight.

Ὁ ἐχθρὸς ἐτράπη εἰς φυγήν.
The enemy took to flight.

Ὁ στρατός μας ἔτρεψε τὸν ἐχθρὸν εἰς φυγήν.
Our army put the enemy to flight.

φυλακή, ἡ

βάζω κάποιον φυλακὴ=I lock him up.

252

Τὸν ἔβαλαν φυλακὴ διότι παρέβη τὸν νόμον.
They locked him up because he violated the law.

φυλάσσω

Θεὸς φυλάξοι=God forbid!
φυλάξου=look out! take care!

Φυλάξου. Ἕνα αὐτοκίνητο ἔρχεται.
Look out. A car is coming.

φύλλα, τὰ

βγάζει φύλλα=It is in leaf.

Τὰ δένδρα βγάζουν φύλλα τώρα. Σὲ δύο μῆνες θὰ ἔχουν ἀνθίσει.
Trees are in leaf now. In two months they will be in flower.

φῦλον, τὸ

τὸ ὡραῖον φῦλον=the fair sex.
τὸ ἀσθενὲς φῦλον=weaker sex.

Εἰς τὴν δεξίωσιν ἦσαν πολλοὶ ἐκπρόσωποι τοῦ ὡραίου φύλου.
At the reception there were many representatives of the fair sex.

φυσικός, ὁ

φυσικῷ τῷ λόγῳ=naturally, of course.

Φυσικῷ τῷ λόγῳ δὲν ἀπήντησα.
Naturally I did not answer.

φύσις, ἡ

ἡ ἕξις εἶναι δευτέρα φύσις=habit is second nature.

Τὸ συνήθισε καὶ δὲν μπορεῖ νὰ κάνη ἀλλοιῶς. Ἡ ἕξις, ὅπως ξέρετε, εἶναι δευτέρα φύσις.
He got used to it and cannot do otherwise. As you know habit is second nature.

φῶς, τὸ

ἔρχομαι εἰς φῶς=I come to light, I am revealed.

φέρω εἰς φῶς=I bring to light.

Ἡ ἀλήθεια τελικὰ ἦλθεν εἰς φῶς.
The truth was finally revealed.

Αἱ ἀνασκαφαὶ ἔφεραν εἰς φῶς νέα εὑρήματα.
The excavations brought to light new findings.

μὲ τὸ φῶς τοῦ κεριοῦ=by candle light.

Σὲ ἕνα ἐπίσημο δεῖπνο τρῶνε μὲ τὸ φῶς τοῦ κεριοῦ.
At a formal dinner they eat by candle light.

φωτιά, ἡ

βάζω φωτιὰ (στὸ σπίτι)=I set the house on fire.

Ἔβαλε φωτιὰ στὸ γειτονικὸ σπίτι.
He set the neighboring house on fire.

ζητῶ φωτιὰ=I ask for a light.

Ὁ ἄγνωστος σταμάτησε καὶ ἐζήτησε φωτιά.
The stranger stopped and asked for a light.

σβήνω τὴ φωτιὰ=I put out the fire.

Εἶναι δύσκολο νὰ σβήση κανεὶς τὴ φωτιὰ χωρὶς νερό.
It is difficult for one to put out a fire without water.

παίρνω φωτιὰ εὔκολα=I catch fire easily.
(Πρβλ. θυμώνω εὔκολα=I am quick in rage).

Πρβλ. ἁρπάζομαι εὔκολα=I flare up easily.

Τὸ ἄχυρο παίρνει φωτιὰ εὔκολα.
Straw catches fire easily.

Ὁ ἀδελφός του θυμώνει εὔκολα.
His brother is quick in rage.

Αὐτὸς δὲν ἁρπάζεται εὔκολα.
He does not flare up easily.

φωτιὰ καὶ λαύρα=very hot, very expensive, high.

Σήμερα κάνει φωτιὰ καὶ λαύρα.
Today is very hot.

Οἱ τιμές τους εἶναι φωτιὰ καὶ λαύρα.
Their prices are high.

φωτογραφία, ἡ

βγάζω φωτογραφία (τοῦ ἑαυτοῦ μου)=I have a picture taken.
ἐμφανίζω φωτογραφία=I develop a picture.

τραβῶ φωτογραφία=I take a picture.

Πάει νὰ βγάλη φωτογραφία διὰ τὸ διαβατήριό του.
He is going to have a picture taken for his passport.

Κατὰ τὴν διάρκεια τῆς ἐκδρομῆς τράβηξα πολλὲς φωτογραφίες.
During the excursion I took many pictures.

-X-

χαβᾶς, ὁ

αὐτὸς τὸ χαβᾶ του=he keeps harping on the same string, as he likes, he goes on doing the same.

Τοῦ εἶπα νὰ σταματήση τὶς φωνές, ἀλλὰ αὐτὸς τὸ χαβᾶ του.
I told him to stop crying, but he goes on doing the same.

χαιρετῶ

χαιρετῶ διὰ χειραψίας=I shake hands with.

Εἶπε «καλημέρα» καὶ χαιρέτησε διὰ χειραψίας τὴν γυναίκα μου καὶ ἐμένα.
He said "good morning" and shook hands with my wife and me.

χαίρομαι

χαίρομαι γιὰ κάτι=I rejoice at.

Ἡ οἰκογένειά του χαίρεται γιὰ τὴν προαγωγή του.
His family is rejoicing at his promotion.

χαίρομαι ποὺ (ἢ εἶμαι εὐτυχὴς)=I am happy.

Χαίρομαι ποὺ σᾶς γνώρισα.
I am happy to have met you.

χαλάω

τὰ χαλάω μὲ κάποιον=I am on bad terms with him.

Ἐνῶ ἦσαν καλοὶ φίλοι τὰ χάλασαν χωρὶς σοβαρὸ λόγο.
Though they were good friends they are now on bad terms for no reason.

χαλάω τὰ σχέδια κάποιου=I upset his plans.

Ἡ βροχὴ χάλασε τὰ σχέδια μας διὰ τὸ Σαββατοκύριακο.
The rain upset our plans for the week-end.

χαλάω τὴν καρδιὰ κάποιου=I displease him.

Αὐτὸ ποὺ ἔκανες τῆς χάλασε τὴν καρδιά.
What you did displeased her.

χαλάω λεφτὰ=I change money.

Μοῦ χαλᾶτε σᾶς παρακαλῶ πενῆντα δραχμές.
Would you please (can you) change fifty drachmas for me?

χαλάω τὰ λεφτά μου=I squander my money, I spend my money.

Χαλάει τὰ λεφτά του στὰ ταξίδια χωρὶς νὰ σκέπτεται τὸ μέλλον.
He squanders his money in travelling without thinking of the future.

χαμπάρι, τὸ

δὲν παίρνω χαμπάρι=I don't catch on, I don't become aware, I don't understand.

Τόσα πράγματα γίνονται γύρω του, ἀλλ' αὐτὸς δὲν παίρνει χαμπάρι.
So many things happen around him, but he does not become aware of them.

τὶ χαμπάρια=what's the news?

χάνω

γιὰ τὸ καρφὶ χάνω τὸ πέταλο=I spoil the ship for a ha' porth of tar, I do, I get something on the cheap.
Πρβλ. φθηνὸς εἰς τὸ ἀλεύρι καὶ ἀκριβὸς εἰς τὰ πίτουρα=the same meaning.
δὲν ἔχω νὰ χάσω τίποτε=I have nothing to lose.

Σὲ παρακαλῶ κάνε το. Δὲν ἔχεις νὰ χάσῃς τίποτε.
I beg you to do it. You have nothing to lose.

τὰ χάνω=I lose my wits, I easily get confused.

Τὸ ἀτύχημα συνέβη διότι ὁ ὁδηγὸς τὰ ἔχασε.
The accident occured because the driver lost his wits.

Τἄχει χαμένα.
He does not know what to do.

χάνω τὰ μυαλά μου=I become bewildered, I go mad.

Ὁ θάνατος τοῦ συζύγου της τὴν ἔκανε νὰ χάσῃ τὰ μυαλά της.
Her husband's death made her go mad.

χάνω τὰ νερά μου=I am at a loss, I lose my bearings.

Κατὰ τὶς πρῶτες μέρες στὸ σχολεῖο οἱ μαθηταὶ χάνουν τὰ νερά τους.
During the first days at the new school the students are at a loss.

χάνω τὴν εὐκαιρία=I miss the chance, I lose the opportunity.

Ἔχασε τὴν εὐκαιρία νὰ σπουδάσῃ εἰς τὴν Ἑλλάδα.
He missed the chance to study in Greece.

χάνω (μέσον συγκοινωνίας: λεωφορεῖο, ἀεροπλάνο, τραῖνο κλπ.)=I miss the bus, I miss the plane, I miss the train etc.

Ἐὰν δὲν κάνῃς γρήγορα θὰ χάσωμε τὸ τραῖνο.
If you do not hurry up we will miss the train.

χάνω τὸ δρόμο=I lose my way, I get lost.

Ἄργησα διότι ἔχασα τὸ δρόμο.
I am late because I lost my way.

χάνω τὸν καιρό μου=I waste my time.

Χάνει τὸν καιρό του διαβάζοντας ἐφημερίδες, ἐνῶ θὰ μποροῦσε νὰ μάθῃ μία ξένη γλῶσσα.
He wastes his time reading newspapers, while he could learn a foreign language.

χάνω τὸ μποῦσουλα=I go out of my mind, I lose my head.

Μὲ τόσους ἀνθρώπους γύρω εὔκολα χάνει κανεὶς τὸ μποῦσουλα.
With so many people around one easily loses one's head.

χάσου=go away! get lost!

χαρά, ἡ

εἶναι μιὰ χαρὰ=he is in perfect health.

Τὸν συνάντησα στὴν Ἀθήνα, ἤτανε μιὰ χαρά.
I met him in Athens, he was in perfect health.

κλαίω ἀπὸ χαρὰ=I weep for joy.

Τὸ πλοῖο βυθίστηκε ἀλλὰ ὁ ἄνδρας της ἐπέζησε. Αὐτὴ κλαίει ἀπὸ χαρά.
The ship was sunk but her husband survived. She weeps for joy.

μετὰ χαρᾶς=with pleasure.

Θὰ ἔλθωμεν μετὰ χαρᾶς.
We shall come with pleasure.

πηδῶ ἀπὸ χαρὰ=I jump with joy.

Θὰ πᾶνε ἐκδρομὴ καὶ πηδοῦν ἀπὸ χαρά.
They are going on an excursion and they are jumping with joy.

στὶς χαρὲς σας=to your wedding, may you get married very soon.

Πίνομε στὶς χαρὲς τῶν παιδιῶν σας.
We drink to your children's wedding.

τρελλαίνομαι ἀπὸ τὴ χαρά μου=I am mad with joy.

Κέρδισε τὸ λαχεῖο καὶ τρελλάθηκε ἀπὸ τὴ χαρά του.
He won the lottery and he is mad with joy.

χαρὰ Θεοῦ=fine weather.

Κάνει χαρὰ Θεοῦ. Γιατὶ δὲν πᾶμε ἕνα περίπατο;
The weather is fine. Why don't we go for a walk?

χαρτί, τὸ

χαρτὶ καὶ καλαμάρι=I give a full report.

Μοῦ τὰ εἶπε ὅλα χαρτὶ καὶ καλαμάρι.
He told me everything, he gave me a full report.

χαστούκι, τὸ

τοῦ ἄστραψε ἕνα χαστούκι=he slapped him.

Κάνε ἡσυχία. Θὰ σοῦ ἀστράψω κανένα χαστούκι.
Be quiet. I will slap you.

χατίρι, τὸ

γιὰ τὸ χατίρι μου=for my sake, to please me.

Τὸ ἔκανε γιὰ τὸ χατίρι τῆς γυναίκας του.
He did it for his wife's sake.

χείρ, ἡ (αἱ χεῖρες)

ἄρχομαι χειρῶν ἀδίκων=Ι give the first blow.
δίδω χεῖρα βοηθείας=I lend a hand, I help.

Αὐτὸς δὲν δίδει ποτὲ χεῖρα βοηθείας.
He never lends a hand.

ζητῶ τὴν χεῖρα μιᾶς=I ask for her hand.

Μᾶς ἐπεσκέφθη καὶ ἐζήτησε ἀπὸ τὸν πατέρα μου τὴν χεῖρα τῆς ἀδελφῆς μου.
He visited us and asked my father for my sister's hand.

νίπτω τὰς χεῖρας μου=I wash my hands of the matter, I disclaim all responsibility, I refuse any responsibility for.

Δὲν ἔχω καμμιὰ εὐθύνη. Νίπτω τὰς χεῖρας μου.
I have no responsibility. I wash my hands of the matter.

(Πρβλ. ἀπεκδύομαι εὐθύνης=the same meaning).
σὺν ᾿Αθηνᾶ καὶ χεῖρα κίνει=God help those who help themselves.

Μὴν εἶσαι ἀδρανής. Κάνε κάτι. Σὺν ᾿Αθηνᾶ καὶ χεῖρα κίνει.
Don't be inactive. Do something. God helps those who help themselves.

χέρι, τὸ (τὰ χέρια)

ἔρχομαι στὰ χέρια (ἢ εἰς χεῖρας)=I come to blows.

Κατι εἶπε ὁ ἔνας καὶ ἦλθαν στὰ χέρια.
One of them said something and they came to blows.

κάλλιο ἕνα καὶ στὸ χέρι παρὰ δέκα καὶ καρτέρει=a bird in the hand is worth two in the bush.

Πάρε ὅτι σοῦ δίνει τώρα. Κάλλιο ἕνα καὶ στὸ χέρι παρὰ δέκα καὶ καρτέρει.
Take what he offers you now. A bird in the hand is worth two in the bush.

κάτι εἶναι στὸ χέρι μου (τοῦ χεριοῦ μου)=it depends on me.

Νὰ εἶσαι βέβαιος, ἐὰν εἶναι τοῦ χεριοῦ μου θὰ τὸ κάνω.
Be sure, if it depends on me I will do it.

μακρυὰ τὰ χέρια (πάρε τὰ χέρια σου ἀ•' ἐκεῖ)=hands off.

Μοῦ εἶπε: «Μακρυὰ τὰ χέρια, μὴν τὸ ἐγγίζης».
He said to me: "Hands off, don't touch it."

ψηλὰ τὰ χέρια=hands up.

῾Ο ἀστυφύλαξ εἶπε: «Ψηλὰ τὰ χέρια».
The policeman said: "Hands up."

χεῖρον, τὸ

ἐπὶ τὰ χείρω=from bad to worse.

῾Η ὑγεία του βαίνει ἐπὶ τὰ χείρω.
His health goes from bad to worse.

χθὲς

χθὲς τὸ βράδυ=last night.

῏Ηλθε χθὲς τὸ βράδυ.
He came last night.

χθὲς τὸ πρωῒ=yesterday morning.

Τὸν συνήντησα χθὲς τὸ πρωΐ.
I met him yesterday morning.

χιόνια, τὰ

σὰν τὰ χιόνια (σπανίως)=once in the blue moon.

Τὴν βλέπω (σπανίως) σὰν τὰ χιόνια.
I see her once in a blue moon.

χιονίζει

χιονίζει=it snows.

Κοίταξε, χιονίζει.
Look, it is snowing.

Δὲν χιονίζει συχνὰ εἰς τὴν Ἀθήνα.
It does not snow often in Athens.

Τὸ Δεκέμβριο χιονίζει κάθε μέρα.
In December it snows every day.

χνῶτο, τὸ (τὰ χνῶτα)

δὲν ταιριάζουν τὰ χνῶτα μας=we do not think the same way, we do not agree, we think differently.

Χώρισαν. Δὲν ταίριαζαν τὰ χνῶτα τους.
They are divorced. They did not think the same way.

χολή, ἡ

μοῦ κόπηκε ἡ χολὴ=I was frightened, I was struck with terror.

Ὅταν ἄκουσα ὅτι ὁ ἐχθρὸς ἤρχετο μοῦ κόπηκε ἡ χολή.
When I heard that the enemy was coming I was struck with terror.

ποτίζω κάποιον χολὴ=I embitter him, I cause sorrow to him.
(Πρβλ. ἀντὶ τοῦ μάνα χολὴ=I am not grateful to someone).

Αὐτὸς τὴν ἀγαποῦσε πολὺ ἀλλ' αὐτὴ τὸν πότισε χολή.
He loved her very much but she caused him sorrow.

χρειάζομαι

τὰ χρειάσθηκα=I was struck with fear, I was frightened.

Ὅταν ἦλθαν νὰ μὲ συλλάβουν ὑπὸ τὴν ἀπειλὴν τοῦ αὐτομάτου τὰ χρειάστηκα.
When they came to arrest me at machine gun point I was struck with fear.

χρέος, τὸ (τὰ χρέη)

δημιουργῶ χρέη=I run into debt.

Δημιούργησε χρέη καὶ εἰς τὸ τέλος κατέληξε στὴ φυλακή.
He ran into debt and finally he ended up in jail.

ἐκπληρῶ τὸ χρέος μου=I do my duty.
(Πρβλ. κάνω τὸ χρέος μου=the same meaning).

Ἐκπληροῖ τὸ χρέος του πρὸς τὴν πατρίδα.
He does his duty for his country.

ἐκτελῶ χρέη διευθυντοῦ (προϊσταμένου, γραμματέως κ.λ.π.)=I act as director, (supervisor, secretary e.t.c.).

Ὁ διευθυντὴς λείπει μὲ ἄδεια, ἔτσι ἐκτελῶ ἐγὼ χρέη διευθυντοῦ.
The director is on leave of absence so I act as director.

χρεώνομαι

χρεώνομαι=I get into debt.

Ἀγόρασε νέο αὐτοκίνητο καὶ χρεώθηκε.
He bought a new car and got into debt.

χρήματα, τὰ

δὲν ἔχω χρήματα=I have no money, I am badly off.
δὲν ἔχω χρήματα μαζί μου=I have no money on me.

Δὲν ἔχετε χρήματα μαζί σας; Δὲν πειράζει, θὰ πληρώσω ἐγώ.
Don't you have any money on you? It does not matter. I will pay.

χρήματα: Προσοχὴ εἰς τὴν Ἀγγλικὴν =money + singular =money is.

Τὰ χρήματά σας εἶναι εἰς τὸ τραπέζι.
Your money is on the table.

In Greek: χρήματα (plural).
In English: money (singular).

Ἔχει τὰ χρήματά του εἰς τὴν τράπεζα.
He has (keeps) his money in the bank.

χρησιμοποιῶ

χρησιμοποιῶ=I make use of.

Πάντοτε χρησιμοποιῶ ὅ,τι ξέρω.
I always make use of everything that I know.

χρῆσις, ἡ

ἐν χρήσει=in use.

Αὐτὰ τὰ γραμματόσημα εἶναι ἀκόμη ἐν χρήσει.
These stamps are still in use.

κάνω χρῆσιν=I make use of.
κάνω καλὴν χρῆσιν=I make good use of.
κάνω κακὴν χρῆσιν=I make bad use of.

Ἔκανε καλὴ χρῆσι τοῦ ἐλευθέρου χρόνου της καὶ ἔμαθε μία ξένη γλῶσσα, Ἑλληνικά.
She made good use of her free time and learned a foreign language, Greek.

ὄχι πλέον ἐν χρήσει=out of use.

Αὐτὴ ἡ λέξις δὲν εἶναι πλέον ἐν χρήσει.
This word is out of use.

Χριστός, ὁ

μετὰ Χριστὸν (μ.Χ.)=after Christ (A.D.) Anno Domini.

πρὸ Χριστοῦ (π.Χ.)=before Christ (B.C.).

χριστιανός, ὁ

χριστιανέ μου=my good friend.

Χριστούγεννα, τὰ

καλὰ Χριστούγεννα=Merry Christmas.

Σᾶς εὐχόμεθα καλὰ Χριστούγεννα.
We wish you Merry Christmas.

χρονάκια, τὰ

ἔχει τὰ χρονάκια της=she is not so young.

Ἔχει τὰ χρονάκια της. Πόσο χρονῶν νομίζετε ὅτι εἶναι;
She is not so young. How old do you think she is?

χρόνος, ὁ

ἀπαιτεῖ χρόνον=it takes time.

Πόσο χρόνο ἀπαιτεῖ νὰ πᾶς ἀπὸ τὸ σπίτι σου στὸ γραφεῖο σου;
How much time does it take to go from your house to your office?

ἀφήνω χρόνους=I die.

(Πρβλ. τὰ τινάζω=I kick the bucket).

Ὁ θεῖος της μᾶς ἄφησε χρόνους.
Her uncle died.

Τὸ ἄλογό μας τὰ τίναξε.
Our horse kicked the bucket.

κερδίζω χρόνο=I save time.

Δὲν σταμάτησα καθόλου γιὰ νὰ κερδίσω χρόνο.
I did not stop at all in order to save time.

ὁ χρόνος εἶναι χρῆμα=time is money.

Οἱ Ἀμερικανοὶ λένε «ὁ χρόνος εἶναι χρῆμα». Οἱ Ἕλληνες λένε «χρόνου φείδου».
Americans say "time is money." Greeks say "make the most of your time".

προϊόντος τοῦ χρόνου=in the process of time, in the course of time.
(Πρβλ. σὺν τῷ χρόνῳ (μὲ τὸ χρόνο)=the same meaning).

Προϊόντος τοῦ χρόνου τὰ πράγματα θὰ καλλιτερεύσουν.
In the process of time things will get better.

σὲ ἕνα χρόνο=in a year.

Ὑπάρχουν δώδεκα μῆνες σὲ ἕνα χρόνο.
There are twelve months in a year.

Μπορῶ νὰ μάθω Ἑλληνικὰ σὲ ἕνα χρόνο.
I can learn Greek in a year.

χρόνο μὲ τὸ χρόνο=from year to year, year in year out.

Αὐτὴ μεγαλώνει χρόνο μὲ τὸ χρόνο.
She gets bigger from year to year.

χρονῶν...=years old.

Εἶμαι δέκα χρονῶν.
I am ten years old.

Πόσο χρονῶν εἶσαι;
How old are you?

Εἶμαι εἴκοσι χρονῶν.
I am twenty years old.

χρονῶν-ἐτῶν=years old.

Πόσο ἐτῶν εἶσαι;
How old are you?

Εἶμαι δέκα ἐτῶν.
I am ten years old.

χρυσή, ἡ (οἱ χρυσὲς)

κάνει χρυσὲς δουλειὲς=he is very successful in business.

Ἄνοιξε καινούργιο μαγαζὶ καὶ κάνει χρυσὲς δουλειές.
He opened a new shop and he is very successful in business.

χρυσός, ὁ

ὅ,τι λάμπει δὲν εἶναι χρυσὸς=all that glitters is not gold.

χρυσά, τὰ

τρώω μὲ χρυσὰ κουτάλια=I am very prosperous.

Ἡ οἰκογένειά της τρώει μὲ χρυσὰ κουτάλια.
Her family is very prosperous.

χρῶμα, τὸ

ἀνοικτὸ χρῶμα=a light colour.

Αὐτὸ τὸ αὐτοκίνητο ἔχει ἀνοικτὸ χρῶμα.
This car has a light colour.

Τὸ χρῶμα τοῦ αὐτοκινήτου εἶναι ἀνοικτὸ μπλέ.
The colour of the car is light blue.

σκοῦρο χρῶμα=a dark colour.

Αὐτὸ τὸ αὐτοκίνητο ἔχει σκοῦρο χρῶμα.
This car has a dark colour.

Τὸ χρῶμα τοῦ αὐτοκινήτου εἶναι σκοῦρο μπλέ.
The colour of the car is dark blue.

τὶ χρῶμα εἶναι ἡ κιμωλία;=what is the colour of chalk?

Τὶ χρῶμα ἔχει τὸ λεμόνι;
What is the colour of lemon?

χυλόπιττα, ἡ

τρώγω τὴ χυλόπιττα=I am rejected by my lover, my love affair goes west.

Νόμιζε ὅτι ἡ Μαρία θὰ τὸν παντρευόταν, ἀλλὰ τελικὰ ἔφαγε τὴν χυλόπιττα.
He thought that Mary would marry him, but finally she rejected him.

χυλός, ὁ

ὅποιος καῆ εἰς τὸ χυλὸ φυσᾶ καὶ τὸ γιαούρτι=once beaten twice shy.
(Πρβλ. the burnt child dreads the fire=the same meaning).

Αὐτή τῆ φορὰ θὰ εἶμαι πολὺ προσεκτικός. Ξέρεις «ὅποιος καῆ εἰς τὸ χυλὸ φυσᾶ καὶ τὸ γιαούρτι.».
This time I will be very careful. You know "once beaten twice shy."

χωνεύω

δὲν χωνεύω κάποιον=I cannot stomach him, I cannot bear him.

Δὲν μὲ χωνεύει, ἀλλὰ δὲν ξέρω τὸν λόγο.
He cannot bear me but I don't know why.

χώνω

χώνω κάποιον μέσα=I put him in prison.

Χρεωκόπησε καὶ τὸν ἔχωσαν μέσα.
He went bankrupt and they put him in prison.

χώνω τὴν μύτη μου σὲ ξένες δουλειές=I poke my nose into other people's business.

Εἶναι τρομερὰ περίεργη, χώνει τῆ μύτη της σὲ ξένες δουλειές.
She is terribly curious, she pokes her nose into other people's business.

χώρα, ἡ

λαμβάνει χώραν=it takes place.

Ἡ συνάντησις θὰ λάβη χώραν εἰς τὸ σχολεῖο μας.
The meeting will take place at our school.

χωρατό, τὸ (τὰ χωρατὰ)

δὲν σηκώνω χωρατὰ=I am not to be trifled with.

Ὁ πατέρας της δὲν σηκώνει χωρατά.
Her father is not to be trifled with.

χωρὶς

χωρὶς ἄλλο=without fail.

Θὰ ἔλθω χωρὶς ἄλλο.
I will come without fail.

χωράω

δὲν τὸ χωράει ὁ νοῦς μου=it is beyond my comprehension.

Εἶναι δυνατὸν αὐτὴ νὰ σκότωσε κάποιον; Δὲν τὸ χωράει ὁ νοῦς μου.
Is it possible that she killed someone? It is beyond my comprehension.

κάτι δὲν μὲ χωράει=it does not fit me.

Τὸ καινούργιο ζευγάρι παπούτσια δὲν μὲ χωράει.
The new pair of shoes does not fit me.

-Ψ-

ψάθα, ἡ

πεθαίνω στὴν ψάθα=I die very poor (on a mat not on a bed).

Συνήθως οἱ ἄνθρωποι τῶν γραμμάτων πεθαίνουν στὴ ψάθα.
Men of letters usually die very poor.

ψάρεμα, τὸ

πηγαίνω γιὰ ψάρεμα=I go fishing.

Πᾶνε γιὰ ψάρεμα αὐτὸ τὸ Σαββατοκύριακο.
They are going fishing this week-end.

ψάρι, τὸ

αὐτὴ μοῦ ἔψησε τὸ ψάρι στά χείλη=she has given me a hard time, she has tormented me.

Εἶναι δυστυχής. Ἡ γυναίκα του τοῦ ψήνει τὸ ψάρι στὰ χείλη.
He is unhappy. His wife gives him a hard time.

τὸ μεγάλο ψάρι τρώει τὸ μικρὸ=the survival of the fittest (the big fish eats the small one).

ψάχνω

ψάχνω γιὰ=I look for.

Ψάχνω γιὰ τὸν ἀδελφό μου.
I look for my brother.

ψάχνω γιὰ (μιὰ λέξι εἰς τὸ λεξικὸ)=I look up.

Ἐὰν δὲν ξέρης μία λέξι, ψάξε γι' αὐτὴν εἰς τὸ λεξικό.
If you do not know a word, look it up.

ψέματα, τὰ

ἕνα σωρὸ ψέματα=a pack of lies.
(Πρβλ. ψέματα μὲ οὐρὰ=the same meaning).

Μᾶς εἶπαν ἕνα σωρὸ ψέματα.
They told us a pack of lies.

λέω ψέματα=I tell lies.

Εἶναι ψεύτης. Λέει ψέματα. Μὴν τὸν πιστεύετε.
He is a liar. He tells lies. Don't believe him.

σώθηκαν τὰ ψέματα=things have come to an en♦, things are serious.

Σώθηκαν τὰ ψέματα. Θὰ πρέπει νὰ πληρώσετε ἢ ἀλλοιῶς θὰ σᾶς βάλουν φυλακή.
Things have come to an end. You should pay or otherwise they will put you in jail.

ψεύτης, ὁ

ἀποκαλῶ κάποιον ψεύτη=I call him a liar.

Δὲν ἔχει δίκαιο νὰ τὸν ἀποκαλῆ ψεύτη.
He is not right in calling him a liar.

ψύλλος, ὁ

αὐτὸς καλιγώνει τὸν ψύλλο=he is a very capable person, he can almost achieve the impossible.

Παρακάλεσε αὐτὸν νὰ σὲ βοηθήσῃ. Αὐτὸς καλιγώνει τὸν ψύλλο.
Ask him to help you, he can almost achieve the impossible.

γιὰ ψύλλου πήδημα=for a mere trifle.

Τὴν σκότωσε γιὰ ψύλλου πήδημα.
He killed her for a mere trifle.

ζητῶ ψύλλο στ' ἄχυρα=I look for a needle in a hay stack.

Ξέχασε το. Δὲν εἶναι δυνατὸν νὰ τὸ βρῆς. Μὴν ζητᾶς ψύλλο στ' ἄχυρα.
Forget about it. It is not possible to find it. Don't look for a needle in a hay-stack.

μοῦ μπῆκαν ψύλλοι στ' αὐτιὰ=that made me smell a rat, that made me suspect something.

Ὅταν ἄκουσα τί λέγανε μοῦ μπῆκαν ψύλλοι στ' αὐτιά.
When I heard what they were saying I smelled a rat.

ψυχή, ἡ

βγάζω τὴν ψυχὴ κάποιου=I work him to death.

Τὸ ἀφεντικὸ μοῦ βγάζει τὴν ψυχὴ καθημερινῶς.
The boss works me to death every day.

γελῶ μὲ τὴν ψυχή μου=I laugh heartily.

Χθὲς βράδυ στὸ θέατρο γελάσαμε μὲ τὴν ψυχή μας.
Last night at the theater we laughed heartily.

μὲ ὅλη μου τὴν ψυχὴ=with all my heart.
(Πρβλ. ἐξ ὅλης ψυχῆς=the same meaning).

Νὰ τὴν παντρευτῆς μὲ ὅλη μου τὴν ψυχὴ καὶ τὶς εὐλογίες μου.
You may marry her with all my heart and my blessings.

οὔτε ψυχὴ=not a soul, nobody.

Καθ' ὁδὸν πρὸς τὸ σπίτι δὲν ὑπῆρχε οὔτε ψυχή.
On my way home there was not a soul.

παραδίδω τὴν ψυχὴ=I die.

Παρέδωσε τὴν ψυχὴ ἐν εἰρήνῃ.
He died in peace.

ψυχῇ τε καὶ σώματι=with body and soul.

Εἶναι ψυχῇ τε καὶ σώματι ἀφοσιωμένη εἰς τὴν οἰκογένειάν της.
She is devoted to her family body and soul.

ψύχρα, ἡ

κάνει ψύχρα=it is chilly, it is cold.

Κάνει ψύχρα, πάρε τὴν ζακέτα σου μαζί.
It is chilly, take your jacket with you.

ψωμί, τὸ

βγάζω τὸ ψωμί μου=I make a living.

Βγάζει τὸ ψωμί του ἐργαζόμενος εἰς ἕνα ξενοδοχεῖο.
He makes a living by working in a hotel.

κερδίζω τὸ ψωμί μου=I earn my living.

Κερδίζει τὸ ψωμί του σχετικῶς εὔκολα.
He earns his living rather easily.

λίγα εἶναι τὰ ψωμιά του=he will die soon, his days are numbered.

Εἶναι σοβαρὰ ἄρρωστος. Λίγα εἶναι τὰ ψωμιά του.
He is seriously ill. His days are numbered.

τρώγω ψωμὶ καὶ ἁλάτι μὲ κάποιον=we are old friends, we have common experiences, we have gone through a lot together.

Μὲ τὸν πατέρα σου ἐφάγαμε ψωμὶ καὶ ἁλάτι.
Your father and I have gone through a lot together.

χάνω τὸ ψωμί μου=I lose my post, I lose my job.

Ἔχασε τὸ ψωμί του. Εἶναι δύσκολο νὰ βρῆ δουλειὰ στὴν ἡλικία του.
He lost his post. It is difficult to find a job at his age.

ψώνια, τὰ

πάω γιὰ ψώνια=I go shopping.

Τῆς ἀρέσει νὰ πηγαίνη γιὰ ψώνια μόνη της.
She likes to go shopping alone.

ψωνίζω

τὴν ψώνισε=he went mad.

Ἄς τον, μὴ τοῦ μιλᾶς. Τὴν ἔχει ψωνίσει.
Leave him, don't talk to him. He has gone mad.

-Ω-

ὠδίνω

ὤδινεν ὄρος καὶ ἔτεκεν μῦν=big troubles, small results.

ὥρα, ἡ

ἀπὸ ὥρας εἰς ὥραν=any time now.

Καταφθάνουν ἀπὸ ὥρας εἰς ὥραν.
They are arriving any time now.

γιὰ λίγη ὥρα=for a while.

Θὰ μείνω μαζί σας γιὰ λίγη ὥρα.
I will stay with you for a while.

Θὰ μείνης γιὰ λίγη ὥρα;
Are you going to stay for a while?

δὲν βλέπω τὴν ὥρα νὰ=I long for.

Δὲν βλέπω τὴν ὥρα νὰ ἐπιστρέψω στὴν Ἑλλάδα.
I long for my return to Greece.

εἶμαι εἰς ὥραν γάμου=I am of a marriageable age.

Δὲν εἶναι ἀκόμη εἰς ὥραν γάμου, εἶναι μόνον δεκαπέντε.
She is not yet of marriageable age. She is only fifteen.

εἶναι ὥρα νὰ...=it is time to...

Εἶναι νομίζω ὥρα νὰ ξεκινήσωμε.
I think it is time to start (that we started).

ἐπάνω στὴν ὥρα=just in time.

Θαυμάσια. Ἦλθες ἐπάνω στὴν ὥρα.
Fine. You have come just in time.

ἡ ὥρα εἶναι...=the time is..., it is...

Ἡ ὥρα εἶναι δώδεκα.
The time is twelve.
It is twelve o'clock.

ἡ ὥρα τελείωσε=the time is up.

Ἡ ὥρα τελείωσε. Θὰ συνεχίσωμε τὴν ἐπομένη φορά.
The time is up. We shall continue next time.

ἦλθε ἡ ὥρα νὰ...=the time has come to...

Ἦλθε ἡ ὥρα νὰ σοῦ ποῦμε ἕνα οἰκογενειακὸ μυστικό.
The time has come to tell you a family secret.

κακὴ ὥρα=a moment of bad luck.

Ἦταν μόνον κακὴ ὥρα, τίποτε ἄλλο.
It was only a moment of bad luck, nothing else.

κακή του ὥρα=may he meet bad luck, may evil overtake him.

Κακή του ὥρα ὅπου καὶ ἂν βρίσκεται αὐτὴ τὴ στιγμή.
May evil overtake him wherever he is at the moment.

καλή του ὥρα=may God bless him wherever he may be.

Αὐτὸς ὁ ἄνθρωπος εἶναι εὐεργέτης μου. Καλή του ὥρα.
That man is my benefactor. May God bless him wherever he may be.

κάτι ἔρχεται στὴν ὥρα του=it is on schedule.

κάτι ἔρχεται πρὶν ἀπὸ τὴν ὥρα του=it is ahead of schedule.

κάτι ἀργεῖ=it is behind schedule.

κάτι ἔρχεται ἀκανόνιστα=it is off schedule.

Τὸ τραῖνο ἔρχεται στὴν ὥρα του.
The train comes on schedule.

Τὸ τραῖνο ἦλθε πρὶν ἀπὸ τὴν ὥρα του.
The train has come ahead of schedule.

Τὸ τραῖνο ἀργεῖ.
The train is behind schedule.

Τὸ τραῖνο ἔρχεται ἀκανόνιστα.
The train is off schedule.

λέγω τὴν ὥρα=I tell the time.

Μπορεῖτε νὰ μοῦ πῆτε τὴν ὥρα παρακαλῶ;
Can you tell me the time please?

ὁ Θεὸς νὰ μᾶς φυλάη ἀπὸ κακὴ ὥρα=may God protect us from moments of mishap.

πολλὴ ὥρα=a long time.

Δὲν μπορῶ νὰ περιμένω γιὰ πολλὴ ὥρα.
I cannot wait for a long time.

Ἔβρεχε γιὰ πολλὴ ὥρα.
It rained for a long time.

πολλὴ ὥρα=much time.

Δὲν ἔχω πολλὴ ὥρα στὴ διάθεσί μου.
I do not have much time at my disposal.

στὴν ὥρα=on time.

Εἶμαι πάντα στὴν ὥρα.
I am always on time.

Εἶναι ποτὲ στὴν ὥρα;
Is he ever on time?

τὴν ἴδια ὥρα=at the same time.

Περπατῶ καὶ τὴν ἴδια ὥρα σκέπτομαι τὰ προβλήματά μου.
I walk and at the same time I am thinking about my problems.

τὴν ὥρα=an hour.

Πληρώνεται μὲ τὴν ὥρα. Ἕνα δολλάριο τὴν ὥρα.
He is being paid by the hour. One dollar an hour.

τῆς ὥρας=very fresh, cooked on the grill while one is waiting.

Ἔχομε ψάρια τῆς ὥρας.
We have very fresh fish.

Τὸ γκαρσὸν εἶπεν: «Ἔχομε μόνον τῆς ὥρας.
The waiter said: "We only have food cooked on the grill."

τὶ ὥρα;=at what time? when?

Τὶ ὥρα νὰ ἔλθω;
At what time shall I come?

τὶ ὥρα εἶναι;=what time is it? what is the time?

Μπορεῖτε νὰ μοῦ πῆτε τὶ ὥρα εἶναι;
Can you tell me what time is it?

Τὶ ὥρα εἶναι σᾶς παρακαλῶ;
What is the time please?

τὶ ὥρα περίπου;=at about what time?

Τὶ ὥρα περίπου τὸν συναντήσατε;
At about what time did you meet him?

τρεῖς ἡ ὥρα=three o'clock.

Ἔλα στὶς πέντε (ἡ ὥρα.).
Come at five o'clock.

ὥρα καλὴ=good-bye! farewell!

ὡραῖο, τὸ

τὸ ὡραιότερο κορίτσι=the most beautiful girl.
N.B. In Greek we use the article plus comparative to express superlative.

Ὁ Γιάννης εἶναι ὁ ψηλότερος στὴν τάξι.
John is the tallest in the class.

ὠφέλεια, ἡ

ἐπ' ὠφελείᾳ τοῦ=to the advantage of.

Τὸ ὑπόλοιπον εἶναι ἐπ' ὠφελείᾳ τοῦ ἀγοραστοῦ.
The rest is to the advantage of the buyer.

ὠφέλιμο, τὸ

συνδυάζει τὸ τερπνὸν μετὰ τοῦ ὠφελίμου=he combines pleasure and business.

Ταξιδεύει συνδυάζοντας τὸ τερπνὸν μετὰ τοῦ ὠφελίμου.
He travels combining pleasure and business.

ὠφελῶ

δὲν ὠφελεῖ=it is of no use.

Μὴν τοῦ τηλεφωνῆς. Δὲν ὠφελεῖ.
Don't call him. It is of no use.

δὲν μὲ ὠφελεῖ=it does not do me any good.

Τὸ φάρμακο αὐτὸ δὲν μὲ ὠφελεῖ πλέον.
This medicine does not do me any good.

σὲ τὶ ὠφελεῖ;=what's the use?

Μὴν βιάζεσαι. Σὲ τὶ ὠφελεῖ; Τὸ τραῖνο ἔφυγε ἤδη.
Don't hurry. What's the use? The train has already left.

ΤΕΛΟΣ